HISTORIA
ROSSICA

Андрей Зорин

КОРМЯ ДВУГЛАВОГО ОРЛА...

ЛИТЕРАТУРА И ГОСУДАРСТВЕННАЯ ИДЕОЛОГИЯ В РОССИИ В ПОСЛЕДНЕЙ ТРЕТИ XVIII – ПЕРВОЙ ТРЕТИ XIX ВЕКА

МОСКВА

НОВОЕ ЛИТЕРАТУРНОЕ ОБОЗРЕНИЕ

2004

УДК 323.2(091)(470)"1762—1856"
ББК 63.3(2)513-7
З-86

Редакционная коллегия серии
HISTORIA ROSSICA

Е. Анисимов, В. Живов,
А. Зорин, А. Каменский, Ю. Слезкин, Р. Уортман,

Издание осуществлено при поддержке
Института «Открытое общество» (Фонд Сороса)
в рамках программы «Пушкинист»

Зорин Андрей

З-86 **КОРМЯ ДВУГЛАВОГО ОРЛА... Русская литература и государственная идеология в последней трети XVIII — первой трети XIX века.** — М.: Новое литературное обозрение, 2004. — 416 с.

Книга рассматривает цикл идеологических моделей, выдвигавшихся в качестве государственной идеологии Российской империи в екатерининское, александровское и николаевское царствования: «греческий проект» Екатерины — Потемкина, концепцию «святой Руси», замысел Священного союза монархов, доктрину «православие — самодержавие — народность». Эти попытки национально-государственной самоидентификации осуществлялись в значительной степени в опоре на опыт поэтической рефлексии о России, накопленный в те годы авторами од, поэм, трагедий, исторических романов.

УДК 323.2(091)(470)"1762—1856"+821.161.1.09"1762—1856"
ББК 63.3(2)513-7+63.3(2)521-7+83.3(2Рос=Рус).5

ISBN 5-86793-103-X

Памяти Г. Г. Зориной

От автора

Эта книга была начата в 1993 г., когда я был стипендиатом Центра русских исследований (ныне Дэвис-центр) Гарвардского университета США. В 1996—1998 гг. моя работа пользовалась поддержкой программы Research Support Scheme Института «Открытое общество» (Фонд Сороса), в 1999-м — программы «Пушкинист» московского отделения того же Института.

За эти годы многие главы книги публиковались в журнале «Новое литературное обозрение», докладывались в форме лекционных курсов, публичных лекций, выступлений на конференциях. Не имея возможности поименно поблагодарить десятки коллег, оказавших мне большую помощь в работе своими советами, вопросами и замечаниями, я бы все же хотел выразить признательность М. В. Безродному, В. М. Живову, К. Ю. Лаппо-Данилевскому, Е. Э. Ляминой, М. Л. Майофис, Ю. В. Манну, О. А. Проскурину, К. Ю. Рогову, А. Шенле и Л. Энгельштейн. Особую благодарность я бы хотел принести А. Р. Курилкину за целый ряд важных дополнений, а также за помощь в подготовке библиографического аппарата и подборе иллюстративного материала.

Мне не удалось бы довести эту работу до конца без участия моих родных, неизменно поддерживавших меня своим терпением и своим нетерпением.

Своим становлением, как человеческим, так и профессиональным, я обязан моей матери, Генриетте Григорьевне Зориной (1923—1980). В столь же бесконечном, сколь и безнадежном стремлении оправдать ожидания я посвящаю эту книгу ее памяти.

ЛИТЕРАТУРА И ИДЕОЛОГИЯ

«Habent sua fata verba [слова имеют свою судьбу], но у некоторых слов судьба страннее, чем у других. Как бы то ни было, слово "идеология" установило рекорд, который трудно превзойти», — написал в недавней работе философ Зигмунт Бауман (1999, 109). С тех пор, как в конце XVIII в. Антуан Дестют де Траси впервые выдвинул понятие идеологии как науки об общих принципах формирования идей и основы человеческого знания, свои истолкования этой категории предлагало неисчислимое множество философов, мыслителей, историков и политиков. В 1929 г. Карл Манхейм в своей ставшей классической книге «Идеология и утопия» сетовал, что «мы не располагаем еще исследованиями, рассматривающими историю понятия идеологии, не говоря уже о написанной с социологических позиций истории того изменения, которое претерпело значение этого понятия» (Манхейм 1994, 59). С тех пор ситуация изменилась на противоположную, и в качестве проблемы может ощущаться скорей переизбыток соответствующих работ (см., напр.: Лоррейн 1979; Кендалл 1981; Томпсон 1984; Рикер 1984; Иглтон 1991; Иглтон 1994 и др.; из последних работ см. сжатый очерк З. Баумана «Ideology in the Postmodern World»: Бауман 1999, 109—130).

Автор одного из последних подобных обзоров, английский марксист Терри Иглтон, открывает свою книгу произвольным перечнем шестнадцати определений идеологии, почти наугад извлеченных из работ последних лет:

а) процесс производства значений, знаков и ценностей в общественной жизни;

б) корпус идей, характеризующий определенную социальную группу или класс;

в) идеи, способствующие легитимации господствующего политического порядка;

г) ложные идеи, способствующие легитимации господствующего политического порядка;

д) систематически искажаемая коммуникация;

е) то, что позволяет субъекту принять определенную точку зрения;

ж) мыслительные формы, мотивированные социальными интересами;

з) конструирование идентичности;

и) социально необходимые заблуждения;

к) сочетание дискурса и власти;

л) среда, в которой социально активные субъекты осмысляют мир;

м) набор убеждений, программирующих социальное действие;

н) семиотическое замыкание;

о) необходимая среда, в которой индивиды проживают свои отношения с социальными структурами;

п) процесс, благодаря которому социальные отношения предстают в качестве естественной реальности.

(Иглтон 1991, 1—2)

Значительное большинство приведенных формулировок прямо или опосредованно связано с «Немецкой идеологией» Маркса и Энгельса с ее представлением об идеологии как «камере-обскуре», где «люди и их отношения оказываются поставленными на голову», а «господствующие мысли суть не что иное, как идеальное выражение господствующих материальных отношений, <...> следовательно это — выражение тех отношений, которые и делают один этот класс господствующим» (Маркс и Энгельс III, 25, 45—46). Такой характер выборки отражает не только партийные пристрастия Т. Иглтона, но и вполне реальную научную ситуацию. Идеологическая проблематика наиболее активно осваивалась либо в рамках марксистской традиции, либо, в крайнем случае, в ходе ее преодоления.

Трактовка идеологии как «камеры-обскуры» оставляла открытым вопрос о теоретическом статусе самого марксизма. Одно из возможных решений было отчасти намечено марксистами начала XX в., и в том числе Лениным, развернуто Г. Лукачем в книге «История и классовое сознание» (1922) и, несмотря на свирепую критику этого труда в партийной печати, принято советской официальной философией. Активизируя гегельянский субстрат марксизма, Лукач усматривал в истории классового сознания своего рода материалистическую аналогию самопознанию абсолютного духа. Поскольку классовые интересы пролетариата совпадают с логикой исторического процесса, противоречие между наукой и идеологией оказывается диалектически снятым и пролетарская идеология совпадает с объективной истиной (см.: Лукач 1971).

Другой подход, напротив, рассматривает идеологию как скомпрометированное, «ложное», по выражению Энгельса, сознание (Маркс и Энгельс XXXIX, 82; ср.: Манхейм 1994, 66—69), противопоставляя ему научную марксистскую социологию. Внутри марксистской традиции наиболее радикальным сторонником подобных взглядов был французский философ Л. Альтюссер, видевший в идеологии праформу субъективности, которая может быть устранена из мышления только объективностью научного анализа (см.: Альтюссер 1971; ср.: Рикер 1984, 120—132; Иглтон 1991, 137—154). С другой стороны, К. Манхейм направил критический подход, выработанный марксизмом, на его собственные гносеологические предпосылки.

> Для марксистского учения, — пишет Манхейм, — очевидно, что за каждой теорией стоят аспекты *видения*, присущего определенным коллективам. Этот феномен — мышление, обусловленное социальными, жизненными интересами, — Маркс называет *идеологией*.
>
> Здесь, как это часто случается в ходе политической борьбы, сделано весьма важное открытие, которое <...> должно быть доведено до своего логического конца. <...> Прежде всего легко убедиться в том, что мыслитель социалистическо-коммунистического направления усматривает элементы идеологии лишь в политическом мышлении противника, его же собственное мышление представляется ему свободным от каких-либо проявлений идеологии. С социологической точки зрения нет оснований не распространять на марксизм сделанное им самим открытие.
>
> (Манхейм 1994, 108)

Манхейм различал «частичную» идеологию как собственно содержательную, программную часть высказываний политика и «тотальную» идеологию, обнимающую все его мировоззрение, включая категориальный аппарат. Соответственно, по отношению к первой указание на социальную обусловленность носит оценочный и притом разоблачительный характер, в то время как по отношению ко второй оно является регулярной научной процедурой:

> Понятие частичной идеологии исходит из того, что тот или иной интерес служит причиной лжи и сокрытия истины, понятие тотальной идеологии основано на мнении, что определенному социальному положению *соответствуют* определенные точки зрения, методы наблюдения, аспекты. Здесь также часто применяется анализ интересов, но не для выявления каузальных детерминант, а для характеристики структуры социального бытия.
>
> (Там же, 58)

Анализ идеологических практик в их социальной обусловленности и вне каких-либо сиюминутных политических оценок должен был составить предмет социологии знания — специальной исторической дисциплины, разработанной Манхеймом. Однако, сколь бы богат ни был набор средств антиидеологической гигиены, находящийся в распоряжении исследователя, роковой вопрос об обусловленности самого социолога и его анализа не может быть снят с повестки дня.

С неотвратимой логикой бумеранга полемический прием, выработанный постмарксистской социологической мыслью для критики своих учителей, подкапывает ее собственные основания. В послевоенные годы неизбывный вопрос «А ты-то сам кто такой?» чаще как раз выслушивали от своих левых оппонентов социологи и политологи либерального толка, связывавшие понятие идеологии с тоталитарными доктринами коммунистическо-нацистского типа и склонные рассматривать свои собственные построения как деидеологизированные и основанные то ли на универсальных ценностях, то ли на положениях позитивной науки[1].

Весь комплекс марксистских и постмарксистских подходов к идеологии был проанализирован и оспорен американским антропологом Клиффордом Гирцем в статье «Идеология как культурная система», вошедшей в сборник его статей «Интерпретация культур» (Гирц 1973, 193—233; Гирц 1998). Разнородные взгляды своих оппонентов Гирц объединил под единой шапкой «теория интереса»: «Принципы теории интереса известны слишком хорошо, чтобы их перечислять, развитые до совершенства марксистской традицией, сегодня они составляют стандартное интеллектуальное снаряжение среднего человека, который заранее уверен, что в любых политических рассуждениях важно только то, на чью мельницу они льют воду» (Гирц 1998, 13).

Подобное здравомыслие обывателя в конечном счете составляет и силу и слабость «теории интереса». По словам Гирца,

_____

[1] Манхейм разграничивал идеологию, легитимирующую существующий общественный порядок с помощью трансцендентных ему ценностей, и утопию, взрывающую этот порядок на основе ценностей того же рода и апеллирующую к иному социальному устройству. П. Рикер, принявший это разграничение, полагал, что именно сознательное принятие утопии создает рефлективно чистую позицию для критики идеологии (см.: Рикер 1984, 172). Мы будем рассматривать «утопическое», по Манхейму и Рикеру, мышление как одну из разновидностей идеологического.

батальное изображение общества как поля битвы, где под видом столкновения принципов происходит столкновение интересов, отвлекает наше внимание от той роли, которую идеологии играют в определении (или в затуманивании) социальных категорий, в подтверждении (или в расшатывании) социальных ожиданий, в закреплении (или в подрыве) социальных норм, в усилении (или в ослаблении) общественного консенсуса, в смягчении (или в обострении) общественных напряжений. <...> Накал теории интереса <...> только оборотная сторона ее узости.

(Там же, 13—14)

«Постмарксистский здравый смысл» «теории интереса» удовлетворяет Гирца столь же мало, сколь и постфрейдистские клише «теории напряжений», как он называет гипотезы, согласно которым в идеологии находят свой выход социальные напряжения разбалансированного общества[1]. По мнению Гирца, «и теория интереса, и теория напряжений от анализа источников переходят сразу к анализу последствий, не исследуя сколько-нибудь серьезно идеологию как систему взаимодействующих символов, как структуру взаимовлияющих смыслов» (Там же, 17). Недоступную традиционным теоретическим моделям лакуну Гирц попытался заполнить тем, что сам он назвал «семиотическим подходом к культуре» (Гирц 1973, 5, 24—30).

2

Самые знаменитые работы Гирца писались в годы, когда в СССР оформлялась так называемая «тартуско-московская школа», ныне ставшая и неоспоримым каноном, и золотым веком русской гуманитарии. К 1973 г., когда вышел сборник «Интерпретация культур», где в качестве первой главы была впервые опубликована статья «Насыщенное описание. К интерпретативной теории культуры», содержавшая обобщенное изложение теоретических основ антропологии Гирца, в Тарту вышли уже шесть выпусков «Трудов по знаковым системам».

---

[1] Во 60-е гг. Л. Альтюссер сделал попытку внести в марксистский подход к идеологии теоретические разработки Фрейда и Лакана. Согласно его концепции, служа основным средством воспроизводства существующих производственных отношений, идеология как явление трансисторична и находится в сфере «общественного подсознания» (см.: Альтюссер 1971). Развитие этой традиции см.: Джеймесон 1981; Жижек 1999.

Не исключено, что ранние публикации заметного, хотя в ту пору и не слишком именитого, американского антрополога были в поле зрения советских семиотиков. Тем не менее ни о каком серьезном влиянии говорить не приходится. Гирцевская и, условно говоря, лотмановская модели семиотики культуры были созданы независимо друг от друга и с опорой на различные научные традиции. Тем интересней обнаруживаемые ими схождения и расхождения.

Антиструктуралистская ориентация «Интерпретации культур» вполне прозрачна и отчетливо декларирована. В книгу вошла рецензия на классические труды Леви-Стросса, написанная Гирцем в 1967 г., вполне уважительная, но резко полемическая. «Бинарная оппозиция — эта диалектическая бездна между плюсом и минусом, которую компьютерная технология превратила в lingua franca современной науки, — формирует основу и мышления дикаря, и языка. Именно она превращает их в варианты одного и того же явления — коммуникативной системы», — суммировал Гирц методологию Леви-Стросса (Там же, 354). Панлигвистичность структуралистской этнографии, ее устремленность к инвариантам и глубинным структурам вызывают у него устойчивое неприятие. Обращая против своего оппонента его же собственное научное оружие, Гирц усмотрел в антропологии Леви-Стросса лишь вариантную реализацию единой глубинной структуры — «универсального рационализма французского Просвещения».

«Подобно Руссо, Леви-Стросс ищет не людей, которые его вовсе не волнуют, — замечает рецензент, — но Человека, которым он всецело поглощен» (Там же, 356). Сам Гирц категорически отказывается от поиска универсалий, заменяя выявление глубинных структур «насыщенным описанием [thick description]». Понимая человека как «культурный артефакт» (Там же, 51), он в основном избегает генерализующих употреблений термина «культура», предпочитая или использовать это слово во множественном числе, или предварять его артиклем. Каждая из исследуемых им культур обладает собственным антропологическим измерением.

По словам Гирца,

> последовательность не может быть мерой состоятельности культурного описания. Культурные системы должны обладать минимальной степенью последовательности, иначе бы мы не называли их системами, и, как показывает наблюдение, они обычно предлагают нам в этом отношении много больше минимума. Нет, однако, ничего более последовательного, чем бред параноика или выдумки мошенника. Сила нашей интерпретации не может основываться, как слишком часто полагают,

на тщательности, с которой подогнаны друг к другу детали, или на уверенности, с которой они выдвигаются.

(Там же, 17—18)

Подход этот, разумеется, чрезвычайно далек от сциентистского оптимизма тартуских и московских семиотиков, для которых Леви-Стросс, по крайней мере в области методологии, неизменно оставался незыблемым авторитетом, а чаяние итогового научного синтеза было своего рода символом веры. Важно, что и в целом философская антропология французского Просвещения, и прежде всего Руссо, была исключительно значима для Лотмана, всю жизнь изучавшего наследие этой эпохи. В то время как семиотика Гирца была заострена против структурализма, исследования тартуско-московской школы неизменно назывались структурно-семиотическими.

Впрочем, противопоставление двух семиотических теорий требует ряда более или менее существенных оговорок. Прежде всего, интеллектуальный континуум, заявленный словосочетанием «структурно-семиотический», все же в неявном виде включает в себя представление о двух полюсах метода. Эволюцию самого Лотмана от «Лекций по структуральной поэтике» до учения о семиосфере и увлечения философскими идеями И. Пригожина можно, несколько огрубляя, рассматривать как движение от одного полюса к другому. При этом идеологическое давление, постоянно оказывавшееся на школу, налагало существенные ограничения на возможности открытой внутрицеховой полемики, в частности на любую эксплицитную критику собственных взглядов предшествующего периода.

Нетрудно вообразить себе, какое тошнотворное ликование началось бы, позволь себе Лотман или кто-то из его близких единомышленников публично отмежеваться от тех или иных фундаментальных положений структуралистской доктрины. Понятно, что перспектива оказаться автором очередного «Памятника научной ошибке» могла блокировать не только писание автополемических сочинений, но даже, до некоторой степени, и рефлексию подобного типа. Тем не менее явные следы такого рода полемики можно увидеть во многих положениях позднего Лотмана, включая важный для него тезис о принципиальной несводимости сложных знаковых систем к констелляциям и развертываниям систем более низкого уровня.

В своем преодолении структурализма Гирц обращается к категориальному аппарату герменевтики — свой подход к культуре он сам называет то «семиотическим», то «интерпретативным». «Весь смысл семиотического подхода к культуре, — утверждает он, — <...> состоит в том, чтобы помочь нам приобрести доступ к категориям миропонимания изучаемых нами людей и сделать нас способными в широком смысле этого слова вести с ними разговор [converse]» (Там же, 24). В своей более поздней книге Гирц даже охарактеризовал термин «интерпретативный» как эвфемизм слова «герменевтический» (Гирц 1983, 21). Недаром работы Гирца нашли столь горячую поддержку у одного из столпов герменевтики Поля Рикера, увидевшего в гирцевском понимании идеологии развитие собственных взглядов, выраженных лучше, чем у него самого (Рикер 1984, 181). Для отечественных семиотиков во многом аналогичную роль играла лежащая в том же философском русле теория диалога М. М. Бахтина (см.: Иванов 1973; ср.: Гржибек 1995; Бетеа 1996 и др.).

Однако критика чрезмерных генерализаций и сциентистских утопий не приводит Гирца к отказу от самого принципа научности. Он настаивает на том, что концептуальная структура культурной интерпретации должна в той же мере подлежать эксплицитно формулируемым процедурам критической оценки, как параметры биологических наблюдений или физических экспериментов: «Меня никогда не впечатлял тот довод, что, поскольку полная объективность в таких вопросах невозможна (что, конечно, так и есть), можно позволить себе дать волю собственным пристрастиям. Как заметил Роберт Солоу, с тем же успехом можно утверждать, что, поскольку полностью асептическая среда недостижима, можно делать хирургические операции в сточной канаве», — пишет Гирц на последней странице своего теоретического введения в сборник (Гирц 1973, 30).

В целом, понимание культуры, предложенное Гирцем, оказывается достаточно близким формулировкам и определениям, которые в изобилии рассыпаны на страницах тартуских сборников. Два центральных принципа интерпретативной теории состоят, по его собственным словам, в том, что, во-первых, культуру «лучше рассматривать не как комплекс конкретных поведенческих моделей: обычаев, традиций, сочетаний привычек, <...> а как набор механизмов контроля: планов, рецептов, правил, инструкций (того, что компьютерные инженеры называют программами) по управлению поведением. Во-вторых, человек является животным, полностью зависимым от таких экстрагенетических, нетелесных механизмов контроля, культурных программ, регламентирующих его поведение» (Там же, 44). Нет смысла приводить параллельные цитаты из Лотмана: они слишком многочисленны и хорошо известны.

Многие работы Ю. М. Лотмана, Б. А. Успенского и некоторых других авторов того же круга связаны с анализом семиотических механизмов, организующих те или иные идеологические системы и регулирующих поведенческие стратегии их приверженцев. Иногда такой анализ выдвигался в качестве эксплицитной задачи (см., напр.: Лотман и Успенский 1993), чаще осуществлялся с помощью обходного терминологического инструментария. В то же время московско-тартуская школа в основном уклонялась от теоретического осмысления идеологии как системы культурных норм и регуляторов. Едва ли дело здесь только в факторах цензурного или автоцензурного характера. Само слово «идеология» в советских условиях столь безысходно принадлежало языку партийной пропаганды, что научная рефлексия над этой темой была, по-видимому, даже психологически затруднительной.

Западные исследователи, конечно, находились совсем в ином положении. И все же инерция философской традиции была и здесь достаточно мощной. Возможно, Гирцу удалось взорвать ее благодаря совершенно уникальному сочетанию его собственного исследовательского опыта и той культурно-политической реальности, которая побудила его обратиться к этой проблематике.

3

Именно выход в 1973 г. сборника «Интерпретация культур» принес автору широчайшую известность. Однако сама статья «Идеология как культурная система» была впервые напечатана девятью годами раньше, в 1964 г., и стала одним из самых ярких откликов на почти завершившийся к тому времени процесс деколонизации, образование шестидесяти шести (цифра принадлежит самому Гирцу) новых государств, вынужденных практически наново выстраивать системы своей национально-государственной самоидентификации.

Волна идеологического творчества, охватившего третий мир, по своему размаху едва ли не превзошла все, что видела Европа в аналогичные периоды своей истории — соответственно, после Великой французской революции и Первой мировой войны. Антрополог, изучавший традиционные культуры в столь далеко отстоящих друг от друга странах, как Индонезия и Марокко, оказался в состоянии понять логику этой ферментации, увидеть в бурном расцвете идеологического мышления специфическую и неотъемлемую составляющую модернизационного процесса:

В сообществах, твердо стоящих на золотом фундаменте Эдмунда Берка «из древних мнений и жизненных правил», у идеологии роль маргинальная. В таких — подлинно традиционных — политических системах участники действуют (говоря еще одним выражением Берка) как люди с естественными чувствами, и в их суждениях и деятельности ими руководят, и эмоционально и интеллектуально, непроверенные предрассудки, избавляющие их «в решительную минуту от колебаний, скепсиса, недоумений, неуверенности». Но когда, как в революционной Франции, которую обличал Берк, или в зашатавшейся Англии, откуда он, величайший, наверное, идеолог своей нации, изрекал свои обличения, эти чтимые мнения и жизненные правила ставятся под сомнение, тогда-то — чтобы их либо оживить, либо чем-то заменить — людей и охватывает тоска по систематическим идеологическим формулировкам. <...> И действительно: впервые идеологии в собственном смысле слова возникают и завоевывают господство именно в тот момент, когда политическая система начинает освобождаться от непосредственной власти унаследованной традиции, от прямого и детального управления религиозных и философских канонов, с одной стороны, и от принимаемых на веру предписаний традиционного морализма — с другой.

(Гирц 1998, 24—25)

Позиция включенного наблюдателя, присутствующего при радикальной мутации изучаемого объекта, в сочетании с опытом человека западной цивилизации, которая почти два столетия существует в условиях ожесточенной конкуренции различных идеологических моделей, помогла Гирцу предложить новое понимание генезиса идеологии и ее природы. Подходы историка культуры и полевого этнографа совпали, а идеология оказалась вписана в ряд других фундаментальных механизмов социокультурной интеграции. В том же сборнике, что и статья об идеологии, была помещена работа Гирца «Религия как культурная система». В другой его итоговый сборник «Местное знание» (Гирц 1983) вошли статьи «Здравый смысл как культурная система» и «Искусство как культурная система».

В основе марксистского, неомарксистского, постмарксистского, как, впрочем, и антимарксистского, понимания идеологии лежит более или менее артикулированное со-противопоставление идеологического и научного мышления. Науке предписывается обосновывать (кажется, только в официальной советской философии) или разоблачать (почти всегда) претензии идеологии на право истолковывать прошлое, настоящее и будущее, сверять ее предпосылки и выводы с собственными данными, а также обнаруживать ее всюду, где она может скрыться, поскольку идеология имеет обыкновение выдавать себя за науку, искусство или здравый смысл. Гирц решительно разводит научный и идеологический тип интеллектуального творчества: «Идеолог точно так же не является плохим социологом, как социолог — плохим идеологом. Наука и идеология работают — или, по крайней мере, должны работать — по совершенно разным направлениям, настолько разным, что оценивать деятельность одной по задачам другой — дело очень неблагодарное и сбивающее с толку» (Гирц 1998, 33).

Суть и специфика идеологии как одной из матриц, программирующих поведенческие стратегии, состоит, по Гирцу, в том, что она размечает для человеческих сообществ незнакомое культурное пространство. Ее роль резко возрастает в условиях нестабильности, когда более архаичные ориентационные модели обнаруживают свою полную или частичную непригодность. «И образность языка идеологий и горячность, с какой, однажды принятые, они берутся под защиту, вызваны тем, что идеология пытается придать смысл непостижимым без нее социальным ситуациям, выстроить их так, чтобы внутри них стало возможно целесообразное действие» (Там же, 25).

Особенно важна предложенная Гирцем трактовка «образной природы [figurative nature]» идеологического мышления. Разумеется, он был отнюдь не первым автором, обратившим внимание на перенасыщенность идеологических текстов и лозунгов разного рода тропами. Вообще говоря, не заметить этого совершенно невозможно. Даже марксизм, почти монополизировавший обсуждение проблем идеологии, по существу начался с упоминания о бродячем призраке. Тем не менее фигуративная часть идеологических концепций обычно воспринимается исследователями как своего рода риторическое украшение, средство пропаганды, популяризации или обмана, как более или менее эффектная упаковка для доктрины.

Гирц полностью пересматривает этот подход. Для него троп, и в первую очередь метафора, составляет самое ядро идеологического мышления, ибо в тропе идеология осуществляет ту символическую демаркацию социальной среды, которая позволяет коллективу и его членам обжить ее.

Свои наблюдения исследователь подкрепляет разбором формулы «Slave Labour Law [Закон о рабском труде]», примененной профсоюзными активистами к пресловутому антизабастовочному закону Тафта—Хартли, а также первых опытов создания национальной идеологии в постколониальной Индонезии. Гирц неоднократно оговаривался, что интерпретативный подход к культуре имеет диагностический, а не прогностический характер, тем не менее его собственный, в высшей степени пессимистический, прогноз развития событий в Индонезии оказался довольно точным — его статья была написана до неудачной попытки коммунистического переворота и последовавшей за ней резни, унесшей жизни более чем полумиллиона жителей этой страны.

Впрочем, суть анализа Гирца не в конкретных политических оценках, а в выявлении той роли, которую играют «концептуальные», идеологические факторы в движении исторического процесса. Качество символической карты, которую рисует идеология, определяется тем, насколько успешно можно с ее помощью ориентироваться на местности. А пути развития социума, будь то профсоюзное движение или целая страна, не в последнюю очередь зависят от того, какими картами он располагает. Сила идеологической метафоры, ее способность схватывать реальность и продуцировать новые смыслы существенным образом сказываются на динамике исторических событий.

4

Процессы, которые Гирцу довелось наблюдать в третьем мире, начались в конце 80-х — начале 90-х гг. на территории СССР и продолжились в странах, возникших после его распада. Представляется, что предложенные в статье «Идеология как культурная система» способы анализа меняющейся идеологической метафорики могут оказаться очень продуктивными для понимания разворачивающихся на наших глазах коллизий. Мы ограничимся здесь предварительными наблюдениями над некоторыми событиями последнего десятилетия.

История независимой России начинается с поражения путча 19—21 августа 1991 г. Многие обстоятельства этой исторической драмы определялись логикой экономического развития страны, столкновением социальных сил, институциональным кризисом, закулисными политическими интригами, личными свойствами ведущих участников и другими факторами, не говоря уже об исследованной еще А. де Токвилем морфологии революционного процесса (Токвиль 1986). И все же культурно-символическая оркестровка происходившего, система вплетенных в самую ткань исторического процесса фигуративных подстановок и субституций также сыграли немалую роль (ср.: Фрейдин и Боннел 1995).

В те дни в центре Москвы был инсценирован поединок двух систем, который на протяжении почти полувека расписывала советская, да и антисоветская пропаганда. Кремль и Белый дом (только на сей раз американский), синекдохически обозначавшие соответствующие державы, были с самого начала холодной войны основными протагонистами всемирно-исторической схватки. Во время путча Белый дом на Краснопресненской набережной как бы исполнял роль своего заокеанского старшего брата. Стоит вспомнить предъявленную обеими сторонами функциональную эмблематику.

На стороне Кремля были те же атрибуты власти, которые он демонстрировал миру в течение всей советской эпохи. Во-первых, танки, бессмысленные для решения задач, которые ставили перед собой путчисты, но десятилетиями успешно репрезентировавшие державную мощь. Во-вторых, канонизированная русская классика — помимо краткого информационного сообщения и пары невнятных указов, ГКЧП сообщило стране о своем приходе к власти трансляцией по всем телеканалам «Лебединого озера».

Крах путча обозначился после телевизионной пресс-конференции его лидеров, молниеносно превратившей трясущиеся руки вице-президента СССР Янаева в символ новой власти. В основе этой семиотической катастрофы лежал глубокий коммуникативный просчет. Известив страну о возврате к старым порядкам, члены ГКЧП сами воспользовались информационными технологиями эпохи гласности. В советскую эпоху органам коллективного руководства, обладавшим реальными властными полномочиями, полагалось действовать из-за кулис. В отличие от декоративных съездов КПСС и сессий Верховного Совета, отчеты о пленумах ЦК передавались по телевидению только в дикторском зачтении, не сопровождаясь видеорядом, и публиковались в газетах без каких бы то ни было фотоизображений. Что до заседаний Политбюро, то даже такая информация о них стала появляться только с 1983 г., после прихода к власти Андропова.

Напротив того, защитники Белого дома располагали всенародно избранным президентом и парламентом и воспринимали гражданское неповиновение незаконным распоряжениям ГКЧП как акт политического самоконституирования («Мы, народ...»). Мелкие детали происходившего, вроде рок-концерта и бесплатной раздачи импортных сигарет, только подкрепляли идеализированный образ Америки как высшего воплощения представлений о цивилизованном мире, которые были выработаны в советские годы всей культурой антикоммунистического протеста. Наиболее часто повторявшаяся речевка тех дней — «Россия — Ельцин — свобода» — служила прообразом синтеза внеимперского патриотизма, легализма и индивидуализма, который был заявлен как идеология новой российской государственности.

Два года спустя, 20 сентября — 4 октября 1993 г., политический кризис вновь вылился в противостояние тех же двух архитектурных комплексов. Однако на этот раз оно проходило на фоне радикальной перегруппировки символов в совсем иным образом идеологически размеченном пространстве.

Национал-коммунисты, стянувшиеся к Белому дому, оказались обречены на повторение не только сценария, разыгранного ненавистными противниками, но и отчасти их символической жестикуляции. Логика конфликта вынудила их объявлять себя сторонниками парламентаризма и конституционной законности, что катастрофически не соответствовало ни поднятым ими флагам, ни организации вооруженных отрядов, ни чаяниям их сторонников. И хотя одна коммунистическая газета объявила в те дни, что «Белый дом наконец-то стал Домом Советов», сама риторика «защиты законных органов власти» не вязалась с обликом и действиями защитников, не сумевших выстроить убедительной системы идеологических метафор.

В то же время перебравшийся в Кремль президент экспроприировал у своих предшественников Чайковского, как отчасти и танки, сохранив в то же время метафорику «вхождения в цивилизованный мир». 26 сентября Вашингтонский оркестр под руководством Ростроповича исполнил на Красной площади увертюру «1812 год». На двадцатипятиминутный концерт народу, даже если не говорить о миллионах телезрителей, собралось существенно больше, чем на все митинги и демонстрации, которые организовывала и та и другая сторона. На самой главной русской площади американский оркестр во главе с всемирно знаменитым музыкантом, изгнанным из России советским режимом, играл классическую русскую музыку. Новая власть пыталась через голову коммунистических временщиков представить себя наследницей вековых традиций российской государственности.

Президентская сторона побеждала в битве метафор до 4 октября, когда весь накопленный ею символический капитал был, также с далеко идущими политическими последствиями, перечеркнут телекартинкой CNN и укоренившимся клише «расстрел парламента». Образы гражданской войны, отпечатавшиеся в сознании жителей России, создали потребность в идеологии примирения, на которую быстро откликнулся Ельцин, предложив думскому коммунистическому большинству подписать Соглашение о национальном примирении и согласии, а впоследствии соответствующим образом переименовав 7 ноября. Однако в полной мере метафорика тотального примирения была реализована в рамках совсем иной идеологической модели, наиболее зримым и наглядным выражением которой стали торжества, устроенные 5—7 сентября 1997 г. по случаю 850-летия Москвы.

Как писал Поль Рикер, «невозможно представить себе сообщество, которое бы не праздновало, с большей или меньшей степенью мифологизации, собственное появление на свет». Разыгрывая в празднестве миф своего основания, сообщество совершает «фундаментальный идеологический акт». Оно заново переживает свое единство в пространстве и времени, «преодолевает разрыв между исходным мифом и неизбежной неполнотой коллективной памяти» (Рикер 1984, 261—262).

Как правило, национальные празднества основываются на противопоставлении одной исторической эпохи другой. Вспоминаемое событие уподобляется акту творения, отделяющему космос от хаоса. Так, например, тысячелетие русской государственности, с помпой отпразднованное в 1862 г., и тысячелетие принятия христианства, которое отмечалось в 1988 г., отрицали, соответственно, доваряжскую или языческую Русь. В императорский период главным государственным праздником служил день восшествия на престол царствующего государя — о его предшественниках, по крайней мере непосредственных, было лучше не вспоминать. Разумеется, 7 ноября 1917 г. должно было ощущаться как начало новой эпохи — как, первоначально, и памятные дни демократической России. Так же устроены и религиозные праздники: те, кто отмечает Рождество или Пасху, заново переживают символическое окончание дохристианской эры. Праздник рассекает время надвое и отвергает его первую половину.

Выбор для праздника даты основания города сводит это символическое отрицание до минимума. Попытавшись де-факто превратить основание столицы в главное национальное торжество, устроители праздника не отказывались ни от какого наследства, предоставляя другим городам и весям упражняться в собственных мифах, — волна местных юбилеев тут же прокатилась по России, и ее отголоски до сих пор звучат в Петербурге, ожидающем бурного гулянья по поводу своего трехсотлетия.

В сценарии московского юбилея трагическая история России неожиданно предстала как бесконечная и бесконфликтная череда золотых веков. Все было прекрасно и при великих князьях, и при московских царях, расправившихся с этими князьями, и при петербургских императорах, отрекшихся от московской эпохи, и при коммунистах, и при демократах. Московский мэр явился на праздник в костюме древнерусского князя. Портрет доброго царя Ивана Грозного был спроецирован на стену МГУ в лазерном шоу французского композитора Жана-Мишеля Жарра. Открытие в дни торжеств церетелиевского памятника Петру I призвано было как бы отменить петербургский период русской истории, вернув первого императора и всех его наследников в брошенную ими Первопрестольную.

Конечно, исторический нарратив оказывается таким образом полностью размыт и сама история превращается в набор красочного реквизита. Рядом со свежевыстроенным храмом Христа Спасителя подлинные сооружения утрачивают какую бы то ни было достоверность. Оказывается, практически невозможно понять, действительно ли собор Василия Блаженного или Кремль стоят на Красной площади сотни лет, или их заново построил Лужков вместе с Иверскими воротами и собором Казанской Божьей матери? Во всем ансамбле площади только невыпотрошенный пока Мавзолей не вызывает сомнений в собственной идентичности. Все же остальные здания выглядят как великолепная декорация, стилизованный задник для театрального действия. Именно таким задником они и стали во время празднеств.

Интересную функциональную метаморфозу претерпели в новой Москве две ее центральные площади — Красная, служившая в советское время местом парадов и символом имперской мощи, и Манежная, ставшая в перестройку местом многосоттысячных митингов, своего рода символом пробужденной к политической жизни страны. Перегородив Красную площадь свежими Иверскими воротами, городские власти закрыли ее для танков и превратили в ведущую концертную площадку державы. А Манежная площадь украсилась куполом величественного торгового центра. Выстроенный в историческом стиле, он, в отличие от своего нью-йоркского прототипа, не возвышается над городом, но упрятан под землю, подобно станциям московского метро, которые некогда возвестили миру, что социализм в СССР в основном построен.

Новая весть, объявленная московским праздником, состояла в том, что Россия вступила в общество потребления, и это национальное, державное, православное общество потребления, освященное историей страны и ее религией. В дни торжеств у многих наблюдателей, включая автора этих строк, складывалось впечатление, что заветная идея, призванная объединить нацию, наконец найдена. Будущая Россия виделась тогда страной неофеодального консьюмеризма, управляемой союзом удельных князей во главе с московским великим князем, играющим роль первого среди равных. Однако уже осенью 1999 г. и эта идеологическая модель, и ее творцы потерпели сокрушительное поражение. Августовский кризис 1998 г., войны на Балканах и на Кавказе вновь востребовали метафоры сильной руки, территориальной целостности и властной вертикали. Но эта история еще только начинается.

5

Мысль о метафорической природе идеологии, выдвинутая Гирцем, связана с пересмотром восходящих еще к Аристотелю представлений о природе и назначении метафоры, который был начат в 1920-е гг. «Теорией символических форм» Э. Кассирера и приобрел особый размах в последние десятилетия. Если огрублять суть этого процесса, то он состоял в преодолении идеи производности метафорических значений по отношению к прямым, идеи, отводившей метафорическому словоупотреблению определенные языковые, жанровые и стилистические резервации. «На протяжении истории риторики метафора рассматривалась как нечто вроде удачной уловки, основанной на гибкости слов; как нечто уместное лишь в некоторых случаях и требующее особого искусства и осторожности. Короче говоря, к метафоре относились как к украшению и безделушке, как к некоторому дополнительному механизму языка, но не как к его основной форме», — писал в 1950 г. влиятельный американский философ и лингвист А. Ричардс (1990, 45).

Новые теоретики видели в метафорическом смыслообразовании основу и когнитивного процесса, и практической деятельности человека. На первичности метафоры в языке настаивал в книге с характерным названием «Власть метафоры» П. Рикер (1977; ср.: Лакофф и Джонсон 1980; Лакофф и Джонсон 1987; Лакофф и Джонсон 1990). Соответственно, метафора переставала быть достоянием по преимуществу поэтического языка, становясь неотъемлемым элементом как научного и правового дискурса, так и повседневной языковой практики. Тем не менее, утратив монополию на метафору, изящная словесность приобрела взамен привилегированный исследовательский статус, поскольку она является областью и метафоропорождения, и метафоронакопления par excellence и, следовательно, может служить идеальной лабораторией для изучения механизмов производства смыслов.

Гирц лишь наметил это направление возможных исследований в области изучения идеологий, ссылаясь на книгу популярного в 60-е гг. теоретика литературы Кеннета Берка «Философия литературных форм». Однако вопрос о применимости поэтологических теорий для анализа идеологии — лишь одна из проблем, возникающих в этой связи. Не меньше перспектив сулит применение идей, выдвинутых Гирцем, к сакраментальной теме взаимоотношений идеологии и литературы.

Марксистская эстетика и литературоведение традиционно придавали этим взаимоотношениям решающее значение. Не будем возвращаться к их трактовке в коммунистическом официозе, начиная с хрестоматийных формул из «Партийной организации и партийной литературы». Стоит, однако, привести четкое изложение позиций двух авторитетных представителей этой традиции в современной западной мысли, сделанное У. М. Тоддом III в недавней книге, посвященной связям русского романа второй четверти XIX в. с идеологией и институтами дворянского общества той поры:

> В этих исследованиях идеология <...> включается в «опыт», в «здравый смысл», в понятие вкуса, в речь — во все акты, обладающие значением. Художественная литература перерабатывает идеологию, которая проникает в текст посредством языка и, по Машери, перековывает ее в новую, неидеологизированную (но и не научную в марксистском понимании) форму посредством техники обособления, окарикатуривания и аллегории, а также проявляя в ней скрытые лакуны и противоречия. Иглтон, однако, оспаривает такое явное предпочтение литературной формы, потому что оно заставляет пренебрегать устойчивым единством идеологии, и еще потому, что для Иглтона идеология не только мистифицирует или затемняет историю. По его определению, литературная форма — не уход от «позора чистой идеологии», а возведение идеологического во вторую степень; она делает для идеологии то, что идеология делает для истории (преподносит как бы данной от века, природной).

(Тодд 1996, 20)

При всем различии двух изложенных концепций, идеология оказывается в них обеих преднайденной, в то время как литература может ее преодолевать, деформировать, натурализовать, воплощать, популяризировать и проч. Не подлежит сомнению, что такого рода отношения между идеологией и искусством встречаются нередко, и все же, если понимать идеологию как систему метафор, это будет лишь один из возможных вариантов.

Прежде всего, достаточно широко распространено и строго противоположное соотношение. Идеология в принципе может появляться на свет в стихотворениях и романах, а затем воплощаться в лозунгах или политических программах. Власть имущие, политические деятели, авторы программных текстов и формул — вообще все, кто составляет, по выражению Альтюссера, «идеологический аппарат» (Альтюссер 1971), тоже являются читателями или, говоря шире, потребителями текстов, способными проникаться и руководствоваться их нарративными и тропологическими моделями. Именно эта проблематика была с наибольшей полнотой и блеском разработана Ю. М. Лотманом и близким ему кругом ученых через анализ поэтики «литературного поведения». Конверсия идеологических конструкций, созданных изящной словесностью, в собственно идеологическую риторику, по крайней мере, не более сложная задача, чем трансформация идеологических клише в поэтическую речь.

По отношению к доктринам и деятелям, представляющим политическую оппозицию, такого рода подход не выглядит особенно неожиданным: формулировки типа «идеи декабризма родились под влиянием свободолюбивых произведений Грибоедова и Пушкина» знакомы нам со школьной скамьи. Аналогичная постановка вопроса по отношению к группировкам, в той или иной форме проводящим практическую политику, все же будет сталкиваться с определенными трудностями. Политическое действие неминуемо наталкивается на сопротивление среды, деформирующей первоначальные идеологические установки, которые вынужденно подвергаются адаптации. Несколько огрубляя, можно сказать, что идеология будет тем «литературней», чем дальше выдвинувшее ее сообщество от реальных властных полномочий. Однако именно эта пропорция позволяет обнаружить еще некоторые измерения возможного взаимодействия между литературой и идеологическим арсеналом государственной власти.

Групповая или тем более государственная идеология может существовать в этом качестве, если вокруг ее базовых метафор существует хотя бы минимальный консенсус. При развитом аппарате полицейского и идеологического насилия его может вполне успешно заменять инсценировка консенсуса, но для наших рассуждений это не имеет существенного значения. Процедура выработки подобного консенсуса подразумевает безусловную переводимость фундаментальных метафорических конструкций с языка программных документов, указов и постановлений на язык конкретного политического действия, а также на язык официальных ритуалов и массовых празднеств, язык организации повседневного быта и пространственной среды и т.п. Как и любой перевод, он осуществляется не без смысловых потерь, но его принципиальная корректность подтверждается как непосредственной интуицией членов социума, так и специально создаваемыми институтами идеологического контроля.

Конечно, литература — лишь одна из возможных сфер производства идеологических метафор. Исторически эту роль с успехом играли также театр, архитектура, организация придворных, государственных и религиозных празднеств и ритуалов, церковное красноречие и многие другие области человеческой деятельности. В XX в. такую функцию чаще исполняют кино, реклама и различные жанры СМИ. В то же время в теоретическом плане ось «идеология — литература» особенно интересна, ибо обе они работают с идентичным материалом — письменным словом.

Поэтический язык может конструировать необходимые метафоры в наиболее чистом виде. Именно поэтому искусство, и в первую очередь литература, приобретает возможность служить своего рода универсальным депозитарием идеологических смыслов и мерилом их практической реализованности. Можно сказать, что идеология обладает способностью конвертироваться в столь многие и столь разнообразные проявления социального бытия, потому что она располагает золотым стандартом, сохраненным в поэтическом языке. По известной пословице, соловья баснями не кормят. Зато сами соловьи с успехом кормят баснями орлов, дву- и одноглавых, львов, драконов и других геральдических чудищ.

Впрочем, идеологическое творчество действительно представляет собой процесс коллективный, хотя и, вопреки устойчивым марксистским штампам, отнюдь не анонимный[1]. Не так важно, кто именно — писатель, философ, церковный проповедник, политик, журналист, историк, а может быть, архитектор или церемониймейстер — начинает его. Конкретный расклад ролей здесь может быть совершенно различным. Существенно, что в ходе оформления идеологических конструкций их различные версии подгоняются друг под друга, проходят через фильтры взаимных дополнений, искажений и истолкований. И если практическая политика проверяет поэзию на осуществимость, то поэзия политику — на емкость и выразительность соответствующих метафор.

6

Тема этой книги — история государственной идеологии в последней трети XVIII — первой трети XIX в., начиная с «греческого про-

---

[1] Ср. формулу Л. Альтюссера: «Человеческие общества выделяют [secrete] идеологию, как элемент или атмосферу, необходимую для их дыхания и существования» (Альтюссер 1969, 232).

екта» Екатерины II и до предложенной С. С. Уваровым доктрины «православие — самодержавие — народность». Единственное исключение сделано для идеологии народного тела и народной войны, выдвинутой в 1806—1807 гг. оппозиционно настроенными литераторами, группировавшимися вокруг адмирала А. С. Шишкова, но официализованной после его назначения на пост государственного секретаря перед войной 1812 г.

Десять глав, которые предлагаются вниманию читателя, построены совершенно различным образом. В центре одних отдельное поэтическое произведение — ода В. П. Петрова, послание В. А. Жуковского — или группа таких произведений — оды на победы русского оружия в войне с Турцией 1768—1774 гг., поэмы и трагедии начала XIX в. о событиях Смутного времени. Другие посвящены анализу официальной или полуофициальной публицистики — манифестов Шишкова, речи Филарета (Дроздова), меморандума Уварова. В двух главах речь идет о государственных церемониях и ритуалах — поездке Екатерины II в Крым и празднике, устроенном Г. А. Потемкиным в Таврическом саду. Наконец, еще в двух рассматриваются культурные механизмы конкретных исторических коллизий — опалы Сперанского и подписания и публикации договора о Священном союзе. Разумеется, здесь перечислены только магистральные сюжеты соответствующих глав, внутри них объекты анализа оказываются столь же неоднородными.

Такая пестрота обусловлена, прежде всего, исходной концепцией работы. Задачей автора было не описать закономерности трансляции идеологических смыслов от одних институций к другим — само существование подобных закономерностей представляется в высшей степени сомнительным, но проследить исторически конкретную динамику выработки, кристаллизации и смены базовых идеологем. При таком подходе идеологическая сфера культуры предстает как своего рода резервуар метафор, откуда черпают и который пополняют люди самых различных профессий и родов деятельности.

В центре нашего внимания будет в основном идеологическая подоплека внешней политики Российской империи: войн и подготовки к ним, мирных договоров, завоевательных проектов. Некогда великий русский реформатор М. М. Сперанский написал, что нет «ни одного государственного вопроса <...> до самого тарифа», который нельзя было бы обработать в «духе Евангелия» (Сперанский 1870б, 188—189). Перефразируя это высказывание, можно предположить, что не существует такой сферы государственной деятельности, которая бы не поддавалась идеологическому анализу. Вмес-

те с тем, особенно тесно связанная с областью национального самосознания и государственной мифологии, внешнеполитическая
сфера наиболее удобна для выявления и анализа идеологических
символов, проявляющихся как в художественных произведениях,
так и в практической политике.

Соответственно, за пределами работы осталась активная преоб-
разовательная деятельность Екатерины II и Александра I — реформаторские проекты самого Сперанского рассматриваются здесь
лишь как вспомогательный материал для уяснения идеологических
концепций его политических противников. Что касается уваровской триады, то она была создана после окончания периода войн и
мятежей и в расчете на длительный период мирного развития империи, но и ее центральной задачей являлось определение позиции
России по отношению к европейской цивилизации.

По другой причине здесь пропущено недолгое царствование Павла I. Чрезвычайно склонный к идеологическому творчеству император менял свои ориентиры настолько стремительно, что никакого
продуктивного диалога с общественным мнением и художественной
практикой попросту не могло возникнуть. Тем самым не появлялось
и устойчивых моделей, значимых для последующих эпох.

В ходе работы автор нередко сталкивался с вопросом: в какой
мере монархи и министры, широко представленные на этих страницах, действительно руководствовались в своей политике идеологическими мотивами, и не служили ли эти мотивы лишь риторическим прикрытием их реальных целей и интересов? Однако такое
противопоставление представляется надуманным. Слова действительно имеют свою судьбу, и, сказанные однажды, они, уже вне зависимости от искренности говорившего, становятся действенным
фактором исторического процесса. Еще важней то, что само политическое целеполагание насквозь идеологизировано, а представления о составе государственных или национальных интересов подвержены переменам и во многом определяются символическими
ориентирами, которые позволяют, пользуясь уже цитированной
формулировкой Клиффорда Гирца, «придать смысл непостижимым» без них «социальным ситуациям, выстроить их так, чтобы
внутри них стало возможно целесообразное действие».

В 1813 г. Александр I написал одному из самых близких ему
людей, что мечтал бы сделать «свою родину счастливой, но не в вульгарном смысле» (Николай Михайлович II, 7). Можно, пожалуй,
сказать, что эта книга представляет собой исторический очерк смыслов, которые вкладывались в подобные намерения.

Глава I

РУССКИЕ КАК ГРЕКИ

«ГРЕЧЕСКИЙ ПРОЕКТ» ЕКАТЕРИНЫ II И РУССКАЯ ОДА 1760—1770-Х ГОДОВ

1

Знаменитый «греческий проект» Екатерины II — без сомнения, одна из самых масштабных, детализированных и амбициозных внешнеполитических идей, которые когда-либо выдвигались правителями России. Подобно соратникам и противникам Екатерины в России и за ее пределами, современные историки видят в нем то очередную потемкинскую химеру, которой дала увлечь себя обычно трезвомыслящая государыня, то проявление традиционного имперского экспансионизма, то дымовую завесу, скрывающую менее далеко идущие, но более практичные намерения, то ясную и продуманную программу действий (см., напр.: Маркова 1958; Хеш 1964; Раев 1972; Рагсдейл 1988; Смилянская 1995; Лещиловская 1998; Виноградов 2000 и др.; полную и детальную на момент написания главы историю вопроса и обзор источников см.: Хеш 1964). Авторы, пишущие на эти темы, обычно ограничиваются сферой дипломатии и придворной политики, почти не принимая во внимание символическое измерение проекта (см.: Хеш 1964, 201—202). Между тем для оценки как источников проекта, так и исторического значения замысла императрицы именно это измерение может оказаться едва ли не решающим.

«Греческий проект» в развернутой форме был изложен Екатериной в письме к австрийскому императору Иосифу II от 10/21 сентября 1782 г. (Арнет 1869, 143—147). Несколько ранее, примерно в 1780 г., он был намечен в меморандуме А. А. Безбородко, возможно, предназначенном для встречи двух императоров в Могилеве (СбРИО XXVI, 384—385). В то же время очевидно, что ко времени рождения в 1779 г. великого князя Константина Павловича проект уже существовал в достаточно разработанном виде. Выбор имени для новорожденного, памятная медаль с античными фигурами и храмом Святой Софии, выбитая в честь появления великого князя на свет, достаточно ясно свидетельствовали о намерениях императрицы, связанных с ее внуком. «Ум князя Потемкина <...> постоян-

Медаль на рождение
великого князя
Константина Павловича. 1779

но занят идеей создания Империи на востоке: ему удалось заразить императрицу этими чувствами, и она оказалась в такой степени подвержена химерам, что окрестила новорожденного Великого князя Константином, наняла ему в кормилицы гречанку по имени Елена и говорит в своем кругу о том, чтобы посадить его на трон Восточной империи. Тем временем она сооружает город в Царском Селе, который будет называться Константингородом», — писал английский посол Дж. Харрис (I, 203). Многочисленные оды на рождение великого князя показывают, что, несмотря на всю секретность, которой была окружена дипломатическая переписка о проекте, российская публика была прекрасно осведомлена об этих намерениях (Рагсдейл 1988, 97—98).

> ...Мавксентий коим побежден,
> Защитник веры, слава Россов,
> Гроза и ужас чалмоносцев,
> Великий Константин рожден <...>
> ...град, кой греками утрачен,
> От гнусна плена свободить, —

писал, в частности, В. П. Петров (I, 164).

По-видимому, начало формирования «греческого проекта» следует относить к середине 1770-х гг., когда после заключения Кучук-Кайнарджийского мира Г. А. Потемкин подал Екатерине план своей «восточной системы» (см. о нем: Самойлов 1867, 1011—1016)[1], которая должна была прийти в русской политике на смену «северной системе» Н. И. Панина (см.: Грифитс 1970). Стремительное возвышение Потемкина, начавшееся в 1774 г., было обусловлено не только причинами личного характера, но и тем, что выдвинутые им идеи отвечали стратегическим замыслам Екатерины, выработанным в ходе Русско-турецкой войны 1768—1774 гг.

При обсуждении «греческого проекта» и современники и потомки обращали обычно внимание на его центральный, наиболее ответственный и, возможно, наиболее труднодостижимый элемент — завоевание Константинополя. Однако как раз в этой части идеи Екатерины и Потемкина не содержали в себе решительно ничего оригинального. Планы завоевания столицы Восточной Римской империи одушевляли русских царей еще в XVII в. (см.: Каптерев 1885; Жигарев I—II и др.), их вынашивал во время Азовского и Прутского походов Петр I, они вновь возникли при Анне Иоанновне во время Турецкой кампании 1736—1739 гг. (см.: Кочубинский 1899). В 1762 г. герой этой войны, фельдмаршал Б. К. Миних, представил Екатерине письмо, в котором призывал ее выполнить завещание Петра и занять Константинополь (см.: Хеш 1964, 181). Константинопольские мотивы звучали в русской публицистике и общественной мысли и далее, вплоть до 1917 г., когда пережившее монархию стремление водрузить крест над собором Святой Софии и получить контроль над проливами в конце концов стало одной из причин крушения Временного правительства.

Историческая уникальность «греческого проекта» Екатерины, по крайней мере, если судить о нем по письму Иосифу II и восприятию русской публики того времени, лежит в другой плоскости. Императрица как раз не собиралась ни присоединять Константинополь к Российской державе, ни переносить туда столицу. Согласно проекту, Второй Рим должен был стать центром новой Греческой империи, престол которой должен был достаться Константину лишь при твердом условии, что и он сам, и его потомки навсегда и

_____

[1] Работая в 1814 г. над биографией Потемкина, А. Н. Самойлов еще считал осуществление «греческого проекта» делом воли российских монархов: «Смерть, пресекшая нить жизни сего славного мужа (Потемкина. — *А. З.*), остановила существование Оттоманской империи до настоящих событий; но основание великого плана твердо и поныне, и Россия всегда иметь может средства оный совершить» (Там же, 1011).

2*

при любых обстоятельствах отказываются от притязаний на российскую корону. Таким образом, две соседние державы под скипетрами «звезды севера» и «звезды востока», Александра и Константина, предполагалось соединить (воспользуемся глубоко анахронистической, но точно схватывающей суть дела терминологией) своего рода узами братской дружбы, причем Россия, разумеется, должна была исполнять в этом союзе (вновь идущий к случаю анахронизм) роль старшего брата.

Однако династическую унию, обеспечивавшую это братство, необходимо было поддержать более глубинными историческими факторами, которые мотивировали бы претензии одного из членов российской императорской фамилии на престол новой Греческой империи и поднимали бы весь проект над сферой конъюнктурной дипломатической игры. Таким фактором стала религиозная преемственность Российской империи по отношению к Константинопольской. Россия получила свою веру из греческих рук, в результате брака киевского князя и византийской царевны, и потому выступала теперь в качестве естественной избавительницы греков от ига неверных. Это обстоятельство вносило в возникавшие между россиянами и греками отношения новый оттенок, ибо Россия оказывалась не только покровительницей Греции, но и ее наследницей, или, продолжая родственную метафору, дочерью, которая должна возвратить своей старшей и одновременно младшей родственнице давний долг.

И здесь мы подходим едва ли не к стержню всей этой идеологической конструкции. В заданной «греческим проектом» системе координат религиозная преемственность как бы по умолчанию приравнивалась к культурной. Соответственно, между Константинополем и Афинами ставился знак равенства, а роль единственной церковной наследницы Византии по определению делала Россию и безусловно легитимной наследницей греческой античности[1]. Смешение византийских и античных мотивов мы постоянно видим, в частности, во всей атрибутике проекта, включая уже упоминавшиеся торжества по случаю рождения Константина и программу его воспитания.

_____

[1] Эскиз такого рода построения можно, впрочем, обнаружить в написанной еще в конце 1750-х гг. статье Ломоносова «Предисловие о пользе книг церковных», где до некоторой степени сходные выводы сделаны на основании греко-русской языковой преемственности (см.: Пиккио 1992).

Этот логический tour de force кардинально менял представления об исторической роли и предназначении России. Если традиционно считалось, что факел просвещения перешел из Греции в Рим, оттуда был подхвачен Западной Европой и из ее рук был принят Россией, то теперь Россия оказывалась связана с Грецией напрямую и не нуждалась в посредниках.

«Идея, которая господствует здесь сейчас и заставляет забыть обо всем остальном, это установление новой империи на востоке в Афинах или Константинополе. Императрица долго говорила со мной о древних греках, об их дарованиях, о превосходстве их гения и о том, что те же свойства все еще сохранились и у греков нынешних, которые снова могут стать первым из народов, если их должным образом поддержать и направить», — писал домой английский посол Харрис вскоре после появления на свет Константина Павловича (Харрис I, 204). Эта тирада Екатерины обнажает в высшей степени характерный ход мысли. Россия призвана вновь вернуть грекам их истинную природу, обратить их к собственным истокам. Она может и обязана это сделать, потому что через Византию она является законной наследницей античной Греции, в некотором смысле ее новым воплощением. По крайней мере в восприятии Харриса, Афины и Константинополь фигурируют в качестве столицы будущей империи на равных правах.

Такая позиция очевидным образом приводила к мысли о культурном приоритете России в Европе и позволяла ставить вопрос о приоритетах политических. В начале 1780-х гг., после встречи Екатерины с Иосифом II в Могилеве, начались переговоры о союзном договоре между Австрией и Россией. Этот союз был крайне необходим Екатерине при ее новой политической ориентации, но в решающий момент подписание договора едва не было сорвано из-за того, что русская сторона подняла вопрос о так называемой «альтернативе».

В дипломатическом этикете того времени существовала норма, по которой в двух копиях договора подписи договаривающихся сторон менялись местами. Норма эта, однако, не распространялась на императора Священной Римской империи, сохранявшего неизменное право первой подписи. На новом этапе ситуация эта решительно не устраивала Екатерину. Сколь сильно ни была она заинтересована в союзе с Австрией, она не могла признать ее дипломатического первенства. Россия, как легитимная наследница Восточной Римской империи, требовала равенства с Западной (см.: Мадарьяга 1959/

1960)[1]. Компромисс, в целом выгодный для Екатерины, в конце концов был найден, но само возникновение конфликта отчетливо свидетельствовало о гигантском росте государственного самосознания России, безусловно связанном с «греческим проектом». По словам Иосифа II, всякий раз во время могилевской встречи, стоило ему заговорить о Греции и Константинополе, императрица упоминала Италию и Рим (Арнет III, 250). По мысли Екатерины, во главе политического устройства Европы должны были стоять две империи: венская, наследовавшая Римской, и петербургская — наследовавшая Константинопольской.

Никакое самое изощренное воображение не могло бы представить фигуры, более подходящей для вынашивания и осуществления всех этих гиперболических замыслов, чем Г. А. Потемкин. Английский посол Харрис докладывал в своих донесениях, что Потемкин мало интересуется западноевропейской политикой, но много внимания уделяет восточным делам. Позднее, когда обсуждался вопрос о передаче Британией под русское управление острова Минорка в Средиземном море, Потемкин немедленно выразил намерение населить остров греками (см.: Харрис I, 203, 316; ср.: Самойлов 1867, 591—592, 1010—1014, 1203—1204; Брикнер 1891, 47, 59—67 и др.; подробнее об отношении Потемкина к грекам см.: Баталден 1982, 67—72; Пономарева 1992 и др.). А греческий архиепископ Никифор в послании греческой общине Еникале и Керчи назвал Потемкина «подлинным защитником и покровителем нашего народа, ибо из всех племен он более всех возлюбил греков» (Баталден 1982, 69).

Визионер и утопист с чертами административной гениальности, сочетавший в себе экзальтированную набожность, богословскую эрудицию (известно, что причины разделения Восточной и Западной церквей составляли излюбленный предмет его разговоров) с преклонением перед классической античностью и страстью к Греции и грекам, Потемкин был тем самым человеком, которого могла одушевить задача гигантского геополитического разворота России на юг. От балтийского ареала с преимущественной ориентацией

---

[1] Исследовательница полагает, что твердость Екатерины в вопросе об альтернативе была результатом подстрекательства Н. И. Панина, заинтересованного в срыве переговоров. Едва ли это вполне убедительное объяснение. В эти годы влияние Панина существенно ослабло, и императрица, прекрасно осведомленная о его общей позиции, вряд ли могла бы позволить ему поставить под угрозу столь фундаментальный стратегический план, если бы сама не считала обсуждаемый вопрос очень серьезным.

на протестантско-германский мир, куда направил державу Петр I, Россию предстояло повернуть к Черному и Средиземному морям, к Северному Причерноморью и Балканам, населенным единоверными греками, южными славянами, молдаванами и валахами, — к территориям, объединенным некогда византийским скипетром, а еще раньше — державой Александра Македонского.

Личность Потемкина обнаруживается во всей этой схеме с безусловной отчетливостью. Тем интересней, что ее основные концептуальные звенья были выработаны в предшествующее пятилетие, в ходе Русско-турецкой войны 1768—1774 гг., еще до политического возвышения светлейшего князя.

2

Еще В. О. Ключевский указывал на то, что «греческий проект» Екатерины был в значительной степени вдохновлен письмами Вольтера (Ключевский 1993, 509). Однако с тех пор вопрос этот так и не стал предметом специального рассмотрения. Действительно, Вольтер в своих письмах к Екатерине времен Русско-турецкой войны 1768—1774 гг. постоянно обращается к греческой теме и неизменно подталкивает Екатерину к завоеванию Константинополя и возрождению греческого государства и просвещения. Тем существеннее попытаться понять, какие из составляющих «греческого проекта» действительно могли содержаться в этом эпистолярном комплексе, а какие должны были быть подсказаны другими источниками.

15 ноября 1768 г., когда сведения о начале войны еще не дошли до Парижа, Вольтер писал Екатерине:

> Если они начнут с Вами войну, мадам, их постигнет участь, которую предначертал им Петр Великий, имевший в виду сделать Константинополь столицей русской империи. Эти варвары заслуживают быть наказанными героиней за тот недостаток почтения, который они до сих пор проявляли по отношению к дамам. Ясно, что люди, которые презирают изящные искусства и запирают женщин, заслуживают того, чтобы их уничтожали. <...> Я прошу у Вашего императорского Величества дозволения приехать, чтобы припасть к Вашим стопам и провести несколько дней при Вашем дворе, когда он будет находиться в Константинополе, поскольку я глубоко убежден, что именно русским суждено изгнать турков из Европы.
>
> (Екатерина 1971, 20)

В ответном письме императрица сообщала своему корреспонденту, что пока до «его приезда в Константинополь» она посылает ему «шубу, пошитую на греческий манер и подбитую лучшими мехами Сибири» (Там же, 23). В этой шубе à la grecque на сибирских мехах есть что-то символически указывающее на тот греко-российский синтез, который будет впоследствии осуществлен в проекте. Несколько поздней, сообщая о первых успехах морейской экспедиции А. Г. Орлова, о которой еще пойдет речь, Екатерина развила эту тему: «Только от греков зависит, возродится ли Греция. Я сделала все возможное, чтобы украсить географическую карту прямой связью между Коринфом и Москвой» (Там же, 62).

Однако осторожность Екатерины не устраивала Вольтера. На протяжении всей переписки он расточает комплименты победам русского оружия и уговаривает свою корреспондентку не удовлетворяться частичными уступками и вести войну до полного уничтожения Оттоманской империи, которая была для него безусловным воплощением варварства, невежества и духовного порабощения. «Если Вы пожелаете продолжать Ваши завоевания, Вы их распространите туда, куда пожелаете, если же захотите мира, то сами будете его диктовать. Что до меня, то я бы желал, чтобы Ваше Величество короновалось в Константинополе», — писал Вольтер Екатерине в письме от 28 августа 1770 г. (Там же, 67). Признанный лидер европейского классицизма, он видел в вытеснении турков из Европы предпосылку ее культурного возрождения, и «северная Семирамида», одновременно его благодетельница и ученица, должна была стать орудием провидения, распространяющим просвещение на штыках своих солдат.

> О Минерва Севера, о Ты, сестра Аполлона,
> Ты отмстишь Грецию, изгнав недостойных,
> Врагов искусств, гонителей женщин,
> Я удаляюсь и буду ждать тебя на полях Марафона, —

писал он в «Стансах Императрице России Екатерине II по случаю взятия Хотина русскими в 1769 году» (Вольтер XIII, 316).

Русско-турецкая война приравнивается тем самым к греко-персидским, которые, естественно, интерпретировались Вольтером как сражение между культурой и варварством. В сентябре 1770 г. он развернул перед Екатериной целую программу возрождения античности в ее исторической колыбели:

Те, кто желает неудач Вашему Величеству, будут посрамлены, — писал он о европейских монархах, оказывавших в той или иной степени поддержку Турции. — И отчего желать ей неудач тогда, когда она отмщает Европу. Ясно, что это люди, которые не хотят, чтобы разговаривали по-гречески, ибо когда Вы станете сувереном Константинополя, Вы сразу же создадите греческую академию изящных искусств. В Вашу честь напишут «Катериниады», Зевксы и Фидии покроют землю Вашими изображениями, падение оттоманской империи будет прославлено по-гречески; Афины станут одной из Ваших столиц, греческий язык станет всеобщим, все негоцианты Эгейского моря будут просить греческие паспорта у Вашего Величества.

(Екатерина 1971, 71)

Двумя с половиной годами позднее, в феврале 1773-го, когда было уже очевидно, что результаты войны окажутся куда более скромными, чем поначалу рассчитывали оба корреспондента, Вольтер все равно возвращается к этим честолюбивым замыслам. Незадолго до того Екатерина послала ему переводы на французский двух своих комедий 1772 г., которые она представила ему как сочинение «анонимного автора» (Там же, 171). Как и русские читатели екатерининских комедий, Вольтер отнюдь не был введен в заблуждение этой игрой, кажется, и не рассчитанной на то, чтобы скрыть от кого бы то ни было подлинного автора. Однако она позволила ему еще раз развернуть перед русской императрицей цепь своих геополитических рассуждений:

<...> самое редкое достоинство — это поощрять изящные искусства, когда война занимает всю нацию. Я вижу, что русские обладают дарованиями, и немалыми дарованиями; Ваше Императорское Величество не созданы для того, чтобы управлять глупцами; именно это всегда заставляло меня думать, что природа предназначила Вас управлять Грецией. Я снова возвращаюсь к моим прежним фантазиям — Вы окончите свой путь там. Это произойдет через десять лет, <...> турецкая империя будет разделена и Вы прикажете сыграть Софоклова «Эдипа» в Афинах.

(Там же, 178)

Гиперболическая лесть Вольтера дает достаточно ясное представление о его политико-культурных приоритетах. Интересует его прежде всего, если не исключительно, освобождение Греции из-под турецкого господства и восстановление великих традиций античной культуры в их колыбели. Россия и даже ее монархиня, на самые неумеренные комплименты которой Вольтер, как обычно, не скупился, играли в этом политическом расчете вполне функциональную роль. Видя Екатерину владычицей Греции, Вольтер как бы подразумевал ее превращение, по крайней мере в культурном отношении, в подлинную гречанку — преображение Екатерины из немецкой принцессы в российскую государыню создавало для такого рода полетов воображения известный биографический прецедент. «Если Ваше Величество собирается утвердить свой трон в Константинополе, на что я надеюсь, — писал он в самом начале войны, — Вы очень быстро изучите греческий язык, ибо совершенно необходимо изгнать из Европы турецкий язык, как и всех, кто на нем говорит» (Там же, 27).

Екатерина ответила на эти пожелания с характерной осторожностью. Первоначально, в августе 1769 г., она написала, что ее планы по изучению греческого языка ограничиваются «греческим комплиментом», который она собиралась сделать Вольтеру, подобно тому как два года назад она «выучила в Казани несколько татарских и арабских фраз, что доставило большое удовольствие обитателям этого города» (Там же, 315). Однако затем она, вероятно, решила не разочаровывать своего корреспондента слишком сильно, и весь этот пассаж остался в черновике. Позже императрица вновь вернулась к этому вопросу, выразив большую заинтересованность в собственном классическом образовании, но не забыв деликатно напомнить своему корреспонденту, какой из языков должен составлять главный предмет ее попечения: «Я согласна с Вами в том, что скоро настанет время мне поехать в какой-нибудь университет изучать греческий. Тем временем у нас переводят Гомера на русский — всегда надо с чего-нибудь начинать» (Там же, 80; речь шла о прозаическом переводе П. Е. Екимова). В конце концов Вольтер вынужден был согласиться, поскольку положение собеседницы не позволяло продолжать дискуссию, но в тоне его отчетливо звучало сожаление: «Если бы греки были достойны всего, что Вы для них делаете, греческий язык стал бы всеобщим, но русский язык вполне может его заменить» (Там же, 169).

Прельщая русскую императрицу константинопольским троном, отдавая Константинополю предпочтение перед Москвой и Петербургом (Там же, 162), даже напоминая о константинопольских планах Петра I (Там же, 191), Вольтер думал не столько о самой византийской столице, сколько об Афинах, к которым, как он писал, он был «неизменно привязан ради Софокла, Еврипида, Менандра» и своего «старого собрата Анакреона» (Там же, 139). «Если Вы, — сетовал он, — <...> все же дадите мир Мустафе, что станет с моей бедной Грецией, что станет со страной Демосфена и Софокла. Я бы охотно отдал Иерусалим мусульманам, эти варвары созданы для страны Иезекииля, Илии и Кайяфы. Но я всегда буду горько уязвлен, видя, что афинский театр превращен в кухню, а лицей — в конюшню» (Там же, 123). Однажды в переписке он даже обмолвился и назвал Константинополь «городом этого скверного Константина» (Там же, 76). Совершенно очевидно, что религиозное обоснование русской миссии в Константинополе было ему не только непонятно и безразлично, но и прямо враждебно.

В переписке с императрицей философу приходилось воздерживаться от изъявлений такого рода враждебности и терпеливо выслушивать от своей не отличавшейся особым благочестием корреспондентки поучения об истинно христианском характере Восточной церкви и присущей ей веротерпимости. Здесь он мог позволить себе только легкую и почтительную насмешливость: «Что до меня, то я остаюсь верен греческой церкви, особенно когда Ваши прекрасные ручки держат кадильницу и Вас можно рассматривать как патриарха всея Руси» (Там же, 118). Екатерина неоднократно и сама называла себя в переписке «главой греческой церкви» (Там же, 176, 193 и др.), отчасти подхватывая ироническую интонацию своего собеседника, отчасти фиксируя реальное положение дел. Позднее, отвечая на слова Екатерины о том, что греки «испортились [dégénérées] и любят грабеж больше, чем свободу» (Там же, 78), Вольтер писал: «Я скорблю и о том, что греки оказались недостойны свободы, которую бы они приобрели, если бы имели мужество последовать за Вами. Я не желаю больше читать ни Софокла, ни Гомера, ни Демосфена. Я бы даже стал презирать греческую церковь, если бы Вы не стояли во главе ее» (Там же, 155).

Тем не менее в «Оде на нынешнюю войну в Греции» Вольтер не скрыл от читателей, что считает именно греческую церковь более всего повинной в упадке духа древних героев:

> Нет более Гераклов,
> Которые бы следовали за Минервой и Марсом,
> Бесстрашных победителей персов
> И любимцев всех искусств,
> Которые и в мире, и в войне
> Составляли пример для всей земли. <...>
>
> Но поскольку под властью двух Феодосиев
> Все герои испортились [dégénérées],
> И нет больше апофеозов,

Кроме как для злобных педантов с тонзурами <...>
И потомки Ахилла
Под властью Святого Василия
Стали рабами оттоманов.

(Вольтер XIII, 407).

Вольтер был настолько увлечен греческими образцами, что хотел, чтобы и военные действия велись на античный манер. В своих письмах он, несмотря на свою очевидную некомпетентность в военных вопросах, настойчиво и почти на грани приличия, ссылаясь на какого-то «старого офицера», советует Екатерине использовать в своих походах «колесницы», которые, с его точки зрения, особенно хороши в степях Причерноморья (Екатерина 1971, 28—29, 45, 48, 51—52, 71, 187 и др.). Понятно, что Екатерина вообще не сочла нужным реагировать на подобные рекомендации.

Императрице вообще приходилось несколько сдерживать воинственный энтузиазм своего собеседника, объясняя ему, что до взятия Константинополя еще далеко (Там же, 76), а она предпочитает мир войне. Однако его пристрастие к греческой теме она вполне разделяла. В начале 1773 г., когда война подходила к концу и было уже более или менее ясно, что освобождение Греции придется отложить до лучших времен, она писала Вольтеру: «Я читаю сейчас труды Альгаротти. Он утверждает, что все искусства и науки родились в Греции. Прошу Вас, скажите мне, действительно ли это так» (Там же, 180).

Интерес Екатерины к этому вопросу вполне понятен — если греки были родоначальниками Просвещения, то историческое значение столь тесно связанной с ними России неизмеримо возрастает. В ответном письме, очередной раз выразив надежду, что граф Орлов воздвигнет себе триумфальную арку «не во льдах, а на стамбульском ипподроме», а Екатерина «породит в Греции не только Мильтиадов, но и Фидиев», Вольтер все же разочаровал августейшую корреспондентку, рассказав ей, что греки многим обязаны Древнему Египту, финикийцам и Индии (Там же, 183). На этот раз уже Екатерине пришлось, скрепя сердце, согласиться: «Вы меня вывели из заблуждения, — писала она в августе 1773 г. — <...> теперь я убеждена, что не Греция была родиной искусств. Все же я разочарована, поскольку я люблю греков, несмотря на все их недостатки» (Там же, 185).

Императрица продолжала интересоваться греками — меньше, чем через год «восточной системе» Потемкина суждено было стать государственной политикой. Влияние Вольтера на оформление некоторых элементов этой политики могло быть существенным, но, во всяком случае, оно носило крайне ограниченный характер. У Вольтера Екатерина могла почерпнуть видение освобожденной Греции как царства возрожденной античности, своего рода подстановку Афин на место Константинополя. Однако несущие звенья всей конструкции «греческого проекта»: идея сложной исторической преемственности Греции и России, связь между церковной и культурной преемственностью, утопия братской унии двух империй на основе общей религиозно-культурной идентичности — были совершенно чужды французскому философу.

В соответствии со своим идеалом просвещенного абсолютизма, Вольтер считал предназначением монарха нести свет цивилизации варварским народам. Освобождение и просвещение Греции должно было стать вершиной царственного пути «северной Семирамиды». «Вы, конечно, возродите олимпийские игры, на время которых римляне публичным декретом даровали грекам свободу, и это станет самым славным деянием Вашей жизни», — писал он Екатерине (Там же, 59—60). Вольтера интересовали Просвещение и монархи, несущие Просвещение, а отнюдь не Россия и ее историческое предназначение. Можно, пожалуй, сказать, что с историко-культурной точки зрения замыслы Екатерины и Потемкина принадлежат уже не эпохе фернейского философа, но эпохе Гердера. Однако популярность писавшихся в эти же годы сочинений Гердера, как и опубликованных в середине 1760-х гг. трудов Винкельмана, в России была еще делом будущего (см.: Данилевский 1980). Екатерина и Потемкин должны были искать вдохновения в домашних источниках.

3

Осенью 1768 г. Турция объявила России войну. Начало военных действий было для императрицы и ее ближайших приближенных отчасти неожиданным и, безусловно, нежелательным. Неудивительно, что их идейное обеспечение несколько запоздало, и первым делом Екатерина схватилась за опробованную столетиями религиозную карту. Подписанный 18 ноября 1768 г. манифест «О начатии войны с Оттоманскою Портою» не содержит совсем никаких неоклассических мотивов. Здесь говорится о вмешательстве Турции в польские дела, аресте русского посланника в Константинополе

Обрескова, коварстве магометан. Подданные императрицы призывались к «войне противу коварного неприятеля и врага имени христианского» (ПСЗ № 13198). Впрочем, манифест был обращен ко всем слоям населения империи, большинство которого не было в состоянии оценить классические аллюзии. Но и авторы первых од на этот случай, предназначенных куда более узкой аудитории, также фиксируют свое внимание на религиозной проблематике.

> А паче просит вас туда
> Народов близкая беда,
> Соединенных нам законом,
> Они в оковах тяжких там, —

писал, например, М. М. Херасков, один из самых известных поэтов тех лет. Идеологическая концепция войны ему еще совершенно не ясна, и он легко заменяет Константинополь не Афинами, как Вольтер, но Иерусалимом:

> На вечный плач и бедство нам
> И нашим в торжество врагам
> Сии места, места священны,
> Где искупитель наш рожден,
> И гроб, чем тартар побежден,
> Иноплеменникам врученны.

Более того, Херасков прямо противопоставил суетные и бессмысленные подвиги античных героев новому походу за веру:

> Не для златого вам руна,
> Не для прекрасной Андромеды,
> О Россы! предлежит война
> И представляются победы.
> Пусть древность суеты поет,
> Не гордость вас на брань зовет.

(Херасков 1769)

Впрочем, само упоминание народов, находящихся под турецким ярмом, сама параллель с Грецией как бы подсказывали направление будущих смысловых сдвигов, пока еще остававшихся под спудом.

В оде на объявление войны Василия Петрова, наиболее значительного и наиболее приближенного ко двору — он служил чтецом императрицы — одописца того времени, несметные полчища «саранчи», посланной «в Север» «поклонником Магомеда» (Петров I, 37), также уподоблялись не столько персидскому войску, напавшему на крошечную Грецию, сколько сонму неверных, обложивших древний Израиль. В соответствии с политическими взглядами Екатерины и, в общем-то, в соответствии с действительностью, Петров приписывал решение Турции начать войну французскому подстрекательству. Саму же предстоящую кампанию он изображал как грандиозную битву трех сторон света с северной державой.

> От Юга, Запада, Востока,
> Из Мекки и Каира врат,
> Где хвально имя лжепророка,
> Где Нил шумит, где Тигр, Ефрат,
> Уже противники России
> Стекаются ко Византии <...>
> Теснятся предним над Дунаем,
> Но задним воинства их краем
> В Стамбуле движутся еще.

> (Там же, 36)

Византия, древний Бизантий, то есть Константинополь, еще названа здесь Стамбулом и воспринимается как центр мусульманского мира. Еще полугодом позже, когда пришло известие о взятии Хотина, Сергей Домашнев в своей оде уравнивал Византию с Меккой и Мединой, как азиатские земли, находившиеся под властью мусульман и в общем-то им принадлежащие.

> И бегством спасшись в Византию,
> Сколь грозно раздражать Россию
> Вещай своим потомкам в страх,
> Да зрят неверством ослепленны
> Знамена Росски водруженны
> Хотина ныне на стенах.
> Стеня по всем странам Азийским,
> Рассыпьте страх и трепет свой <...>
> И в Мекку идя и в Медину,
> Оплачьте черную годину
> И беззакония свои.

> (Домашнев 1769)

В другой оде на взятие Хотина Федор Козельский сравнивал древних греков не с русскими, но с турками:

> Афины рвали так союз,
> Спокойство мира отвергая
> И от смиренных Сиракуз
> Презорно око отвращая.
> Витийства движет там разврат
> Буян возжег Алцибиад.

> (Козельский I, 64)

Однако в оде Петрова, посвященной тому же событию, уже возникают, пусть поначалу и на заднем плане, несколько иные акценты. Ровно за тридцать лет до того, в 1739 г., русские войска уже брали Хотин. Тогда эта победа стала поводом для знаменитой оды Ломоносова, где он изображал эту битву как космическое сражение между в «труд избранными» сынами России и агарянами, «родом отверженной рабы» (Ломоносов 1986, 62). Ученик Ломоносова, Петров воспользовался этой очевидной параллелью, чтобы придать своему стиху неимоверное ветхозаветное напряжение:

> Приникни с высоты престола,
> О Боже, на дела земли,
> Воззри, средь освященна дола
> Враги завета возлегли <...>

> Но, прелагаяй море в сушу,
> Вещает Сильный от небес:
> Я скиптр дарю, я царства рушу,
> Вся тварь полна моих чудес <...>
> Восстани днесь, восстань Деввора,
> Преступны грады разори <...>
> Не бойся, я защитник твой.
> Моей десницей чудотворной
> Казнен египтянин упорный.

> Восстала се, полки предводит,
> Разит преступников гоня,
> На храм Софийский се нисходит
> Дух Божий в образе огня.
> Прими, несчастна Византия,
> Тот свет от Россов, кой Россия
> Прияла прежде от тебя,
> Приимешь, узришь в нем себя.

Здесь за традиционной, но доведенной до эмоционального предела библейской риторикой уже просматривается целый комплекс новых мотивов: и Константинополь, Софийский храм как цель войны, и возвращение Россией Византии некогда принятой от нее благодати, и обретение освобожденной страной себя в российском даре. Но самые главные смысловые новации Петров приберег для последней строфы:

> С торжественныя колесницы
> Простри на юг свои зарницы <...>
> Орлы твои Афин достигнут
> И вольность Греции воздвигнут,
> Там новый возгремит Пиндар
> Российския победы дар.
> Несчетны воспоют народы
> Тебя, виновницу свободы.

> (Петров I, 44—49)

Ода, до предела переполненная религиозной символикой и атрибутикой, разрешается античными мотивами. Конечным итогом вмешательства божьей десницы в ход событий становятся вольность Греции и гимны нового Пиндара. В следующей оде Петрова «На взятие Ясс», написанной осенью того же 1769 г., древнегреческий колорит еще усилен:

> Воззри — несчастные народы,
> Где Пинд стоит, Олимп, Парнас,
> Лишенные драгой свободы,
> К тебе возносят взор и глас <...>

> Спокойся днесь, геройско племя,
> И жди с терпением премен,
> Приспеет вожделенно время,
> Ваш, Греки, разрешится плен.
> Вы дух явили благодарный,
> Когда вам римлянин коварный
> Свободу мниму даровал:
> Ни пользы требуя, ни хвал,
> Вам лучшу даст Екатерина.

> (Там же, 58)

Петров вспомнил о вольностях, предоставлявшихся римлянами грекам на время Олимпийских игр, и сопоставил с ними благодеяния, которые даст этому народу российская императрица, почти за год до того, как Вольтер провел это сравнение в письме к Екатерине. В своих одах второй половины 1769 г. поэт отчасти уловил, а отчасти предугадал и предвосхитил поворот, который суждено было пережить официальной интерпретации целей и смысла войны. Без всякого сомнения, поворот этот был связан с морейской экспедицией Алексея Орлова.

4

Мысль о том, чтобы снарядить в тыл турок морскую эскадру и поднять в Средиземноморье восстание проживавших там православных народов — греков и южных славян — была высказана тогдашним фаворитом Екатерины Григорием Орловым в начале ноября 1768 г., еще до подписания манифеста об объявлении войны. Тогда же брат фаворита Алексей Орлов писал ему о задачах подобной экспедиции и войны в целом: «Если уж ехать, то ехать до Константинополя и освободить всех православных и благочестивых от ига тяжкого. И скажу так, как в грамоте государь Петр I сказал: а их неверных магометан согнать в степи песчаные на прежние их жилища. А тут опять заведется благочестие, и скажем слава Богу нашему и всемогущему» (Орлов 1870, 142; Барсуков 1873, 61—62; ср.: Соловьев XIV, 269—272; Петров А. 1869, 97—106). В начале 1769 г. Екатерина сообщала Алексею Орлову, что манифесты «нарочно к поднятию христианских жителей» уже готовы, и рекомендовала «приискать людей, кои между благочестивыми греческими и славянскими народами отличный кредит иметь могут» (СбРИО I, 5, 14). Летом флот покинул Кронштадт, отправившись вокруг Европы в Средиземное море.

В старой монографии В. А. Уляницкого показано, что организаторы и идеологи экспедиции постоянно колебались относительно ее назначения. Если Орловы действительно стремились прежде всего к освобождению единоверных народов и объединению их под российским протекторатом, то Екатерина рассматривала посылку флота и подготавливаемые восстания во вражеском тылу скорее как военную диверсию, гораздо в меньшей степени позволяя себе строить далеко идущие планы. Похоже, что императрица долгое время не слишком верила в глобальный успех морейской экспедиции и интересовалась скорей ее сугубо военными аспектами. Однако и более радикальные замыслы, которые вынашивали Орловы, в сущности, лишь очень отдаленно напоминают будущий «греческий проект». Скорее, они выглядят как продолжение традиционной константинопольской политики России, основанной на религиозном тяготении к столице Восточной церкви и стремлении к объединению под своей эгидой единоверных народов. Не случайно в планах Орловых греки упоминаются лишь наряду с другими православными народами юга Европы (Уляницкий 1883, 107—130; ср.: Смилянская 1996, 88—98).

«Восстание каждого народа порознь, <...> не нанося неприятелю чувствительного ущерба, а еще менее, причиняя ему какую-либо полезную диверсию, в чем одном прямая наша цель быть долженствует, привела бы только к открытию туркам глаз», — инструктировала Екатерина Орлова до начала экспедиции (СбРИО I, 6), а в начале 1770 г., когда перспективы восстания в Греции выглядели достаточно неопределенными, ободряла его: «Пускай бы и тут веками порабощения и коварства развращенные греки изменили своему собственному благополучию, одна наша морская диверсия уже довольна привести в потрясение все турецкие в Европе области» (Там же, 35). Впрочем, летом 1770 г. первые успехи Орлова и показавшаяся ей благоприятной дипломатическая ситуация подали императрице надежду на более значительный успех.

К особливому и честному порадованию Нашему, — извещала она Орлова, — ведаем мы удостоверительно, что все беспристрастные державы республики христианской полагают справедливость на нашей стороне и что сие самое общее удостоверение обуздывает против воли и склонности ненавистников. <...> Надобно, <...> чтобы вы, соединя в свое предводительство разные греческие народы, как можно скорее составили из них нечто видимое, <...> которое бы свету представилось новым и целым народом и чтоб оный сей новый корпус, составляясь публичным актом <...> и объявя в оном политическое свое бытие, отозвался во всей христианской республике в такой, например, силе:
    <...>Что многочисленные греческие народы, быв попущением Божиим подвергнуты тяжкому игу злочестия агарянского, <...> совокупясь воедино и составя новый член в республике христианской...

(Там же, 41)

Словосочетание «республика христианская» трижды повторено здесь на одной странице. Формула эта отсылает к совершенно определенному источнику — идее конфедерации христианских народов Европы, якобы предложенной в начале XVII в. французскому королю Генриху IV герцогом М. де Сюлли и изложенной в последнем томе его мемуаров. Екатерина высоко ценила и Генриха и Сюлли. Она заказала их бюсты скульптору Луизе Калло, сопровождавшей в России Э. Фальконе во время его работы над памятником Петру (СбРИО XVIII, 37). Вольтеру, написавшему ей, что он ждет на небесах встречи с Петром Великим, она ответила, что со своей стороны мечтает увидеть там Генриха и Сюлли (Екатерина 1971, 51). В том же 1770 г. в России начал печататься перевод десятитомных «Записок» Сюлли, специально заказанный Екатериной М. И. Веревкину.

Существенно, что Сюлли, не вполне уверенный, являются ли русские христианами, с большой долей скептицизма относился к перспективам участия тогдашней России в христианской республике, которая должна была гарантировать вечный мир в Европе:

> Когда б Великий князь Московский, или Русский царь, которого приемлют писатели за старинного скифского владетеля, отрекся приступить к всеобщему соглашению, о котором бы наперед ему сделать предложение, то так же бы с ним поступить, как с султаном Турским, то есть отобрать у него все, чем он владеет в Европе, и прогнать его в Азию, чтобы он без всякого нашего сопримешения мог бы, сколько ему угодно, продолжать войну, почти никогда у него не прекращающуюся, с Турками и Персами.
>
> (Сюлли X, 364, 360—361)

Сюлли хотел предложить России выбрать свое место или в христианской республике европейских государств, или в Азии «наряду с Турским султаном». Для Екатерины место России на политической карте мира было определено. Императрица не сомневалась, что достойное положение в Европе Россией уже завоевано, и теперь собиралась сама запереть султана в Азии и пополнить христианскую республику «новым корпусом» — Грецией, восстановленной «под протекциею России».

Впрочем, морейская экспедиция, невзирая на блестящую победу в Чесменском сражении, не принесла ожидаемых результатов. Русским войскам пришлось, в сущности, бросить греков на произвол судьбы. Алексей Орлов, строивший столь монументальные планы, склонен был винить в произошедшем самих греков, которые, по его мнению, не проявили достаточной храбрости и воинской дисциплины и предпочли грабежи войне за освобождение:

> Здешние народы льстивы, обманчивы, непостоянны, дерзки и трусливы, лакомы к деньгам и к добыче.<...> Легковерие и ветреность, трепет от имени турок, суть не из последних также качеств наших единоверцев. <...> Закон исповедуют едиными только устами, не имея ни

слабого начертания в сердце добродетелей христианских. Рабство и узы правления турецкого, на них наложенные, <...> также и грубое невежество обладают ими. Сии-то суть причины, которые отнимают надежду произвесть какое-нибудь в них к их общему благу на твердом основании сооруженное положение.

(СбРИО I, 43; ср.: Соловьев XIV, 358—363)

Русский флот покинул Морею, не достигнув поставленных целей. Казалось бы, планы возрождения Греции и тем более представления о греках как о потомках античных героев, которые старательно поддерживал в Екатерине Вольтер, должны были хотя бы на время угаснуть. Однако в действительности именно в эти годы происходит прямо обратное. Запущенные морейской экспедицией культурные механизмы начали работать самостоятельно и уже почти не зависели от сиюминутной военной и политической конъюнктуры.

5

16/27 мая 1770 г. Екатерина извещала Вольтера о первых успехах экспедиции. Русские моряки высадились в континентальной Греции, соединились с восставшими греками и разделились на восточный спартанский и северный спартанский легионы. Первый отправился на освобождение территории древней Спарты, второй двинулся в Аркадию. В стычке на Коринфском перешейке был взят в плен командующий турецким гарнизоном. «Скоро Греция станет свободной, — заключала императрица, — но ей еще далеко до того, чтобы стать тем, чем она была. В то же время приятно слышать названия мест, которыми твой слух полон с молодости» (Екатерина 1971, 56).

Екатерина сформулировала суть дела как нельзя более точно. На протяжении почти полустолетия русская культура, усвоив европейские нормы, упорно примеряла на себя античные одежды, сравнивала своих героев с древними, измеряла свои достижения степенью соответствия греческим и римским образцам. Слова «Спарта», «Афины», «Аркадия» по сути дела не обозначали в языке того времени никакой географической реальности, служа лишь отражением абсолютного совершенства. Теперь в эту никогда не существовавшую страну, прямо в золотой век, в обитель богов и героев, отправилась российская эскадра. Участники экспедиции, и прежде всего, конечно, ее вожди, уже самим сопряжением своих имен с мифологической топонимикой становились подобны древним обитателям этих мест и превращались в античных героев.

Первым энергию оживания школьной мифологии и превращения ее в политическую реальность почувствовал Петров, который начал насыщать свои оды эллинскими ассоциациями, когда русская эскадра еще стояла на рейде в Портсмуте, латая потрепанные по пути из Кронштадта корабли. Высадка десанта на побережье вызвала у Петрова взлет поэтического воображения. Его ода «На победы в Морее» столь же переполнена античной атрибутикой, сколь хотинская ода — библейской, и столь же эмоционально перенапряжена:

> Уж взят, он (Орлов. — *А. З.*) мнит Модон, Коринф предастся вскоре,
> Аркадию пленят, а я еще на море. —
> Герой! не негодуй: твой жребий не приспел.
> Тебе осталися Фессальския долины,
>   Вход черныя пучины
>   И ужас Дарданелл. <...>
>
> О коль нечаянна, коль дивна там премена!
> Спартане, распустив российские знамена,
> Разносят по всему Пелопонису страх.
> В участие войны окрестных созывают
>   И слезы проливают
>   С оружием в руках.
>
> Колико, — вопиют, — о небо, мы счастливы!
> Герои наши днесь в прибывших россах живы!
> Сколь кроток оных нам, коль грозен туркам вид!
> Аргольцы, навпляне, к сражению устройтесь,
>   Коринфяне, не бойтесь
>   Во Спарте Леонид.

Музыка греческой топонимики творит «дивные премены». Спартане под российскими знаменами вновь становятся спартанами. Греция оживает, ибо в «прибывших россах живы» спартанские герои во главе с Леонидом—Орловым. Русские на этой священной земле превращаются в греков, чтобы, наконец, восстановить Грецию. Прибытие российского флота обещает золотой век, подобный описанному Вольтером в письмах Екатерине. Вспомним, что императрица спрашивала у Вольтера, действительно ли греки были родоначальниками наук и искусств. У Петрова это не вызывает ни малейших сомнений:

> Но о, отцы наук, порабощенны греки!
> Утешьтесь, паки вам златы начнутся веки,
> Достанет и до вас счастливая чреда.
> Алфейски зрелища, умолкнувши поныне,
>   Вы в честь Екатерине
>   Восставьте навсегда.
>
> По ним свои лета опять считать начните
> И имени ея начало посвятите.
> Она за подвиги вам будет мзды дарить
> Во храме вольности, покоя и отрады
>   Вы образ сей Паллады
>   Век должны жертвой чтить.
>
> А Ты, смиряюща неистовство тирана,
> Законодавица, победами венчанна,
> Возьми скрижаль и суд полудню возвести:
> Во область, где цвели Ликурги и Солоны,
>   Пошли свои законы,
>   Их будут век чести.
>
> (Петров I, 74—77)

Екатерина не только вполне традиционно именуется здесь Палладой или Минервой, она впрямую становится олимпийской богиней, образ которой должен быть объектом почитания в возрожденном греческом храме — судя по описанию, явно языческом. Метафора возвращения долга здесь перенесена из религиозной сферы в законодательную. Российская императрица призвана облагодетельствовать своими законами (конечно, Петров имел в виду «Наказ Комиссии по составлению нового уложения») родину законодательства, «область, где цвели Ликурги и Солоны».

В том же ключе рисует будущее Греции и непримиримый литературный противник Петрова Василий Майков:

> Подателей Вселенной света
> Екатерина просветит,
> Изгонит чтущих Магомета
> И паки греков утвердит.
> Науки падши там восстанут,
> Невежды гордые увянут,
> Как листвия в осенни дни,
> Не будет Греции примера;
> Одна с Россиею в ней вера,
> Законы будут с ней одни.
>
> (Майков 1770)

Если Петров, как, видимо, и сама монархиня, придерживался насчет будущего Греции относительно неопределенных взглядов — греки могут почитать Екатерину и ее законы, как являясь ее подданными, так и просто преклоняясь перед их божественным совершенством, — то у Майкова на этот счет не было никаких сомнений. Он не сомневался, что золотой век вернется в Грецию, когда она благополучно вольется в Российскую империю.

> Под властию Екатерины
> По всем брегам прекрасны крины
> И горды лавры возрастут,
> Польются с гор ручьи прозрачны,
> И рощи и долины злачны
> Сторичный плод ей принесут.

(Там же)

Яростная вражда между Петровым и Майковым (см.: Гуковский 1927, 143—147), примерно в это время назвавшим в «Елисее» своего литературного оппонента «плюгавцем» (Майков 1966, 89), заставляет с особым вниманием отнестись к схождениям между ними. Нимфы, которые в майковской оде, «ходя меж кустами, победы росские поют», и Парнас, который «на помощь Россов призывает», отнюдь не ощущаются автором как фигура, хоть как-то соотнесенная с одической практикой Петрова. Пожалуй, Петров выразил намечавшийся сдвиг несколько раньше и мощнее других. Но в одах на победу, одержанную Алексеем Орловым в июле 1770 г. в Чесменской бухте (известия о ней пришли в Петербург только 13 сентября), распространение этих мотивов приобрело эпидемический характер.

Сама Екатерина, сообщая Вольтеру о новой победе, писала: «Алексей Орлов, разбив турецкий флот, сжег его весь в порту Чесмы, древней Клазомены» (Екатерина 1971, 74). Подобные риторические параллели появились и в уже цитированной оде Майкова, и у Домашнева (1770), и у Хераскова (1770), то есть у поэтов, годом-полутора ранее противопоставлявших подвиги российских героев баснословным преданиям древности. Херасков даже удвоил ряд исторических прообразов новейших побед русского флота, дополнив античную генеалогию национальной и уравняв их тем самым между собой:

> Я вижу афинейцев новых
> У саламисских берегов;
> О! муза, вобрази Орловых,

Аллегория на Чесменскую победу. Т. де Роде. 1771

Гонящих целый флот врагов. <...>
Я вижу, будто в древни лета
Единоборца Пересвета,
Биющася с его врагом. <...>

Так две громады преужасны
Слетелись в море пред собой.

(Херасков 1770)

Оды писались более или менее по горячим следам невиданной
победы, но через два года в свет вышли два более масштабных произведения, посвященных тому же событию, — поэма Хераскова
«Чесмесский бой» и поэтическая драма Павла Потемкина «Россы в
Архипелаге». К тому времени русский флот уже покинул Морею и
неудача экспедиции вполне определилась, но на общей концепции
обоих авторов эти перемены ни в малой степени не отразились.
В более уравновешенных и дистанциированных по отношению к
описываемым событиям жанрах видение политической реальнос-

ти, которое выплеснулось в одах, приобрело устойчивый и оформленный характер.

> Во славе где сиял Божественный закон
> И вера на столпах воздвигла светлый трон,
> Где храмы вознесли главы свои златые,
> Курился фимиам и с ним мольбы святые,
> Где муз божественных был слышен прежде глас,
> Где зрелся Геликон, где древний цвел Парнас,
> В стране, исполненной бессмертных нам примеров,
> В отечестве богов, Ликургов и Гомеров
> Не песни сладкие вспевают музы днесь,
> Парнас травой зарос, опустошился весь.
> Герои славные в Афинах не родятся,
> Во Спарте мудрые законы не твердятся. <...>
> Святые здания в пустыни превращенны...

(Херасков 1961, 144)

Замечательна здесь ненапряженная, спокойно-перечислительная интонация, с которой поэт почти незаметно, через запятую, перешел от церковной атрибутики к классической. При этом для характеристики и той и другой используется один и тот же эпитет. «Божественный» закон и «божественные» музы слились для Хераскова в один смысловой ряд.

Появление у берегов Греции русских кораблей полностью меняет ситуацию:

> Там, кажется, встают Ахиллы, Мильтиады, <...>
> Уж храбрость вспыхнула во греческих сердцах,
> Почти умершая в неволе и цепях, <...>
> Увидит Греция Парнас возобновленный.

(Там же, 152)

Та же конструкция с упором на те же смысловые элементы развернута и в пьесе П. Потемкина. Здесь Алексей Орлов ведет беседу с предводителем греков по имени Буковал, который приветствует освободителя, заявляя ему:

> Герой полночных стран, в ком Греки представляют
> Ираклови дела и Россов прославляют,
> Дай помощь нам своей геройския руки.

Орлов готов «дать помощь», но его огорчает готовность самих греков мириться с угнетением, и он обращается к Буковалу с пламен-

ным напоминанием о страданиях, которые его народ претерпел от
турок, и горькими упреками:

> Воспомяните вы падение Афин,
> Насилие врагов, свирепство и тиранство,
> Все претерпело там несчастно христианство. <...>

> Являет все теперь чрез множество времен,
> Что греческий народ геройских чувств лишен.

Христианство в монологе Орлова более всего «претерпело» в
Афинах. Он не делает разницы между ними и «первопрестольным
градом» — Константинополем, о пленении которого турками говорилось чуть выше. Его слова вполне убеждают Буковала, возрождая
в нем и его воинах дух древних спартанцев:

> Надежду днесь свою имея на тебя,
> Всему, что повелишь, подвергнем мы себя.
> Ты вожделенные восставишь паки веки,
> Мы те же, государь, что были прежде Греки. <...>
> Твои доброты нас и Российских войск геройство
> Одушевляют всех, дая нам прежни свойства.

(Потемкин 1772, 25—28)

Идеологическая основа для «греческого проекта» была создана.
При этом Павел Потемкин был двоюродным братом и близким со-
трудником будущего фаворита, а Петров — его давним и близким
другом, с которым он в эти годы, находясь в армии Румянцева, постоянно переписывался и через которого поддерживал сообщение
с императрицей (см.: Шляпкин 1885, 398). Зная литературные интересы Потемкина, естественно предположить, что он должен был
быть внимательным читателем произведений, созданных близкими
ему людьми и посвященных волновавшим его событиям. Именно
ему предстояло превратить систему поэтических метафор в раз-
вернутую политическую программу.

6

Одним из любопытных явлений русской литературной жизни
1770-х гг. стало активное участие в ней литераторов греческого происхождения — Григория Балдани, Евгения Булгариса, Антония

Палладоклиса, уроженца Митилены, как он подписывал свои произведения, и др. Наиболее значительный из этих авторов Е. Булгарис прибыл в Россию в 1771 г. Автор монографии о нем С. Баталден связывает его приглашение непосредственно с морейской экспедицией. Среди первых литературных трудов Булгариса, предпринятых в России, был перевод на греческий ряда произведений Вольтера, посвященных Русско-турецкой войне (см.: Баталден 1982, 27—29, 119—120).

Эти поэты в разной степени владели русским языком: некоторые писали свои произведения и по-русски, и по-гречески, других переводили на русский, а они, в свою очередь, переводили сочинения русских поэтов на родной язык. В издательскую практику устойчиво вошли двуязычные публикации русских и греческих текстов en regard. В целом риторические модели, разрабатываемые греческими авторами, вполне совпадают с теми, которыми пользовались их российские собратья, однако некоторые существенные нюансы здесь все же можно обнаружить.

В 1771 г. появилось небольшое стихотворение А. Палладоклиса «Стихи на платье греческое, в кое Ее Императорское Величество изволили одеваться в маскараде». У нас нет сведений, каким именно был маскарадный наряд императрицы, однако автор определенно соотносит ее костюм с Олимпиадой, матерью Александра Македонского:

> В монархине кипя, усердие к Элладе
> В одежду облекло, что на Олимпиаде.
> Самодержавна, в ту одета, так гласит:
> В чьей одежде я хожу так облеченна,
> Той я усердствую, за ту же ополченна,
> Усердство к той мое кто может угасить?
> Великий Александр, кой сел на персов троне,
> Великую, — он рек, — Екатерину зрю
> В одежде матерней... О! Ты небес царю
> Сподобна, дай узреть ту и в моей короне,
> Как любящую нас с сердечной чистотой,
> Так торжествующу над Мустафой строптивым,
> Как я вознес главу над Дарием кичливым,
> Как равну мне копьем и духа красотой.

> (Палладоклис 1771а; вариации тех же мотивов
> см.: Палладоклис 1771)

Палладоклис сравнивает Екатерину сразу с Александром Македонским и его матерью, одновременно видя в ней и героиню, и родительницу героев. Что важнее, он находит для ее военных подвигов отчетливый исторический прототип. Параллель «русские — греки» с большой степенью автоматизма провоцировала русских поэтов на сравнение турок с персами, извечными врагами Древней Греции. С. Домашнев вспоминал «преславны бои Марафона» и «сраженье грозно Фермопила, где Перская увяла сила» (Домашнев 1770), Херасков писал, что «паки вышел Ксеркс на древние Афины, но прежней у брегов дождется он судьбины» (Херасков 1961, 153), Петров проводил ту же параллель:

> Остатки Перских сил где Греками разбиты,
> Там Россы, лаврами бессмертными покрыты,
> За греков с Мустафой кровавый бой вели...

>   (Петров I, 85)

Однако во всех этих и большинстве других сочинений речь идет о войнах, которые вели с персами греческие республики, главным образом Афины и Спарта. Смещение исторической параллели на Александра Македонского обладало целым рядом неоспоримых преимуществ. Прежде всего, оно позволяло подчеркнуть наступательный и даже завоевательный характер военных действий. Если Леонид и Фемистокл лишь защищали греческую землю от нашествия, то Александр распространял античную культуру на новые территории. Кроме того, апелляция к империи Александра Македонского позволяла установить между античной Грецией и Византией некое подобие преемственной связи, существенно облегчавшей главную логическую подмену, на которой была основана риторика тех лет.

И, наконец, самое главное: сравнение России с империей позволяло устранить или, по крайней мере, притушить подспудно присутствовавший в древнегреческой атрибутике республиканский субстрат. Российская монархиня не могла объявлять себя исторической наследницей правителей республиканских Афин, но Александр в качестве предшественника и образца должен был ее безусловно устраивать.

Тот же А. Палладоклис детально разработал эту параллель в брошюре «Истинного государствования подвиг», изданной в 1773 г. Он подробно рассмотрел здесь все заслуги Александра Македонского, который распространил просвещение в Азию, собрал под своей властью многие народы, был грозен к врагам и милостив к побежденным, строил города и развивал торговлю, привлекал к себе философов, естествоиспытателей и художников, поощрял науки и искусства.

Все те же добродетели, причем еще в большей степени, автор увидел и в Екатерине.

> Престань ты, древний век, пред нами величаться
> И Александровой толь славой отличаться, —

подвел он итог этим сопоставлениям (Палладоклис 1773, 16). Палладоклис завершил свои рассуждения переходом от Александра Великого к Константину Великому и параллелью между нынешними победами Екатерины и победой Константина над Мавксентием. Точно так же в поэме «Каллиопа», написанной по случаю заключения мира, он заставил персидского царя Дария радоваться в царстве мертвых, что его трон достался Александру. А затем «Дария слова изрекает из уст своих» Отман, легендарный основатель Оттоманской империи:

> Если приближился моей державе срок
> И твердо положил неумолимый рок
> Мне больше не носить короны Константина,
> Да будет в ней властна отсель Екатерина!
>
> (Палладоклис 1775, 72)

Таким образом, новому Александру предстояло изгнать «срацинский род», как выразился другой греческий поэт Евгений Булгарис в том же 1775 г., с «Константинова престола» в «кавказские хребты бесплодны, в Аравски дебри толь безводны» (Евгений 1775) и освободить этот престол для нового Константина.

7

Политический смысл имени великого князя Константина Павловича был ясен всем с момента его крещения. Между тем идеология «греческого проекта» уже была имплицирована двумя годами ранее в имени, данном его старшему брату, будущему императору Александру I. В принципе устоявшаяся за долгие десятилетия традиция делала очевидным, что наследовать Павлу I должен будет Петр IV. Авторы од на первое бракосочетание обращались к новой великой княгине:

> К тебе Россия возглашает
> Дай нам великого Петра.
>
> (Сумароков II, 125)

Или:

> <...> от Павловой любви
> Другого нам Петра яви.
>
> (Херасков 1773)

Имя Александр было своего рода номинативным шедевром Екатерины, всегда очень внимательной к такого рода символике. С одной стороны, святым ее старшего внука был Александр Невский, покровитель Петербурга, — таким образом преемственность по отношению к политической линии Петра Великого была полностью соблюдена. С другой стороны, за «порфирородным отро-

Портрет великого
князя Александра
Павловича
и великого князя
Константина
Павловича.
Р. Бромптон.
Около 1781

ком», рожденным «в Севере», легко угадывался иной, южный прообраз. Вскоре после рождения Константина императрица в письме Гримму взялась опровергнуть роившиеся в Европе слухи: «Позволено ли так обсуждать простые имена, которые даются при крещении. Надо иметь расстроенное воображение, чтобы к этому придираться: должна ли была я назвать господина А. и господина К. Никодемом или Фаддеем? Святой первого находится в его родном городе, а второй родился через несколько дней после праздника своего святого. <...> Так что все очень просто» (СбРИО XXIII, 147). Отрицая очевидное — смысл имени Константин, императрица делала прозрачным и менее очевидный смысл имени его старшего брата. Тремя годами позднее она рассказывала тому же корреспонденту о своих занятиях с пятилетним внуком: «Господин Александр требует от меня все нового чтения .<...> На днях он свел знакомство с Александром Великим и потребовал, чтобы я познакомила его с ним лично. Он был очень раздосадован, когда узнал, что тот уже умер; он очень о нем сожалеет» (Там же, 252). Александру маленькому стоило почитать Александра Великого, ибо он призван был прийти тому на смену.

Это письмо Гримму писалось в конце 1782 г., когда между петербургским и венским дворами шла оживленная переписка о восстановлении Восточной империи, а Потемкин готовился к занятию Крыма. Русская мечта о Константинополе была уже намертво пристегнута к классической колеснице.

Глава II

ОБРАЗ ВРАГА

ОДА В. П. ПЕТРОВА «НА ЗАКЛЮЧЕНИЕ
С ОТТОМАНСКОЮ ПОРТОЮ МИРА»
И ВОЗНИКНОВЕНИЕ МИФОЛОГИИ
ВСЕМИРНОГО ЗАГОВОРА
ПРОТИВ РОССИИ

Кучук-Кайнарджийский мир, которым в 1774 г. окончилась Русско-турецкая война, был весьма благоприятен для России. Помимо некоторых территориальных приобретений и свободного судоходства в Босфоре и Дарданеллах Россия получила право ремонстраций в пользу единоверцев в Оттоманской империи, то есть, в сущности, была признана покровительницей православных за пределами своих границ. Тем самым была заложена основа для дальнейшей экспансии России в Северном Причерноморье и Восточном Средиземноморье, планы которой получили статус государственной политики в форме «восточной системы» Потемкина и «греческого проекта» Потемкина—Безбородко.

Тем не менее Екатерине не удалось достигнуть всех целей, которые она и ее сподвижники ставили перед собой в наиболее успешные периоды военной кампании. Прежде всего Греция, несмотря на морейскую экспедицию Алексея Орлова, по-прежнему оставалась под турецким владычеством. Кроме того, уже в ходе этой войны амбициозные планы императрицы натолкнулись на серьезное препятствие, с которым впоследствии постоянно приходилось сталкиваться восточной политике России. Замыслы российской военной, политической и дипломатической экспансии на юго-востоке Европы натолкнулись на упорное противодействие многих европейских держав, не только не желавших поддерживать христианскую Россию, но и более или менее открыто принимавших сторону Турции.

Одна из первых попыток дать этой коллизии какие-то серьезные идеологические объяснения была предпринята В. П. Петровым в написанной в 1775 г. «Оде на заключение с Оттоманскою Портою мира». Роль Петрова в выработке идейных и культурных основ восточной политики России была исключительно велика. Однако если другие русские одописцы, приветствуя заключение мира, в основном оставались в пределах метафорических схем, найденных Петровым в одах 1769 и 1770 гг., то сам поэт стремился сделать следующий шаг и осмыслить как новую ситуацию, в которой оказалась Россия после подписания мирного договора, так и в целом политическое устройство Европы.

В 1812 г. в своем журнале «Русский вестник» С. Н. Глинка поместил заметку «Неизменность французского злоумышления против России». Он усматривал причины только что начавшейся войны в вековой враждебности Франции к России. «В неопровержимое сему доказательство, — утверждал Глинка, — мне бы стоило только переписать целую *Оду* Петрова, сочиненную 1775 г., *на заключение с Оттоманской Портой мира*» (Глинка 1812, 110—111). Публицист действительно ограничил свою аргументацию несколькими цитатами из оды. Подобная риторическая стратегия выглядит весьма нетривиально. В подтверждение политическому тезису приводились не исторические факты или аналитические выкладки, но торжественная ода тридцатипятилетней давности.

Когда ода Петрова создавалась и печаталась, Глинка был еще ребенком. Вероятно, он обратил на нее внимание в предвоенном 1811 г., когда в Петербурге вышло трехтомное издание «Сочинений» Петрова, подготовленное сыном поэта Язоном Васильевичем. Как бы то ни было, перед нами редкий, если не уникальный, случай столь замечательного долголетия поэтического произведения в качестве политического трактата.

Л. Н. Киселева, обратившая внимание на это своеобразное рассуждение, заметила, что в «Русском вестнике» «почти любому суждению русского (конечно, только истинного сына Отечества) <...> придается сила исторического документа» (Киселева 1981, 66—67). Однако оду Петрова, на которую ссылается Глинка, менее всего можно охарактеризовать как рядовое высказывание. Напротив того, это сочинение совершенно исключительной историко-культурной значимости.

Даже в перенасыщенном политической проблематикой творчестве Петрова ода 1775 г. «На заключение с Оттоманскою Портою мира» занимает особое место. Воззрения автора не только воплощены здесь в системе тропов или риторических фигур, но и изложены в качестве более или менее последовательной доктрины. Причем доктрине этой, кажется, впервые развернутой Петровым, было суждено пережить породившие ее политические обстоятельства и теоретические дискуссии и на долгое время войти в государственный быт России.

Известие о заключении мира застало Петрова в Лондоне, где он находился в качестве воспитателя Г. И. Силова, по правдоподобному предположению И. Ф. Мартынова, молочного брата наследника престола Павла Петровича (см.: Мартынов 1979, 29—30; ср.: Кросс 1976; Кросс 1996, 249—253; Жуковская, рукопись). Вскоре Петрову и Силову пришло распоряжение Екатерины возвращаться в Россию. В ответном письме от 24 августа поэт поздравил императрицу с успешным окончанием войны, сообщил, что пока не нашел в себе достаточно вдохновения, чтобы сочинить на этот случай оду, и попросил позволения задержаться в Англии, чтобы «держать руку с пером ко столу до тех пор пригвожденну, пока дело не окончит» (Оболенский 1858, 528). Несколько позднее, 5 сентября, с аналогичной просьбой о продлении своего пребывания за границей обратился к Екатерине и воспитанник Петрова (Там же, 529—530).

Нет никаких сведений о реакции императрицы на эти ходатайства. Известно, что Силов скончался по пути домой, но точная дата его смерти не установлена. И. Ф. Мартынов обнаружил распоряжение Екатерины возместить Петрову расходы, связанные с похоронами Силова, датированное 7 мая 1776 г., и на этом основании предположил, что тот умер полутора-двумя месяцами раньше (Мартынов 1979, 30). Это, однако, совершенно неочевидно. Петров мог ждать причитающегося ему возмещения сколь угодно долго, а ряд его опубликованных писем дает серьезные основания заключить, что не позже осени 1775 г. он уже был в Петербурге (Петров 1841, 49—50; ср.: Шляпкин 1885, 394—395). Все же возможно, что некоторую отсрочку, по крайней мере до весны 1775 г., Петрову удалось получить. Даже если истолковывать ссылку на необходимость «держать руку с пером ко столу пригвожденну» как уловку, чтобы задержаться за границей, то все равно ясно, что ода была результатом длительной и напряженной работы, начатой в Лондоне и завершенной, скорее всего, по пути домой или уже в России. Посылая монархине экземпляр, Петров был вынужден извиняться за столь позднее поздравление (Шляпкин 1885, 393).

В свое время Екатерина отпустила Петрова в Англию после его многократных просьб. Для человека, наделенного интересом к политическим проблемам, пребывание в Лондоне представляло собой в ту эпоху единственную в своем роде школу. Свободная пресса, отчеты о парламентских дебатах, открытая борьба между правительством и оппозицией давали совершенно иной опыт причастности к большой политике, чем тот, который Петров мог вынести из своей близости к двору, положения чтеца Екатерины II и дружбы с Потемкиным.

Годы, проведенные поэтом в Лондоне, были на редкость богаты международными катаклизмами. Первый раздел Польши между Россией, Пруссией и Австрией, переворот, осуществленный королем

Густавом III в Швеции, разгром прорусской партии в Стокгольме, поставивший Россию на грань еще одной войны на севере, начало волнений в английских колониях в Северной Америке, смерть более полувека правившего Францией короля Людовика XV и смена кабинета в Париже — все эти события мгновенно становились предметом самой яростной и открытой полемики в обществе, в печати и на парламентских трибунах. Столкновение двух совершенно различных политических культур, с которыми довелось соприкоснуться Петрову, многое определило в его взглядах и решающим образом сказалось в оде, завершившей лондонский период его жизни.

2

«Ода Ее Императорскому Величеству Екатерине Второй на заключение с Оттоманскою Портою мира» — одна из самых больших петровских торжественных од. В ней четыреста семьдесят строк. В центре нашего внимания будет ее средняя часть, свободная от ритуальных славословий императрице и содержащая изложение принципиальных воззрений автора. Отправной точкой для анализа итогов и последствий закончившейся войны ему служит общеизвестный факт — в 1768 г. Турция объявила войну России, в значительной степени поддавшись подстрекательским увещеваниям парижского кабинета:

> Но где сомнительна победа,
> Тут сильного смути соседа,
> В кровавой тонет пусть реке.
> Сколь бой ни жарок и ужасен,
> Чужим уроном безопасен,
> Ты стой, и тешься вдалеке <...>
>
> Цветущие под солнцем Россы
> Давно в очах его колоссы;
> Их должно сжати в общий рост.
> Падут без дружния заступы,
> Чужи в полях кровавых трупы,
> Прекрасен Галлу в рай помост.

(Петров I, 98, 100)[1]

---

[1] Все приводимые цитаты из оды даются без отдельных сносок по этому изданию — оно точно воспроизводит текст последнего прижизненного издания оды (Петров 1782). Между этой редакцией и первым изданием (Петров 1775) есть немногочисленные и несущественные для нашего анализа разночтения, которые здесь специально не оговариваются.

ОДА
ЕЯ
ИМПЕРАТОРСКОМУ ВЕЛИЧЕСТВУ
ЕКАТЕРИНѢ ВТОРОЙ,
САМОДЕРЖИЦѢ
ВСЕРОССІЙСКОЙ

на
ЗАКЛЮЧЕНІѢ
съ
ОТТОМАНСКОЮ ПОРТОЮ
Мира.

Печатана при Императорскомъ Московскомъ
Университетѣ, 1775. года.

Титульный лист «Оды на заключение с Оттоманскою Портою мира» В. П. Петрова

В этих антифранцузских выпадах не было ничего нового. Еще до начала войны Екатерина была хорошо осведомлена о постоянном давлении, которое глава французского кабинета и министр иностранных дел герцог Шуазель оказывал через посла Франции в Константинополе Верженна на турецкого султана, побуждая его начать войну с Россией. По расчетам Шуазеля, война на юге должна была связать руки Екатерине и отвлечь ее от агрессивной политики в Польше. Расчеты эти оказались совершенно ошибочными, поскольку именно Русско-турецкая война и создала ситуацию, в конечном счете приведшую к разделу Польши. Однако в 1768 г. нерешительность султана, опасавшегося военного столкновения, настолько раздражала Шуазеля, что он решился отозвать Верженна, считая, что новый посол Сен-При лучше справится со сложным поручением. Однако Сен-При еще не успел прибыть в Константинополь, когда война была объявлена (см.: Мерфи 1982, 151—161; о взглядах Екатерины на причины войны см. ее переписку с Фридрихом II: СбРИО XX, 252—280 и др.). В «Оде на войну с турками», вышедшей еще в 1769 г., Петров писал о роли Франции в разжигании конфликта:

То жаляща меж трав змея
Да скроет зависть от Европы,
Она лишь будет весть подкопы
Мощь турков, умыслы ея.

(Петров I, 35)

Общий набор мотивов остается у Петрова в общих чертах неизменным: он по-прежнему усматривает причины возникновения войны в закулисных интригах французской дипломатии, с завистью относящейся к российской мощи и стремящейся загребать жар чужими руками. Однако по прошествии шести лет поэт стремится дать политике Франции более глубокое теоретическое обоснование — теперь он видит ее корни в господствующей в европейской политической мысли доктрине баланса сил.

Теоретики дипломатии XVIII в. были убеждены, что в основе системы международных отношений лежит равновесие между державами, не позволяющее ни одной из них претендовать на мировое господство. В своей прославленной книге «Век Людовика XIV» Вольтер связывал надежды на продолжительное спокойствие с тем страхом, который две половины Европы внушали друг другу. По общему мнению, сложная и колеблющаяся система союзов и международных договоров была лишь внешним выражением этого фундаментального баланса и средством его поддержания. «Никогда раньше и никогда после никакая отдельная идея не могла претендовать на то, чтобы служить организующим принципом, через призму которого рассматривались все отношения между государствами. <...> Равновесие сил стало универсально принятой и отчетливо сформулированной догмой, <...> страх и зависть, институционализированные системой баланса сил, объявлялись необходимой основой международных отношений», — пишет о развитии политической мысли в XVIII в. историк европейской дипломатии М. С. Андерсон (1989, 163—164).

По словам одного из английских публицистов этого времени, «правило нашей политики состоит в том, что если один из государей слишком возвысился, другие государи должны составить союз, чтобы опрокинуть его или, по крайней мере, помешать ему возвышаться дальше» (Там же, 164). Утрехтский мир 1713 г. гарантировал разделение испанской и французской династий на вечные времена, «для того чтобы мир и спокойствие Христианских держав были установлены и поддерживались в рамках справедливого равновесия сил, являющегося самым лучшим и самым надежным основанием взаимной дружбы и продолжительного всеобщего согласия» (Уайт 1968, 153). С тех пор ссылки на необходимость поддержания равновесия сил стали включаться в тексты международных договоров. О праве и обязанности монарха поддерживать такое равновесие писал исключительно популярный в России Фенелон в наставлении Дофину, внуку Людовика XIV (см.: Баттерфилд 1968, 140).

Значительное влияние на теорию политического баланса оказала ньютоновская физика. Равновесие держав в Европе уподоблялось равновесию планет в Солнечной системе. «Баланс держав в Европе — то же, что притяжение во вселенной, сила, недоступная зрительному наблюдению, но существующая в реальности и столь же ощутимая в своих проявлениях, как тяжесть на весах», — писал другой британский политический журналист (Андерсон 1989, 165). Петров достаточно точно и развернуто воспроизвел всю эту аргументацию:

> Везде на мочь железны крепи;
> Текла бы в бой, да держат цепи.
> Так часто яр и бурен конь,
> В бег равными зовом местами,
> Стоит востягнутый браздами
> И паром кажет внутрь огонь. <...>
>
> Взаимным меж стихий упором
> Всемирный держится состав;
> Спокойство — бранью, вольность — спором,
> Крепится силой святость прав.
> Сластям здесь горесть соразмерна;
> Прекрасна роза не без терна.
> Есть гром, трясения земли.

Обращение к доктрине баланса сил позволило Петрову увидеть во французских интригах проявление общих закономерностей европейской политики. Более того, весь Старый Свет предстал в оде как некоторый единый политический и культурный мир, наследующий великим империям древности и наделенный тем же агрессивно-экспансионистским духом:

Тут мрет Ассур под гневом Кира!
Там персов Александр секира!
Здесь Рим готовит свет протечь
Кровава быстротой потопа;
По нем, кто б ждал? в ту ж мочь Европа
Спешит Царей своих облечь.

Обилуя предтеч в примерах,
На Рим возводят очеса,
И в малых заключенны сферах,
Творят велики чудеса;
Огней искусством Прометеи,
Променой лиц и дум Протеи;
Сердец и счастия ловцы;
Предосторожны, терпеливы,
Неутомимы, прозорливы,
Как куплю деющи пловцы.

Колико строго испытуют
Ко преможенью всякий путь...

Оценка, которую Петров дал европейской цивилизации, достаточно сложна, да и самый его подход к ней выходит далеко за пределы интеллектуальной проблематики российского XVIII столетия.
Поэт отметил многоликость и переменчивость европейского духа,
его прометеевскую страсть к опытам и изобретениям, пафос обога-
щения («куплю деющи пловцы»), тягу к глобальным заморским за-
воеваниям, облекающим современных монархов «в мочь» римских
императоров. На годы пребывания Петрова в Англии пришлось
очередное обострение соперничества европейских держав за замор-
ские колонии. Обо всем этом поэт пишет с характерной смесью восхищения, ужаса и отчетливого, хотя и подспудного, морального
осуждения, которая заставляет вспомнить описания европейского
духа, много позднее вышедшие из-под пера русских славянофилов.

Шкалу равновесия сил разные державы видели по-разному. Так,
Англия и Франция стремились избежать положения одного из элементов баланса, борясь за роль арбитра и гаранта сохранения статус-кво. Об особом месте Франции в европейской системе писал в
1774 г. новому королю Людовику XVI Верженн, бывший посол в
Константинополе, только что назначенный министром иностранных дел (Мерфи 1982, 218). Полутора десятилетиями раньше другой министр, кардинал Берни, инструктировал одного из послов:
«Целью политики этой монархии всегда было и будет играть в Европе высшую роль, соответствующую ее древности, чести и вели-

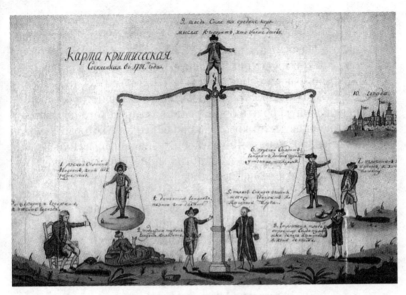

Карта критическая. Аллегория. 1791

чию, и противостоять любой державе, которая попыталась бы поставить себя над ней, или претендуя на ее владения, или присваивая себе недолжные прерогативы, или, наконец, пытаясь отнять у нее ее положение в Европе» (Там же, 213).

Эти наставления следует рассматривать в свете традиционного франко-английского соперничества. Однако в последней трети века основной сферой приложения доктрины баланса сил в европейской, и особенно французской, политике становится сдерживание России. После раздела Польши и успехов в войне с турками рост российской мощи и влияния все больше воспринимается в качестве основной угрозы равновесию в Европе (Андерсон 1989, 174—176).

> Почто сей воин безотраден?
> Другой возникнул в свет Герой;
> Так блеск чужой ему досаден;
> По нем он должен стать второй.
> Он был как кедр высок дотоле,
> Теперь он трость творений в поле;
> Не красен скиптр и шаток трон,
> Другие солнцы просияли... —

комментировал Петров эту ситуацию.

Основной целью французской дипломатии становится разжигание антироссийских настроений во всех сопредельных странах. «Нам надо поддерживать шведского короля, поощрять турков, не допустить <...> разрушения Польши», — писал в 1773 г. французский дипломат Фавье в записке королю (Шевалье 1939, 125). На юге Франция подтолкнула Турцию к войне с Россией, на севере она сыграла решающую роль в организации антирусского переворота, возведшего на шведский престол короля Густава, который прибыл в Стокгольм непосредственно из Парижа; на западе, в Польше, она пыталась поддерживать очаги сопротивления Петербургу вроде разгромленной Барской конфедерации.

Дуга, направленная против России, должна была, по мысли творцов французской политики, предохранить Европу от русской экспансии и обеспечить заветный баланс. Реакцию российского одописца на подобные замыслы нетрудно предугадать:

> И перст простря своей десницы
> На Росски абие границы,
> Глаголет к Мудрости Судьба:
> «Низзри, как ищут дола Князи
> Стать равны во всеобщей связи;
> Коль сила мыслей их слаба».

3

Сколь популярна и влиятельна ни была доктрина баланса сил, у нее находились и критики. Немецкий философ Й. Х. Г. Юсти писал о «взаимном рабстве», в которое это учение обращает государства. «Какие потоки крови породил "баланс сил", этот новейший идол Европы, — вторил ему французский теоретик Р. де Курбен. — Стремясь избежать отдаленных и сомнительных зол, европейские государи подвергают себя злу немедленному и несомненному и развязывают войну, для того чтобы ее предотвратить» (Андерсон 1989, 169, 176). Но самыми последовательными критиками этой идеи были мыслители, выступавшие с утопическими проектами установления в Европе «вечного мира», который должен был прийти на смену равновесию, основанному на страхе, зависти и подозрительности.

Как уже говорилось в предыдущей главе, одной из ранних и самых популярных версий идеи вечного мира был план создания так называемой «христианской республики» — конфедерации христианских народов Европы, якобы предложенный в начале XVII в. герцогом М. де Сюлли французскому королю Генриху IV и изложенный в последнем томе его мемуаров. Для Екатерины идея христианской республики была мощным пропагандистским козырем (см.: Бартлетт 1981). Политическое завещание величайшего из французских монархов выставляло в невыгодном свете ту поддержку, которую оказывала современная Франция мусульманской Турции.

Наиболее полное развитие идеи Сюлли получили в «Проекте установления вечного мира в Европе», написанном в 1713 г. аббатом Ш. Сен-Пьером. В отличие от своего предшественника, испытывавшего относительно роли России в будущем устройстве Европы серьезные сомнения, Сен-Пьер благожелательно относился к перспективам России войти в будущую конфедерацию. Он включил ее в свой список европейских держав, разъяснил, почему, с его точки зрения, вступление в союз в интересах русских монархов, и сослался на то, что «Генрих IV не отказывал Царю в месте во всеобщей лиге» (Сен-Пьер 1986, 679, ср. с. 386, 419 и др.; ср.: Сулейман 1936). Свой проект Сен-Пьер активно пропагандировал и рассылал монархам и министрам. Однако огромный объем и чрезвычайно запутанная композиция этого труда делали его труднодоступным для читателя. В 1750-х гг. наследники аббата обратились к Ж.-Ж. Руссо с просьбой подготовить краткое изложение проекта.

Расчет наследников оказался верным. Руссо написал «Сокращение проекта Вечного мира» и «Суждение о проекте Вечного мира». Однако «Суждение...», где он, высоко оценив идеи Сен-Пьера, скептически отозвался об их применимости, оставалось неопубликованным до 1781 г., в то время как «Сокращение...», напечатанное в 1761-м, сразу же вызвало всеобщий интерес. В 1771 г., также в разгар Русско-турецкой войны, в России вышел выполненный И. Ф. Богдановичем перевод «Сокращения...», который в политико-пропагандистском плане должен был преследовать те же цели, что и перевод записок Сюлли. Петров, скорее всего, знакомился с «Сокращением...» непосредственно по французскому оригиналу, но, во всяком случае, можно с большой долей уверенности утверждать, что именно это произведение стало источником многих положений его оды.

Отправной точкой рассуждений Руссо была уже знакомая нам идея единства Европы: «Все европейские державы образуют между собой своего рода систему, основанную на <...> некоем равновесии [équilibre], которое, хотя никто специально и не стремится его сохранить, куда сложней нарушить, чем многие думают» (Руссо 1971 I,

366)[1]. Исторически, по мнению Руссо, единство Европы зиждется на наследии Рима, на том «политическом и гражданском союзе», который существовал между различными частями Римской империи:

> Столь велико было почтение, которое внушал к себе этот великий политический корпус даже при своем издыхании, что до последнего мгновения его разрушители гордились титулами, дарованными им Римом, мы видим, как сами завоеватели превращались в чиновников империи. <...> Воображаемый образ древней Римской империи [simulacre antique de l'Empire romain] продолжал связывать части, ее составлявшие, и господство Рима продолжилось на новый манер и после его разрушения.
>
> (Там же, 366—367)

В подтверждение этой мысли Руссо ссылался на авторов множества трактатов, задававшихся вопросом, является ли германский император, именовавшийся главой Священной Римской империи, «естественным сувереном всего мира» (Там же, 367—368).

В уже процитированном фрагменте Петров воспроизвел эти рассуждения с большой степенью точности:

> Здесь Рим готовит свет протечь
> Кровава быстротой потопа;
> По нем, кто б ждал? в ту ж мочь Европа
> Спешит царей своих облечь.
>
> Обилуя предтеч в примерах
> На Рим возводят очеса...

Это историческое единство поддержано, по Руссо, единством европейского духа.

> Добавьте к этому, — писал он, — особое положение Европы, <...> постоянное смешение интересов, которое производят между суверенами династические узы, торговля, искусства, колонии; обилие рек, <...> облегчающее сообщение, непостоянный нрав обитателей [ср.: «пременой лиц и дум Протеи»], заставляющий их беспрестанно путешествовать и часто отправляться друг к другу; изобретение книгопечатания, всеобщий вкус к наукам, образовавший единую сферу исследований и познаний [ср.: «огней искусством Прометеи»]; наконец, множество

---

[1] Для удобства изложения мы будем говорить о «Сокращении...» как о произведении Руссо, не упоминая Сен-Пьера. Как свидетельствует «Суждение о проекте Вечного мира», большая часть мыслей, высказанных в «Сокращении...», действительно вполне соответствует взглядам Руссо.

государств и их малые размеры [ср.: «и в малых заключенны сферах»], которые вместе с пристрастием к роскоши и разнообразием климатов делают их необходимыми друг для друга.

(Там же, 368)

Равновесие сил, возникшее тем самым в единой Европе, оказывается «в некотором отношении следствием естественного порядка вещей, <...> оно существует само собой и не нуждается ни в ком для своего поддержания, когда его нарушают на одной стороне, оно восстанавливаются на другой; так что те государи, которых обвиняют в желании установить всемирную монархию, обнаруживают, если они действительно к этому стремятся, больше претензий, нежели дарований» (Там же, 370—371). Руссо довольно подробно аргументирует невозможность установления своего господства ни какой-либо одной державой, ни даже союзом некоторых из них.

Тем не менее, и это самое главное, неисполнимость подобных намерений и неустранимость баланса сил, препятствующего их реализации, никак не может служить гарантией прочного и продолжительного мира. Успехи Просвещения в Европе находятся в странном противоречии с враждой, неизменно бушующей в этой части света:

Если взглянуть, с другой стороны, на постоянные несогласия, разбой, узурпацию, перевороты, войны, убийства, которые ежедневно разоряют это почтенное жилище мудрецов, это блистательное убежище наук и искусств; если рассмотреть наши прекрасные рассуждения и наши ужасные действия, столь человечные правила и столь же жестокие поступки, столь мягкую религию и столь кровавую нетерпимость, политику, столь мудрую в книгах и столь жестокую в действительности, столь благодетельных государей и столь несчастные народы, столь умеренные правительства и столь свирепые войны, то мы едва ли сможем примирить все эти странные противоположности, и воображаемое братство европейских народов покажется лишь презрительным обозначением, насмешкой над их взаимной враждебностью.

(Там же, 368)

Вторя Руссо, Петров также пишет о том, что невозможность достигнуть желаемого торжества, равно как и все ограничения, налагаемые балансом сил, бессильны сдержать воинственные поползновения некоторых государей:

> Но сила, мати дерзновений,
> Боязнью скована всегда ль?
> Претят ли страхи преткновений

> Ей бурею нестися вдаль?
> Что не один бог мнимый мира,
> Скудельна в образе кумира
> Пал прежде, нежель в храм внесен,
> И зависть, бешенство и злоба,
> Насильна не избегли гроба;
> Порок тем вовсе ль ужасен?
>
> Увы! еще природа страждет,
> Знать, мыслей свет в Европе мал?
> Словесный дружней крови жаждет!
> Знать, зверя в лютость он ниспал.

Само европейское просвещение, обязанное своим происхождением миру, оказывается чревато военными столкновениями. Петров вспоминает здесь прославленную оду Ломоносова 1747 г. о «возлюбленной тишине», под сенью которой расцветают науки, чтобы противопоставить ломоносовскому восторгу свой скептицизм:

> Науку тишины воздвигли,
> Что ж та нас реет в брань сама?
> Знать, строя ону, не достигли
> Во средоточие ума?

Система баланса сил, по словам Руссо, хотя и неразрушима, но крайне опасна, ибо «действия и противодействия европейских держав, не разрушая их до конца, поддерживают их в постоянном волнении, и их всегда напрасные усилия постоянно возобновляются, подобно кораблям, волнующим поверхность моря, но бессильным изменить его уровень» (Там же, 372). Петров, впрочем, находит для этого тщетного и основанного на вражде равновесия куда более радикальную метафору, отвечающую космическому размаху его поэтического мышления.

> Как до планет и круга звездна
> Носилась мрачна нека бездна,
> Нестройством тяготевша смесь;
> Одна боролась вещь с другою;
> Так мы, борющись меж собою,
> Знать, держимся во тьме поднесь?

Более того, это равновесие борьбы и страха часто служит источником войны, ибо различные государства склонны подозревать друг друга в опасных намерениях.

Всеобщий недостаток безопасности в этом отношении приводит к тому, что каждый, не будучи уверен, что сможет избежать войны, пытается начать ее к своей выгоде, когда обстоятельства тому благоприятствуют, чтобы предупредить соседа, который бы тоже не преминул воспользоваться противоположным случаем; тем самым многие войны, в том числе даже и наступательные, оказываются лишь несправедливой предосторожностью с целью обеспечить безопасность собственных владений, —

писал Руссо (Там же). Эта мысль не могла не произвести впечатления на Петрова, помнившего о том, что окончательное решение начать войну турецкий султан принял после захвата в 1768 г. вышедшими из повиновения запорожскими казаками города Балта. Российское правительство поторопилось принести извинения и наказать виновных, но было поздно — турки уже поддались настойчивым уговорам французской дипломатии.

> Малейша тень опасных следствий
> Родит прямых источник бедствий,
> И капля буйства море слез!
> Как будут скиптры равновесны,
> Коль тьмы миров насильству тесны,
> Когда во нравах недовес?

Логика поддержания баланса сил оказывается логикой войны и подстрекательства, логикой оправдания насилия. Петров, как и Руссо, глубоко убежден в ее вредоносности и неприемлемости для устройства Европы.

> Так нужно искрам злобы тлиться,
> Ковати козни и мечи;
> Рекой кровям невинным литься,
> Всему, как нудимо, течи;
> Дышать неправой нужно местью,
> Корысти жертвовати честью,
> Закон вменяти за плеву!
> Полудню нужно праться с Нордом,
> Врага зреть Россу в Турке гордом,
> Секване (Сене. — *А. З.*) злиться на Неву!

Антимилитаристская риторика Петрова («Чужи в полях кровавых трупы», «Рекой кровям невинным литься» и проч.) резко выделяет его среди одописцев XVIII в., обычно настроенных достаточно воинственно. Не исключено, что здесь сказалось и так изумлявшее современников отвращение к кровопролитию, свойственное другу и благодетелю Петрова Потемкину (об антивоенных мотивах в позднейшей оде Петрова «На взятие Измаила» см.: Берштейн 1992, 84—87).

В целом же весь этот пассаж обнаруживает иную, сравнительно с французским философом, стратегию русского одописца. Если Руссо, по следам Сен-Пьера, демонстрирует моральную и политическую неприемлемость доктрины баланса сил, чтобы противопоставить ей проект конфедеративного устройства Европы, то интерес Петрова сосредоточен на тех, кто, руководствуясь этой доктриной, стремится не допустить Россию в систему европейских государств:

> Так страж, так око мнит Царево,
> Что правит сердце в нем и ум;
> Что, яко вкруг плодами древо,
> Отягощен тьмой новых дум.
> Угрюм, уединен, бессловен
> И как волшебник баснословен
> Сидит с орудьми в терему;
> Лишь тайной коснется пружине,
> В другом текут все твари чине;
> Взгляни, Европа вся в дыму!

Портрет В.П. Петрова.
Гравюра Ф. Стефанова

Нарисованный Петровым персонаж выглядит несколько загадочно. Если «тайные пружины» еще можно с известной натяжкой истолковать как свойственное любой дипломатии стремление окружать себя завесой секретности, то все остальные атрибуты созданной поэтом мрачной фигуры царского советника, по-видимому, не могут быть объяснены без обращения к совсем иному пласту исторических фактов.

4

Дипломатия Людовика XV обладала одной яркой и труднообъяснимой особенностью — она осуществлялась через две соперничающие институции. Помимо официального Министерства иностранных дел на внешнеполитическом поприще действовал еще так называемый «Королевский секрет [Secret de Roi]». Суть Секрета состояла в том, что некоторые посвященные в него сотрудники посольств Франции в разных странах (иногда это были сами послы, чаще советники или другие, более мелкие чиновники) получали тайные инструкции, нередко противоречащие официальным указаниям, поступавшим от министра. Координатором секретной переписки был сначала принц Конти, затем Терсье, первый советник Министерства иностранных дел, а после смерти Терсье в 1767 г. граф де Брольи, который был посвящен в Секрет в 1752 г. при назначении послом в Польшу и вскоре стал вдохновителем и душой этой необычной структуры.

Посол в Польше не случайно занимал в Королевском секрете особое положение. Автор монографии о секретной переписке, внучатый племянник графа, французский историк А. де Брольи писал, что «Польша была главным и почти единственным предметом тайной дипломатии» (Брольи I, 4). Целью посла было укрепление там профранцузской партии, и прежде всего — борьба с русским влиянием. При этом, если позиция официальной французской дипломатии по отношению к России колебалась между противодействием, заигрыванием, осторожным союзом во время Семилетней войны и новой враждебностью во второй половине 1760-х гг., то антироссийская линия Секрета, продиктованная его сосредоточенностью на польских делах, оставалась неизменной, в том числе и после отзыва графа Брольи из Польши в 1758 г. В мае и июне 1762 г., после того как Петр III неожиданно вывел Россию из Семилетней войны, заключив мир с Пруссией, и как раз в дни, когда в Петербурге готовился переворот с целью возвести на престол великую княгиню Екатерину Алексеевну, Брольи писал Терсье:

> Какие возможности открываются для того, чтобы восстановить государственную политику, какой она была до 1756 года (год заключения франко-русского союза. — *А. З.*), <...> когда Польша, долго находившаяся в пренебрежении, начала склоняться к исполнению пожелания Короля оживить природную склонность этого народа к Франции. Мне стоило огромного труда вновь возродить эту склонность. Что до России, то мы причислили ее к рангу европейских держав только затем, чтобы исключить потом из этого ранга и отказать ей даже в праве помышлять о европейских делах. Вот та задача, которую нужно снова поставить: необходимо устранить все обстоятельства, которые могли бы дать ей возможность играть какую бы то ни было роль в Европе, с этим двором не следует заключать никаких договоров; пусть она впадет в летаргический сон, из которого ее будут пробуждать только внутренние смуты, задолго и тщательно подготовленные нами. Постоянно возбуждая эти смуты, мы помешаем правительству Московитов помышлять о внешней политике, и Россия будет по отношению к нам в том положении, которого нам должно желать.

В следующем письме Брольи перечислял те силы, которые предстоит объединить против России:

> В настоящее время глубоко оскорбленная Австрия, завтра, возможно, Пруссия, которая, хотя и пользуется Россией, чтобы закрепить свои завоевания, не может желать допустить такую державу в сердце Германии, и Турция, включая все Татарские племена, отнюдь не самое бесполезное орудие, которое можно использовать против Московитов.
>
> (Брольи II, 11, 12—13)[1]

Свои грандиозные проекты, получившие, кстати, полное одобрение короля Людовика XV, Брольи разворачивал, находясь почти под домашним арестом в родовом замке (ср. «Сидит с орудьем в терему»). Периодические опалы и изгнания, которым он подвергался и последнее из которых пришлось на годы пребывания Петрова в Лондоне, не прерывали его связи с королем, не изменяли его роли в секретной корреспонденции и его влияния на французскую политику. В ссылке Брольи разработал план французской интервен-

---

[1] «Я полностью одобряю направление мыслей графа Брольи в отношении России», — подчеркивал в письме к Терсье от 19 июня 1762 г. Людовик XV (Бутарик I, 275).

ции в Британию (ср. «Лишь тайной коснется пружине <...> Взгляни, Европа вся в дыму»).

В своих мыслях о татарах как орудии против России Брольи не был одинок. 28 июня 1762 г., в самый день екатерининского переворота, в Петербург прибыли экземпляры впоследствии запрещенного в России «Общественного договора» (см.: Копанев 2000), в котором русские читатели могли прочитать мрачное пророчество Руссо о судьбе России и Европы: «Российская империя пожелает покорить Европу — и сама будет покорена. Татары, ее подданные или ее соседи, станут ее, как и нашими, повелителями» (Руссо 1969, 183). Это суждение вызвало резкую реакцию Вольтера, считавшего невероятным, чтобы «несчастные орды, находящиеся в крайнем ничтожестве, подчинили себе империю, которую защищают двести тысяч лучших в Европе солдат» (Вилбергер 1976, 225). Эта полемика имела достаточно давнюю историю. Руссо, в «Сокращении проекта Вечного мира» включивший, вслед за Сен-Пьером, Россию в систему европейских государств, в своих собственных произведениях неизменно выступал с антирусских позиций.

Совпадение взглядов опального мыслителя и высокопоставленного дипломата не было полностью случайным. Горячим почитателем Руссо был, например, французский дипломат К.-Ш. Рюльер, в 1762 г. служивший во французском посольстве в Петербурге и прославившийся впоследствии скандальной книгой об обстоятельствах вступления Екатерины на престол, публикацию которой во Франции русская императрица всеми силами пыталась предотвратить. Рюльер, кроме того, был страстным полонофилом и участником Королевского секрета. Именно через него в 1771 г. один из лидеров польских конфедератов граф М. Виельгорский обратился к Ж.-Ж. Руссо с просьбой написать проект будущей конституции, которая могла бы спасти Польшу от окончательного поглощения Россией. Сам Рюльер в это время по поручению министра работал над историей польской смуты, предназначенной для наследника французского престола, будущего Людовика XVI (см.: Шевалье 1939, 118—125, 192—196; Мадарьяга 1983, 36—37). Чтобы помочь гибнущей стране, Руссо написал свои «Соображения об образе правления в Польше». Труд этот не был опубликован, но о его существовании в России знали по рецензии Ф.-М. Гримма в его журнале «Correspondance Littéraire» (Мадарьяга 1983, 36). Гримм, кроме того, еще до этого прислал копию «Соображений...» Екатерине (Строев 2001).

Участниками Секрета были также бывший посол в Петербурге барон Бретейль и Фавье, автор записки с предложением создать вокруг России дугу враждебных ей стран, тоже в свое время служивший в Петербурге. Бретейль, Фавье и Рюльер были также связаны с аббатом Шаппом д'Отерошем (Шевалье 1939, 226—229), автором знаменитого «Путешествия в Сибирь», вызвавшего ярость Екатерины, которая сочла нужным написать в опровержение Шаппа целую книгу. Наконец, в секретной дипломатии активную роль играл Верженн, посол в Оттоманской Порте перед Русско-турецкой войной и в Стокгольме во время переворота короля Густава, которому он также советовал начать с Россией превентивную войну (Мерфи 1982, 204).

Разумеется, ни Руссо, ни Шапп не имели к святая святых французской дипломатии никакого отношения, но для постороннего взгляда тесный мир парижской интеллектуальной элиты, где Рюльер и Шапп читали свои антирусские книги в одних и тех же салонах, мог выглядеть тайным сообществом философов и политиков, засылающим в Россию своих агентов, порочащим ее в печати и пытающимся разжечь в ней смуту и натравить на нее ее мусульманских соседей[1].

> Стремясь ко участи блаженной,
> Назначили, как царствам цвесть;
> России как изнеможенной
> Не дать главы своей возвесть.
> Стояли сто умов на страже,
> Да тьма над ней густится та же,
> Что смежных ей объемлет орд;
> Да брань ее мятет жестока,
> В Европу да не возьмет втока
> Подвластный ей широкий Норд.

Вся эта строфа выглядит настолько точным изложением приведенного выше письма Брольи к Терсье, что необходимо, наконец, задаться вопросом: что могло быть известно Петрову о Королевском секрете? Ответить на этот вопрос с безусловной достоверностью сегодня не представляется возможным. Тем не менее некоторые предположения могут быть высказаны.

---

[1] В этой перспективе становятся более понятными те настойчивые преследования, которым Екатерина подвергала Руссо на всем протяжении жизни философа (см.: Копанев 2000).

Прежде всего, невозможно исключить того, что при русском дворе узнали о двойной дипломатии Людовика XV довольно рано. А. Брольи сообщает, что еще в конце 1763 г. претендент на польский престол и бывший фаворит Екатерины Станислав Понятовский обратился за поддержкой через голову французского посла к посланнику Эннину, возможно уже располагая информацией, что этот «скромный чиновник был орудием секретной политики» (Брольи II, 199). Если Понятовский получил такого рода сведения из польских источников, он неминуемо должен был поделиться ими с Екатериной, которая и оказала ему необходимую поддержку, в то время как Франция заняла враждебную позицию. С другой стороны, Екатерина могла и сама добыть необходимые данные через своих агентов и сообщить их своему ставленнику. Похищения, перлюстрация и расшифровка дипломатической переписки были в то, как, впрочем, и в любое другое, время достаточно обыденным явлением. В этом случае демарш Понятовского предстает как рассчитанная попытка нейтрализовать Францию в преддверии выборов нового короля.

Не только факт существования секретной переписки, но и ее содержание в полном объеме было к 1770 г. известно австрийскому министру иностранных дел Кауницу и австрийскому послу в Париже Мерси д'Аржанто. Однако и австрийцам не удалось сохранить успех своих агентов в тайне. В конце 1773 г. секретарь французского посольства в Вене аббат Жоржель сумел добыть расшифрованные копии переписки Брольи с Верженном и донесений секретных агентов из Стокгольма и Петербурга. Среди документов, расшифрованных австрийцами, был и циркуляр Брольи к участникам секретной корреспонденции во всех столицах, где он сообщал, что новая ссылка не означает его отстранения от руководства Королевским секретом и переписка будет идти по-прежнему. В объяснение того, как он получил эти документы, Жоржель рассказывал малоправдоподобную историю о неизвестном человеке в маске, продавшем ему их за тысячу дукатов (Брольи II, 455—460).

Ясно, во всяком случае, что расшифровка этих документов существовала и человек, предоставивший их Жоржелю, мог продать другие копии кому-нибудь еще. А в этом случае они, или, по крайней мере, сведения о них, должны были быть доступны и русским дипломатам. Посол России в Лондоне А. С. Мусин-Пушкин и другие сотрудники посольства были в числе лиц, с которыми Петров общался в Англии (Кросс 1996, 250). И наконец, пожалуй, самое существенное. Именно во время пребывания Петрова в Лондоне здесь разворачивался грандиозный скандал вокруг самого знаменитого и самого колоритного из участников секретной переписки — шевалье д'Эона.

Подобно многим другим посвященным в Королевский секрет дипломатам, д'Эон начинал свою карьеру во второй половине 1750-х гг. в Петербурге. Одно время он служил курьером для тайной корреспонденции Елизаветы Петровны и Людовика XV. Затем шевалье был драгунским капитаном во время Семилетней войны, после чего получил назначение в Лондон, где, среди прочих своих обязанностей, должен был заниматься подготовкой французского вторжения в Англию, намеченного графом Брольи. Однако здесь он вступил в острый конфликт с послом, которого обвинил в попытке покушения на свою жизнь. В 1764 г. д'Эон опубликовал в Лондоне скандальную книгу, где изложил свою версию истории столкновения с послом и напечатал некоторые фрагменты дипломатической корреспонденции. Д'Эон отказался подчиниться приказу об отзыве и начал шантажировать французское правительство, угрожая предать гласности сведения о Королевском секрете, включая планы интервенции в Англию. Король вынужден был пойти на компромисс и сохранить за ним денежное содержание и статус секретного агента. В свою очередь, шевалье согласился покинуть дипломатическую службу.

Не успел затихнуть этот изрядно переполошивший английскую столицу скандал, как в начале 1770-х гг., уже во время пребывания там Петрова, разразился новый. По Лондону поползли, по-видимому, пущенные самим шевалье слухи, что он является женщиной. Судя по мемуарам д'Эона, впрочем, не слишком достоверным, какую-то роль в распространении этих слухов сыграла появившаяся в Лондоне в 1770 г. княгиня Дашкова (о д'Эоне см.: Брольи II, 87—182, 486—515; Кейтс 1995, 57—140, 175—254; Строев 1998, 84—89, 110—115, 336—339 и др.).

Масштабы общественной ажитации, охватившей Лондон с появлением этих сенсационных сообщений, были совершенно невообразимыми. В Сити на пол д'Эона заключались пари, причем суммарные ставки достигли 60 000 фунтов. Газеты и бульварные листки были полны самыми разнообразными спекуляциями на эти темы, у дома шевалье постоянно дежурила толпа горожан. Эмиссар, специально посланный из Франции, чтобы разобраться в этой истории, подтвердил, что д'Эон действительно женщина. 13 мая 1774 г., на третий день после вступления в должность Людовика XVI, Брольи направил ему письмо с подробностями и о Королевском секрете, и о странной ситуации с д'Эоном. Молодой король распорядился немедленно отозвать шевалье из Англии, в ответ на что последовала новая волна шантажа, самых зловещих угроз и немыслимых требований как материального, так и статусного характера. Опасаясь французских агентов, д'Эон передал запечатанный пакет с секретными документами своему английскому другу, парламентарию от оппозиции. Парижу снова пришлось пойти на попятный. Переписка д'Эона с Брольи и королем продолжалась с лета 1774 г. до апреля 1775 г., когда, уже, вероятно, после отъезда Петрова из Лондона, туда для переговоров с д'Эоном прибыл Бомарше.

Как умелый шантажист, д'Эон воздержался от обнародования самых взрывоопасных документов, придерживая их в качестве козырей на крайний случай. Тем не менее вполне вероятно, что в беседах со своими многочисленными друзьями в Англии он мог позволить себе в той или иной форме намекнуть на их содержание. В начале 1776 г., после того как документы были переданы им Бомарше, неясные сведения о Королевском секрете попадают в английскую печать (см.: Кейтс 1995, 243—246). Сколько времени до того они могли бытовать в форме слухов и устных рассказов, без специальных исследований лондонского общественного мнения того времени установить невозможно. Любопытно, что все это время д'Эон не оставлял литературных занятий. Именно в 1774 г. в Амстердаме вышли его многотомные «Досуги шевалье д'Эона де Бомонта», состоящие из трудов по государственному управлению, финансам, налогообложению и другим подобным вопросам.

Английские знакомства Петрова позволяли ему быть достаточно информированным (см.: Кросс 1976, 239—242). С конца 1773 г. он путешествовал на яхте в качестве учителя русского языка одной из самых известных британских авантюристок, герцогини Кингстонской, бежавшей из Лондона, где ее обвинили в двоемужестве (см.: Кросс 1977). В Риме герцогиню принял папа. На обратном пути они с Петровым посетили ряд европейских городов, а 17 мая 1774 г. направились из Женевы в Париж (см.: Кросс 1996, 251), где Людовик XVI пытался вникнуть в странную дипломатию своего предшественника и формировал новый кабинет. В июне министром иностранных дел был назначен Верженн, бывший посол в Константинополе и Стокгольме, участник Секрета и давний враг России. Впрочем, вопреки ожиданиям, русская политика самого Верженна после ликвидации Секрета была достаточно осторожной и в конеч-

ном счете привела к некоторому потеплению между Францией и
Россией (см.: Мерфи 1982, 447—454)

Подведем некоторые итоги. Петрову едва ли могли быть известны подробности деятельности тайного кабинета Людовика XV,
состав лиц, посвященных в Секрет. Скорее всего, он не был знаком
с секретной корреспонденцией, мог не знать о планах вторжения в
Англию. Тем не менее у нас есть достаточные основания, чтобы
предположить, что он должен был быть осведомлен о том, что у
французского короля есть тайный круг советников, определяющих
внешнюю политику Франции. Между тем политика эта была радикально антирусской. Причем уже с конца 1760-х гг. разница в подходах к России между Брольи и министром иностранных дел Шуазе-
лем, осуществлявшим официальную дипломатию, исчезает. Шуазель
требовал от Верженна втянуть Турцию в войну с Россией с еще большей настойчивостью, чем Брольи. Понятно, что в любом разговоре
о закулисных интригах, политике, ведущейся секретными метода-
ми, тайных источниках власти и тому подобных предметах недостаток информации только распаляет воображение. Дипломатическая
причуда Людовика XV приняла в сознании русского поэта гипер-
болические масштабы[1].

5

Тайный советник царя, «что правит сердце в нем и ум», по словам
Петрова, еще и «как волшебник баснословен». Тянет увидеть в этом
описании, как и в упоминании о Протеях, меняющих «лица и думы», намек на шевалье д'Эона, «баснословность» и переменчивость
которого превосходили все обычные представления и заставляли
думать о какой-то магии. Все же не стоит ограничивать смысл петровских метафор прямыми историческими применениями. По
мысли Л. В. Пумпянского, «приметой классического стиля является
<...> парадоксальное соединение крайней общности с крайней же
бытовой конкретностью» (Пумпянский 1983, 30—31). Петров в своей оде постоянно воспаряет от сиюминутной политической конъюнктуры в сферу историософских обобщений. «Волхв», который «в
мыслях Лабиринф построил, куда чудовищ запирать» и мечтает вла-

---

[1] Достаточно полная информация о Королевском секрете стала доступна
еще при жизни Петрова, когда во время Французской революции была напечатана секретная переписка графа де Брольи (см.: Руссель 1793).

дычествовать во «всей вселенной», — это, конечно, не д'Эон, не
Брольи и даже не Людовик XV. Недаром, завершив свой рассказ о
коварных умыслах, которые строят против России «сто умов», Петров неожиданно уходит из современности в недавнюю историю.

> Се, како совещали царства,
> Когда восстал Великий Петр;
> Внезапу их расторг коварства,
> Как паутину сильный ветр.

Как пишет поэт, Петр

> ...создан был из общей перси,
> Европе чтоб глаза отверсти,
> Сколь ограничен смысл ея.

Королевский секрет, натравивший на Россию турецкого султана, намеревавшийся погрузить ее в тьму, объемлющую «смежные
орды», и не дать «Норду» втечь в Европу, оказывается лишь одним
из воплощений давнего, если не вечного, коварства Старого Света.
Недаром еще Сюлли предлагал прогнать московского царя «в Азию»
и оставить воевать с турками и персами. И здесь необходимо вернуться к уже приведенной характеристике европейской цивилизации, которую дал Петров:

> И в малых заключенны сферах,
> Творят велики чудеса;
> Огней искусством Прометеи,
> Пременой лиц и дум Протеи;
> Сердец и счастия ловцы;
> Предосторожны, терпеливы,
> Неутомимы, прозорливы,
> Как куплю деющи пловцы.

О «пловцах» надо сказать особо. В 1773 г., когда Петров был в
Лондоне, на всех рынках Европы разразился острейший финан-
совый кризис, связанный с трудностями, которые испытывала
Британская Ост-Индская компания. Кризис приковал внимание
парламента, общественности и прессы к этому своеобразному ком-
мерческому предприятию, которое имело в своем распоряжении
армию и флот, издавало законы и бесконтрольно владычествова-
ло на территории, многократно превосходившей территорию самой Британии.

Британская компания была лишь одним из учреждений, распоряжавшихся в восточных колониях. Наряду с ней действовали Голландская, Португальская, Французская. Различные Ост-Индские компании враждовали между собой, но функционировали по одним и тем же принципам. События 1773 г. заставили английское правительство вмешаться и хотя бы в некоторой степени поставить компанию под свой контроль (см.: Намьер 1962, 161—172; Гарднер 1971). И снова было бы опрометчиво утверждать, что Петров имеет в виду именно этот инцидент, но общественный резонанс, вызванный биржевым кризисом и парламентским расследованием деятельности компании, должен был привлечь его внимание к характерному типу торгового авантюриста, играющего судьбами континентов. На то, что все эти события не могли пройти мимо внимания Петрова, указывает хотя бы присутствие среди его лондонских приятелей знаменитого экономиста и политического мыслителя Иеремии Бентама. Да и русский круг общения Петрова в Лондоне, куда входил, например, Н. С. Мордвинов, состоял из людей, отнюдь не чуждых подобных интересов (см: Кросс 1976; Кросс 1996, 249—253).

Заслуживает внимания и строка «огней искусством Прометеи». В конце лета 1774 г., когда Петров начинал работу над одой, из Шотландии в Кронштадт была отправлена так называемая «огневая машина», ранняя модель парового двигателя, новое чудо, сотворенное английским техническим гением. Приобретением техники, заказанной по непосредственному требованию императрицы (записка Екатерины II по этому поводу называлась «О махине, в Англии выдуманной, которой огнем вода выливается из док и канал»), занимались сотрудники русского посольства в Англии, включая самого посла А. С. Мусина-Пушкина (см.: Забаринский 1936, 44—72).

Можно составить некоторый набор признаков, которыми Петров наделяет участников тайного круга, упорно и давно интригующего против России. Это маги, волхвы, «творящие велики чудеса», кудесники, изобретающие «огневые машины». Это авантюристы — «счастия ловцы» (о типе авантюриста этой эпохи см.: Строев 1998). Это шарлатаны, меняющие свой облик и намерения, «пременой лиц и дум Протеи». Это охваченные жаждой наживы «куплю деющи пловцы». Это, наконец, «сердец ловцы», вовлекающие других в свои сети. Если свести все эти характеристики воедино, то заветное слово «масоны» само просится на язык. Десятилетием позже, создавая свои антимасонские комедии, Екатерина только повторит в «Обманщике» и «Шамане сибирском» петровские характеристики.

«Разоблачение,
или Женщина—франк-
масон». Английская
карикатура на шевалье
д'Эона

Известно, что Англия была родиной и столицей европейского масонства, накопившей ко времени пребывания там русского одописца огромный объем масонской апологетики и антимасонской полемики, в которой вольных каменщиков обвиняли и в черной магии, и в тайных политических умыслах, и в вульгарном корыстолюбии (Робертс 1972, 58—89). На протяжении второй половины XVIII в. масонское движение распространилось по всей Европе, вовлекая в свою орбиту все новые страны. Во Франции членами лож были первый руководитель Королевского секрета принц Конти, многие видные аристократы, включая, возможно, короля Людовика XV (Там же, 49). По словам исследовательницы европейского мистицизма XVIII в. М. К. Шушард, Королевский секрет состоял по большей части из «шотландских масонов» (Шушард 1992, 95). По ее утверждению, многолетним тайным агентом Секрета был знаменитый шведский мистик и масон Эмманюель Сведенборг, умерший в 1772 г. в Лондоне (Там же, 95—98).

Невозможно сказать, какого рода сведениями на этот счет мог располагать Петров, но о вступлении в Лондоне в Великую ложу

Англии шевалье д'Эона ему должно было быть известно: в 1773-м в Лондоне и Париже продавалась карикатура на д'Эона, высмеивавшая принадлежность к масонству лица неочевидного пола (Кейтс 1995, 204—207). Масоны играли значительную роль и в руководстве Ост-Индских компаний, филиалы лож открывались в Бенгалии и на Суринаме (см.: Робертс 1972, 31; Джейкоб 1991, 177). В это же время масон Дж. Робайсон, английский математик и инженер, преподававший в Кронштадте, где существовала активно действовавшая английская масонская ложа, пытался пригласить в Россию создателя «огневой машины» Джеймса Уатта (см.: Кросс 1971, 54—56; Забаринский 1936, 71—72).

Бурно росли и русские масонские ложи. В 1772 г. один из приближенных Екатерины, И. П. Елагин, получил патент от той же Великой ложи Англии на звание Провинциального великого магистра России. Получать патент в Лондон приехал секретарь Елагина драматург В. И. Лукин (Кросс 1971, 48—52). Среди русских масонов числились политические противники покровителя Петрова Г. А. Потемкина, и прежде всего Н. И. Панин и литературные противники самого Петрова — А. П. Сумароков, В. И. Майков, Н. И. Новиков и др. (см.: Вернадский 1999, 311—312).

Однако, в отличие от Англии и Франции, Россия почти не имела традиции антимасонской пропаганды (см.: Смит 1999). Похоже, что Петров был первым российским литератором, усмотревшим в распространении масонства угрозу государственным интересам России. Равновесие сил и европейская конфедерация, Руссо и Бентам, секретная дипломатия Людовика XV и Ост-Индские компании, паровой двигатель и скандал вокруг пола шевалье д'Эона, свободная лондонская пресса и давние российские представления о святой земле, со всех сторон окруженной врагами, составили адскую смесь, которую незаурядный поэтический дар Петрова претворил в произведение, заслуживающее того, чтобы войти в анналы русской политической мысли.

Глава III

ЭДЕМ В ТАВРИДЕ

«КРЫМСКИЙ МИФ»
В РУССКОЙ КУЛЬТУРЕ
1780—1790-х ГОДОВ

«Греческий проект» стал долгосрочной стратегической целью российской политики в первые годы после заключения Кучук-Кайнарджийского мира. Однако и ход военных действий, и мирные переговоры, и дипломатическая борьба в Европе показали Екатерине и ее ближайшим сотрудникам, что проект невозможно осуществить без ряда промежуточных этапов. Самым важным из шагов, которые предстояло предпринять, было присоединение Крыма.

Стратегическое и культурное значение Крыма было осознано творцами российской политики далеко не сразу. В ходе первой Русско-турецкой войны в начале 1770-х гг. Екатерина писала в рескрипте графу Н. И. Панину: «Совсем нет Нашего намерения иметь сей полуостров и Татарские орды, к оному прилежащие, в Нашем подданстве, а желательно только, чтоб они отторгнулись от подданства турецкого и остались навсегда в независимости. По положению Крыма и тех мест, на которых и вне оного татары живут, а не меньше и по свойству их, они никогда не будут полезными Нашей империи подданными, никакие порядочные подати не могут быть с них собираемы» (Екатерина 1871, 1). Екатерина в основном воспроизводила в этом письме оценки, содержавшиеся в докладе М. Л. Воронцова «О малой Татарии», поданном императрице в 1762 г., сразу же после ее вступления на престол (см.: Дружинина 1955, 65—68) и составлявшем на протяжении 1760-х гг. основу крымской политики России.

Эта программа-минимум была реализована в 1774 г., когда по Кучук-Кайнарджийскому миру Крым был исключен из состава Оттоманской империи и провозглашен формально независимым государством во главе с пророссийски ориентированным ханом Шагин-Гиреем. Однако к этому времени или вскоре после этого виды императрицы резко переменились. Аннексия Крыма была предусмотрена как планом Потемкина, по некоторым данным, поданным императрице в середине 70-х гг., так и написанным, вероятно, в 1780-м меморандумом Безбородко, в котором доктрина российской восточной политики получила окончательное оформление (см.: Самойлов 1867, 1012; СбРИО XXVI, 385).

Крым был присоединен к России после сложных политических маневров в апреле 1783 г. (о присоединении Крыма см.: Дубровин 1885—1889, где опубликованы основные документы с русской стороны; «турецко-татарская» сторона представлена в работе: Фишер 1970; о колонизации Крыма см.: Дружинина 1959; см. также обзорную статью: Раев 1972). По мнению английского посла Дж. Харриса, аннексия Крыма была авантюрой Потемкина, предпринятой при сопротивлении всего кабинета министров, и от исхода которой зависело продолжение его фавора и влияния. «Если все провалится, — писал Харрис, — он погиб, если он достигнет успеха, он станет сильнее, чем прежде» (Харрис I, 516). Мы знаем, что Потемкин действовал согласно прямым распоряжениям императрицы, однако его роль в принятии соответствующих решений не подлежит сомнению.

Успех крымской кампании превзошел все ожидания. В декабре, после примерно полугода политической неопределенности, присоединение полуострова к России было признано Турцией. Таким образом, вопреки ожиданиям, дело обошлось без войны. Именно это обстоятельство произвело наибольшее впечатление на русское общественное мнение. Приобретение столь важной провинции без единого выстрела свидетельствовало о мощи России лучше, чем любые победы, и одновременно символически указывало на органичность этого расширения границ империи.

> Процветающа Таврида,
> Возгордись своей судьбой!
> Не облекшись громом брани,
> Не тягча перуном длани,
> Покорил тебя герой, —

писал Е. Костров (I, 94—95).

> Который бог, который ангел,
> Который человеков друг
> Бескровным увенчал вас лавром,
> Без брани вам трофеи дал, —

еще раньше восхищался Державин в оде 1784 г. «На приобретение Крыма» (Державин I, 182). Позднее в «Объяснениях...» Державин вспоминал, что завоевание Крыма было составной частью более масштабного замысла. К строке «И возрастает Константин» поэт дал чрезвычайно характерное пояснение: «Отношение к Константину Палеологу, царю константинопольскому, с которого смертью пало греческое царство, и что наместо его возрастает великий князь Константин Павлович, которого государыня желала возвесть на престол, изгнав Турков из Европы, и для того обучен был греческому языку. Какие замыслы! человек замышляет, а Бог исполняет» (Там же III, 604). В начале александровской эпохи, когда диктовались «Объяснения...», «греческий проект» из сферы практической политики переместился в область великих фантазий, однако в середине 1780-х приобретение Крыма выглядело лишь прелюдией к еще более великим свершениям. Автор анонимно изданной оды 1784 г. «Великой Государыне Екатерине II на приобретение Крыма», как и Державин, видел в политическом триумфе России залог ее грядущего господства на Востоке:

> Поклонник буйный Алкорана
> Царем стал мудрым из тирана,
> Познал блеск истинный венца;
> И просвещен Екатериной,
> Оставил, мнится, нрав звериный,
> Облекся подданным в отца.
>
> Ах, ежели во мне не ложно
> Пророчество правдивых муз,
> Султана убедить возможно
> Избавить пленников от уз.
> Пошли к нему того Героя,
> Кем ханов упразднился трон (Потемкина. — *А. З.*),
> Услыша твоего витию,
> Он сам оставит Византию
> И выйдет из Европы вон.

(Ода 1784, 7)

Стоит отметить, что на обложке экземпляра оды, находящегося в библиотеке МГУ, почерком XVIII в. написано: «Г-на Петрова» (см.: СКРК II, 338). Эта атрибуция не может быть безусловно доказана, но выглядит в высшей степени вероятной, исходя из круга выраженных в оде идей и ее поэтического строя. Возможное авторство Петрова делает текст особенно значимым. Поэт часто отражал в своих одах заветные мысли своих патронов, а его геополитическая метафорика не оставалась без влияния на адресатов од.

2

Помимо своего выигрышного стратегического положения Крым обладал для России громадным символическим капиталом. Он мог репрезентировать сразу и христианскую Византию, и классическую Элладу. Это была территория, колонизованная в древности Грецией и богатая античными памятниками. С приобретением Крыма Россия получала свою долю античного наследства, дававшего ей право стоять в ряду цивилизованных европейских народов. С другой стороны, именно с берегов Черного моря брало начало русское христианство. «Таврический Херсон — источник нашего христианства, а потому и людскости, уже в объятиях своей дщери. Тут есть что-то мистическое», — писал Екатерине Потемкин в августе 1783 г. по занятии Крыма (Екатерина и Потемкин 1997, 180). В Херсонесе Таврическом некогда принял крещение и вступил в брак с греческой царевной Анной князь Владимир, положив начало тому преемству, которое лежало в идеологической основе «греческого проекта». Достигнув наконец места, где она обрела свою веру и впервые встретилась с греческой культурой, Россия должна была двинуться дальше к историческому центру этой веры.

Понятно, что покорение Крыма не могло не интерпретироваться как возвращение исконно русских земель.

> Россия наложила руку
> На Тавр, Кавказ и Херсонес,
> И распустя в Босфоре флаги,
> Стамбулу флотами гремит, —

писал Державин (I, 182), а позднее в «Объяснениях на сочинения» пояснял: «В то самое время обузданы Кавказские орды и Херсонес, древний город князей российских, возвращен России» (Там же III, 604).

Достаточно полное представление об идейном комплексе, лежавшем в основе политики России, можно получить из биографии Потемкина, принадлежавшей перу его племянника и сотрудника генерала А. Н. Самойлова, участника переговоров о присоединении Крыма к России и активного деятеля потемкинской администрации в Новороссии (см., напр.: Людольф 1892, 174; Семевский 1875, 668). Биографическая ценность труда Самойлова обычно оценивается невысоко из-за его апологетического тона, по сути уже переходящего грань, которая отделяет биографию от агиографии. Однако ценность свидетельств Самойлова в другом: его близость к дяде и

Фрагмент карты Российской империи. 1785

благодетелю, так же как и полное преклонение перед ним, позволяют нам видеть в рассуждениях биографа более или менее достоверное воспроизведение заветных мыслей и оценок светлейшего.

По словам Самойлова, Потемкин

не мог безболезненно взирать, что варвары сии, поработя новый Рим, Древнюю Грецию, <...> повергнув греков и других христиан в поносное рабство, вменяли в достоинство величия своего искоренение просвещения. <...> Будучи на берегах Дуная, по сведениям его в отечественной истории с любопытством отыскивал те места, где Святослав пожинал лавры побед, строил города[1], <...> искал в душе спокойство Херсони, пред коим Св. Владимир приемлет просвещение России верою Христовою.

(Самойлов 1867, 1010—1011)

Самойлов говорит о деятельности Потемкина в Новороссии и Крыму: об основании городов, устройстве промышленности и торговли. Однако наибольшей патетичности достигает его тон, когда он касается осуществленной по инициативе Потемкина революции в крымской топонимике:

Но чтоб более поразить умы блистательностью деяний великия Екатерины, чтоб отрясть и истребить воспоминание о варварах <...> в покоренном полуострове возобновлены древние именования: *Крым* наречен Тавридою, близ развалин, где существовал древний Херсонес, из самых тех груд камней при Ахтиярской гавани, возник Севастополь, *Ахт Мечет* назван Симферополь, *Кафа* Феодосией, *Козлов* Евпаторией, *Еникаль* Пентикапеум, *Тамань* Фанагорией и проч. <...> Словом,

_____

[1] Несомненно, упоминание о Святославе на Дунае связано с составлявшими часть «греческого проекта» планами образовать из Молдавии и Валахии государство Дакию, корону которой Потемкин некоторое время примерял на себя (см.: Мадарьяга 1981, 377—388).

новый свет просиял в древнем Понтийском царстве под руководством завоевателя Тавриды, и беспрепятственно первый шаг сделан к очищению Европы от Магометан и к покорению Стамбула.

(Там же, 1015)

А в письме греческому архиепископу Никифору Потемкин обещает даже «назвать Таганрог Спартой» (Баталден 1982, 69).

Ход мысли Потемкина, воспроизведенный Самойловым, в высшей степени интересен. Россия возвращает себе свою древнюю святыню, и это возвращение сопровождается интенсивной эллинизацией покоренной земли. Русские приходят в провинцию, некогда принадлежавшую Греции, вновь сообщают ей ее греческий облик и заново обретают свою веру и историю, тоже отчасти превращаясь в греков. При этом и сами греки, освобождаясь от рабства, вновь становятся собой под российской эгидой.

> Цирцея от досады воет,
> Волшебство все ее ничто.
> Ахеян, в тварей превращенных,
> Минерва вновь творит людьми.
> Осклабясь, Пифагор дивится,
> Что зрит он преселенье душ,
> Гомер из стрекозы исходит
> И громогласным своим пеньем
> Не баснь, но истину поет, —

писал Державин в своей оде «На приобретение Крыма» (Державин I, 183).

Тема возрождения греков и греческого духа в связи с завоевательными планами России была достаточно широко распространена еще в оде времен Русско-турецкой войны 1768—1774 гг., но Державин со свойственным ему гиперболическим размахом довел ситуацию до предела. Минерва-Екатерина делает греков не только из рабов героями, но из скотов — людьми, а ее мирный подвиг становится исполнением пифагорейских таинств. Возвращенный к своему природному естеству Гомер наконец может воспевать не баснословные предания троянских походов, но истинные свершения российской Афины.

Идея, что расширение Российской империи на юг есть исполнение сокровенных пророчеств Гомера, не была изобретением Державина. В 1775 г. в предисловии к поэме, написанной в честь Кучук-Кайнарджийского мира, русский литератор греческого происхождения Антоний Палладоклис тоже вспоминал Гомера:

Счастлив Ахиллес, по изречению великого Александра, что описателем своей храбрости имел Омира. В сей войне между мстителями за похищенную у многих народов свободу и между ее похитителями и <...> по справедливости был бы назван счастливым Омир, если б он ныне воскрес, что нашел бы он тут <...> много Агамемнонов, Ахиллесов, Еантов, Диомидов и Одиссеев, иройски при предводительстве Паллады отличающихся. <...> Громкое и благогласное его пение заглушено б было вечногремящею победоносною Ея Императорского Величества оружия славой, которую *Херсонисская эпоха*, шум разделенных волн Азовского и Черного моря <...> проповедают.

(Палладоклис 1775, б.п.)

В 1787 г. в дни крымского путешествия Екатерины был напечатан стихотворный перевод «Илиады» Ермила Кострова. Посвящая перевод монархине, Костров, в частности, писал:

> Он (Гомер. — *А. З.*) в песнех сладостных
>   витийственным искусством
> Еще в свой мрачною покрытый мглою век
> О славе дней твоих, владычица, предрек!
> Живая кисть его, Минерву описуя,
> И щит ее и шлем очам изобразуя,
> Явила в истине россиян божество
> И храбра севера над югом торжество.

(Костров 1972, 157)

Победа греков над троянами, вопреки географической реальности, становится победой севера над югом, то есть прообразом войн, которые ведут российские полководцы с турками:

> Под сению твоих бесчисленных эгидов
> Ахиллов зрели мы, Аяксов, Диомидов,
> Со именем небес, со именем твоим
> Стремивши молнию в Стамбул и буйный Крим. <...>
> Взвивающийся твой над Геллеспонтом флаг
> Есть ужас варварам, источник грекам благ.
>
> Почий Гомер, почий средь лавра и оливы,
> Сколь вымыслы твои приятны, справедливы!
> О россах истинно предчувствие твое,
> В Екатерине зрим его событие.

(Там же)

Связь Турецкой кампании 1768—1774 гг. и российской экспансии на юг с Троянской войной, по-видимому, становилась в эти годы общим местом. Фабулу эпических поэм Хераскова, которые, в соответствии с их жанровой природой, призваны были стать основой национального мифа, составляет осада города, таящего в себе заветную красавицу. Причем если в «Россиаде» (1779) таким городом оказывается осажденная Иваном Грозным Казань, то во второй поэме, писавшейся в первой половине 1780-х гг., Херасков находит более адекватную точку этого гео-политико-эротического тяготения российской судьбы. Князь Владимир должен обрести и христианскую веру, и греческую княжну в Таврическом Херсонесе:

> В уме его Херсон и греческа княжна.
> Одно рождает в нем несытый гнев отмщенья,
> Другое — нежные любови ощущенья.

(Херасков 1785, 174)

Вера, как и невеста, завоевываются в Тавриде силой, и в итоге —

> Соединился князь со греческой княжной,
> Запечатлелся ад священною печатью,
> И озарилася Россия благодатью.

Разумеется события давних веков оказываются лишь прообразом будущих побед Екатерины:

> Предрек уже тогда, предрек мятежный Тавр,
> Что в недрах сокрывал Екатерины лавр,
> Который обовьет Российскую корону
> И будет от срацин оградою Херсону.

(Там же, 242, 232)

Поэма Хераскова была начата примерно в 1779-м, когда была завершена «Россиада», а вышла в 1785 г. Естественно предположить, что последние песни поэмы, в которых речь, собственно, и идет о херсонском походе, создавались в 1783—1784 гг., когда происходило присоединение Крыма.

Как уже говорилось, Екатерина относилась к выбору имен для своих внуков с исключительной тщательностью. Показательно, что родившаяся в 1784 г. дочь Павла Петровича и Марии Федоровны получила имя Елена. Конечно, в первую очередь, оно было подсказано византийской историей (см.: Рубан 1784), но, поскольку греческое христианство и античность были в сознании людей тех лет связаны самым тесным образом, гомеровские коннотации в имени новорожденной великой княжны не могли не присутствовать. Екатерина в письме к Гримму, признаваясь, что сама дала внучке имя, называет ее «Еленой прекрасной» (СбРИО XXIII, 326).

В «Оде на приобретение Крыма» Державин обращается к исключительно редкому у него белому стиху, отчетливо связывая эту новацию с античным колоритом. Посылая свою оду в «Собеседник любителей российского слова», он писал в сопроводительном письме: «Не безвестно, что древние писали стихи свои без рифм, чему и новейшие лучшие авторы подражали и подражают. Для опыта, покажется ли и нашей почтенной публике сей образ на нашем языке стихотворства и можно ли продолжать оный, написана сия ода...» (Державин I, 182). В стремлении эллинизировать русский стих Державин не был одинок, еще раньше, с 1775 г., Петров экспериментировал с формами пиндарической оды (см.: Гаспаров 1984, 99; Берштейн 1992, 83—84). Его оды Потемкину 1777 и 1778 гг. в 1780-м и 1781-м выходят в двуязычных изданиях с переводом en regard на греческий язык, сделанным Г. Балдани, а в оде 1782 г. поэт, кажется, впервые на русской почве пытается точно воссоздать форму древнегреческой хоровой лирики со строфами, антистрофами и эподами.

3

Воздвигать свою новую Элладу Екатерина и Потемкин начали до покорения Крыма. Сразу же после Кучук-Кайнарджийского мира на новых землях закладываются новые города Херсон и Славянск (СбРИО XXVII, 50—51). Смысл названия этих городов вполне очевиден. Херсон должен был напомнить о Таврическом Херсонесе, а Славянск — о легендарном городе древних русов близ Новгорода. «Наречением сим возобновляем мы также и те знаменитейшие названия, которые от глубокой древности сохраняет Российская история, что наш народ есть единоплеменный и сущая отрасль древних славян, и что Херсон был источник христианства для России, где по восприятии князем Владимиром крещения, свет благодатныя веры и истинного богослужения просиял и насажден в России», — писала Екатерина в указе от 9 сентября 1775 г. о создании Херсонской и Славянской епархии (ПСЗ № 14366). Епархии был придан исключительно высокий статус, а архиепископом в нее был назначен один из ведущих деятелей греческого просвещения Евгений Булгарис, за несколько лет до того переехавший в Россию. Одновременное основание крепостей с греческим и славянским названиями должно было символизировать единство христианских народов на границе с Турцией.

Несколькими годами позднее Потемкин обращался к Евгению с просьбой написать историю Новороссии: «Как вы соединяете в себе знания разных веков, то вы наш Исиод, Страбон и Златоуст. Возьмите же труд сделать описание историческое нашего края, что он был в древности, где искони были славные мужи и обилующие грады: Ольвия, Мелитополь, острова Ахиллесова пути <...> Борисфен, носящий на себе флоты Россов древних, не даром так наименован; брега же его напоминают светлый путь Первозванного Андрея, проповедавшего спасение отцам нашим» (Потемкин 1879, 19). Из двух запланированных Екатериной городов Славянск так и не был построен, в то время как Херсону было суждено бурное развитие.

В том же 1775 г. в Петербурге для обучения в основном греческого юношества был основан Корпус чужестранных единоверцев, а в 1779 г. он был переведен в Херсон (ПСЗ № 15658; см.: Арш 1970, 134—135). Во второй половине 1770-х гг. на новороссийские земли шло массовое переселение иностранцев, в том числе и из Крыма, еще находившегося под властью ханов.

> Не совершается ль
> Пророчествие мира?
> Херсонски жители,
> Единой веры чада
> Не все ль, оставя юг,
> На север к нам грядете?
>
> Весь двинулся Херсон,
> Конца ему не видно, <...>
> Молдавец, Армянин,
> Индеянин иль Еллин,
> Иль черный Ефиоп
> Под коим бы кто небом
> На свет не произшел
> Мать всем Екатерина. <...>
>
> Со всей земли племен
> Слыви усыновитель,
> Чужих растенья стран
> Преносятся на север.
> Языки чужды ты
> Преображай во Россов, —

писал в оде Потемкину 1778 г. Петров (I, 180—181).

Конечно, набросанная Петровым картина — не столько изображение реальной колонизаторской деятельности Потемкина, сколько одическая метафора мирового господства. В реальности Потемкиным были созданы несколько греческих, армянских, молдавских, албанских и сербских поселений. Что до эфиопов, то поэт мог иметь в виду служившего в Новороссии генерала Ганнибала. Об «индеянах» на русской службе в те годы нам ничего не известно. Однако преображение разных народов в единое целое — это задача империи, заново и на других идеологических основах формирующей себя в причерноморских степях.

В оде Потемкину 1782 г. в центре внимания Петрова вновь оказалась этническая пестрота потемкинских владений, где находят приют «даже чуждые народы от дальних света стран»:

> <...> тамо Азиатец
> И солнцем осмуглевший Афр,
> Климатов разных европеец,
> Герой, пустынник, селянин
> Без масок очам твоим предстанет
> В единой храмине увидит
> Восток и запад, норд и юг, <...>
> Черты их лиц, одежды нравы,
> Языки их и веры разны,
> Но угоститель всех — один...
>
> (Там же II, 18—19)

Стремление Потемкина заселить вверенную ему Новороссию выходцами из разных краев становится символом грядущего единения народов в новых провинциях Российской империи. Вавилонский грех здесь преодолен, и все народы соединяются, замыкая под российской эгидой исторический круг всемирной цивилизации.

Соперничество с Петром и Петербургом, и в целом с Балтийским ареалом, пронизывает всю деятельность Потемкина. Не случайно Самойлов называет его политическую доктрину «восточной системой», явно противопоставляя ее «северной системе» Н. И. Панина, видевшего естественное место России в сообществе северноевропейских государств (см.: Грифитс 1970). При этом с изменением в 1780-е гг. политической обстановки перспективы скорой реализации «греческого проекта» становятся все более туманными и отодвигаются в неопределенное будущее. Соответственно крымская тема перестает быть побочной при константинопольской и обретает все большую самостоятельность.

«Петербург, поставленный у Балтики, — северная столица России, — писал Потемкин Екатерине в 1783 г., — средняя — Москва, а Херсон Ахтиярский да будет столица полуденная моей Государыни. Пусть посмотрят, который Государь сделал лутчий выбор» (Екатерина и Потемкин 1997, 172). В другом письме, написанном в тот же день, светлейший просил императрицу «воззреть на здешнее место, как на такое, где слава твоя оригинальная и где ты не делишься ею с твоими предшественниками. Тут ты не следуешь по стезям другого» (Там же, 173). О том, что Потемкин «стремился произвести на юге то во славу императрицы своей, что великий Петр совершил на севере», писал Самойлов (1867, 1203), однако речь шла, по-видимому, и о большем — о глобальной переориентации всей российской политики, культуры и самосознания.

Разумеется, эта программа была инициирована и поддержана императрицей. «Как сему городишке (Очакову, еще находившемуся под турецким контролем. — *А. З.*) нос поднимать противу молодого Херсонского Колосса! — писала она Потемкину. — <...> Петр Первый, принуждая натуру, в Балтических своих заведениях и строениях имел более препятствий, нежели мы в Херсоне. Но буде бы оных не завел, то мы б многих лишились способностей, кои употребили для самого Херсона» (Екатерина и Потемкин 1997, 153). В этой перспективе Петр со своими начинаниями на Балтийском побережье оказывался лишь предшественником Екатерины и Потемкина. Но все эти высказывания были сделаны в частной переписке, известной только ее участникам. Символической демонстрацией избранного курса должна была стать поездка Екатерины в Крым в первой половине 1787 г.

4

Маршрут и хронология этого путешествия были разработаны с исключительной тщательностью. Екатерина должна была выехать из Петербурга сразу после новогодних праздников, проехать по зимним губерниям Великороссии, провести конец зимы и первую половину весны в Киеве, в землях, во главе которых стоял герой Русско-турецкой войны 1768—1774 гг. фельдмаршал Румянцев, прибыть в потемкинские владения в Новороссии в начале мая и последние его две недели провести в Крыму. Движение высочайшей свиты на юг совпадало с весенним оживлением природы. Именно в Херсоне к императрице и сопровождавшим ее иностранным послам должен был присоединиться австрийский император Иосиф II, путешествовавший под именем графа Фалькенштейна (анализ крымского мифа в интерпретации европейских спутников Екатерины см.: Вулф 1994, 126—141).

Екатерина II, путешествующая в своем государстве в 1787 году.
Аллегория. Ф. де Мейс. 1787—1788

Важной составляющей путешествия, связывающей его с «греческим проектом», должно было быть присутствие в свите императрицы великих князей Александра и Константина. Екатерина собиралась взять с собой внуков, несмотря на упорное сопротивление их родителей: цесаревича Павла Петровича и его жены Марии Федоровны. Однако корь, случившаяся с одним из великих князей, заставила императрицу отказаться от этого замысла. Именно в Крыму в присутствии иностранных послов и графа Фалькенштейна должно было 21 мая пройти торжество по случаю дня святых Елены и Константина (см., напр.: СбРИО XXIII, 411), призванное зафиксировать преемственность России по отношению к Восточной Римской империи.

Еще более значимой, чем итинерарий, была программа екатерининского путешествия. Начало изучению этой программы как своего рода символического текста было положено статьей А. М. Панченко «Потемкинские деревни как культурный миф» (Панченко 1983). Анализируя мотивы потемкинской мифологии, исследователь обращает внимание на военно-государственную тематику: флот, армию, цивилизацию, оставляя без объяснений целый пласт

важнейших историко-культурных ассоциаций. Так, эпизод с амазонской ротой Панченко толкует как «проявление того прихотли-
вого самодурства, которым славился Потемкин» (Там же, 96; об
«амазонской роте» см.: Дуси 1844). Между тем парад экзотически
разодетых «вооруженных женщин» перед двумя императорами вводит в ассоциативную сферу путешествия скифскую тему.

В 110—117 параграфах четвертой книги «Истории» Геродота
рассказывается о воинственных женщинах, вступивших в брак со
скифами, от которого на свет появилось скифское племя саврома-
тов (сарматов). Между тем древние скифы не только были некогда обитателями Северного Причерноморья, но и почитались в ту
пору в официальной историографии одними из прародителей славян. Как раз в 1787 г. вышли в свет «Записки касательно российской истории» Екатерины II. Здесь уже с явной ориентацией на
новую этническую ситуацию, возникающую в завоеванных обла-
стях, императрица указывала, что скифами греки называли «славян, сармат и татар» (Екатерина VIII, 12). Екатерина описывает
быт скифских племен с очевидным сочувствием и с проекцией на
выстраиваемую ею в те же годы концепцию русского национального характера:

> Дария, царя персидского, они со стыдом прогнали. Кир со всею арми-
> ей против скифов удачи не имел. <...> Римлянам скифы никогда по-
> корны не были. Один Александр Македонский имел успех противу
> скифов и заключил с ними союз. <...> Северные скифы одного языка
> со славянами. <...> У них были самовластные государи. Скифы терпеть
> не могли, чтоб другие народы сказывались старейшими. Они почита-
> ли дружбу и добродетели, любили неустрашимых, пренебрегали богат-
> ство, имели скотоводство, одевались зимою и летом в равную одежду.
> Были всегда на коне, оружие лучшее их щегольство, суд отправляли,
> рассуждая здраво, письменного закона не имея, пороки наказывали
> строго. Храбрость и справедливость скифов в похвале были у соседних
> народов.<...> Жены езжали с мужами на войну.

> (Там же, 20—22)[1]

---

[1] Вероятно, именно в этом историческом труде Екатерины II оформилась
параллель «русские — скифы», наиболее мощно проартикулированная Блоком
через полтора столетия. Особую роль она сыграла в Отечественной войне 1812 г.,
когда некоторые элементы стратегии русского командования (разделение войска на две армии, отступление вглубь территории, уничтожение припасов, пар-
тизанские набеги на противника и др.) прямо соотносились с описанной Ге-
родотом войной скифов против Дария (о так называемом «скифском плане»
кампании, составленном М. Б. Барклаем де Толли, см.: Тартаковский 1996).

Иметь такую генеалогию было лестно, но покорившая Крым империя наследовала не только скифам и славянам, «которые более к воинской службе прилежали, нежели к наукам и художествам» (Екатерина VIII, 12), но и грекам. Не случайно и сама амазонская рота была составлена из новороссийских гречанок. Написанное в 1787 г. императрицей «историческое представление» «Начальное управление Олега» как раз и показывает заключение союза между воинственными славянскими племенами и христианской Византией (о политических коннотациях «представления» см.: Кросс 1990; Майофис 1996). В финале пьесы князь Олег и константинопольский император Леон под хоры, поющие отрывки из ломоносовских од, вместе смотрят олимпийские ристалища и спектакль по «Алкесте» Еврипида.

Интерес Екатерины к Еврипиду в эту пору заслуживает особого внимания, поскольку ее пребывание в Крыму проходит на фоне резкой актуализации мотивов трагедии Еврипида «Ифигения в Тавриде». Еще в 1784 г. в оде «Великой Государыне Екатерине II на приобретение Крыма» говорилось:

> Так ты теперь Херсона страж,
> Так Ифигения в Тавриде
> И гроб сея царицы наш?

(Ода 1784)

Ифигения, бежавшая с Орестом и Пиладом из Тавриды в Аттику, была, по всем основным версиям мифа, похоронена на родине. Но для русского одописца гроб Ифигении оказывается своего рода вариантом Гроба Господня, а овладение Крымом — эквивалентом Крестовых походов.

Важнейшие события в русской восточной политике происходили на фоне нарастающей европейской популярности мифа об Ифигении. 18 мая (европейского стиля) 1779 г., через десять дней после рождения великого князя Константина Павловича, в Париже с грандиозным успехом была исполнена опера К. Глюка «Ифигения в Тавриде» по либретто французского поэта Н.-Ф. Гийяра. Премьера немецкой версии «Ифигении» состоялась 31 декабря 1781 г. в Вене в присутствии наследника русского престола Павла Петровича, его жены и ее брата, принца Евгения Вюртембергского, ранее, кстати, посетивших премьеру глюковской «Алкесты». Высокие гости были настолько потрясены музыкой, что нанесли дряхлеющему композитору визит, ставший городской сенсацией (см.: Кролл 1964, VI—VII). Поездка Павла в Вену, буквально насильно навязанная ему матерью, должна была знаменовать поворот России к союзу с Австрией, который был необходимым условием всех планов экспансии на восток.

«Ифигения» была возобновлена в Вене распоряжением императора Иосифа II в конце 1783 г., и в этом жесте угадывается своего рода приветствие союзной России —присоединение к ней Тавриды только что стало юридическим фактом. И, наконец, в 1787 г., почти в дни путешествия Екатерины, но уже по совершенно случайному совпадению, в свет вышла самая прославленная интерпретация мифа — «Ифигения в Тавриде» Гете (о проекциях мифа об Ифигении на Крым XVIII столетия в западноевропейском сознании см.: Вулф 1994, 138).

Незадолго до путешествия Екатерина писала принцу де Линю, французскому офицеру и острослову на австрийской службе при русском дворе: «Я повезу своих спутников в страну, которую, говорят, обитала некогда Ифигения. Одно название этой страны оживляет воображение, и поэтому нет такого рода измышлений, которые не распускались бы по поводу моего путешествия и пребывания в Тавриде» (СбРИО XXVII, 378—379).

Екатерина не упустила случая здесь же напомнить о греческих вкусах Потемкина: «Не знаю хорошенько, примет ли мой генерал-губернатор Тавриды в хорошую сторону вашу выходку против Гомера, он, который досадовал на меня за то, что я думала, что граф де Штольберг сделал изрядный перевод этого поэта на немецкий язык» (Там же). Критика немецкого перевода Гомера в тот момент, когда должен был появиться русский, тоже имплицитно содержала идею особой связи между русскими и греками[1].

---

[1] А. М. Панченко едва ли точен, когда противопоставляет «новороссийский прожект» Потемкина «греческому прожекту» Безбородко (Панченко 1983, 95). Распространенное в исторической науке утверждение, что «греческий проект» в основном связан с деятельностью Безбородко (см.: Маркова 1958; Раев 1972, 201 и др.), противоречит свидетельству самого Безбородко, что к моменту начала его дипломатической карьеры императрица была уже всецело захвачена этим замыслом: «...с первого момента понял я, что намерение государыни о греческой монархии серьезно, и ощутил в полной мере, что сей проект достоин великого духа, и при том, что он, конечно, и исполнен быть может» (СбРИО XXVI, 444). «Греческий» и «крымский» проекты представляли собой единый замысел, и, при всей недоброжелательности Потемкина и Безбородко друг к другу, они и в том, и в другом случае работали в одном направлении. «Мысль о Крыме была наша общая», — писал Безбородко в «Автобиографической записке» (Там же). Причем Потемкин в обоих проектах выступал в роли идеолога, а Безбородко приходилось готовить для Екатерины соответствующие документы. «Трость, водимая умом обширным», — написал хорошо информированный Державин в крымской оде и пояснил: «Перо гр. Безбородко, водимое мыслью кн. Потемкина» (Державин III, 603).

Императрица не только напомнила де Линю об Ифигении в своем письме, она еще и подарила ему имение «на берегу Черного моря на том же самом месте, где, по преданию, находился храм, в котором царица Ифигения была жрицею» (Сегюр 1907,193). Один из просвещеннейших людей Европы должен был получить место в населенном татарами уголке Тавриды, где некогда посланница просвещенной Греции владела умами и душами варварских народов, оставаясь в то же время их пленницей. Как можно судить по его письмам, де Линь вполне оценил этот дар (см.: Линь 1989, 505—506, 510; ср.: Вагеманс 1992).

История Ифигении могла резонировать в Екатерине и странным сходством с ее собственной участью. Она тоже, подобно еврипидовской героине, была принесена в жертву своей необыкновенной судьбой и заброшена повелевать народом, который ей неминуемо должен был казаться варварским и своеобразной пленницей которого она тоже была. Как бы то ни было, она ощущала, что наступило время реализовывать давние мечты и восстанавливать Древнюю Грецию. Причем, поскольку Константинополь все еще был недоступен, она собиралась делать это на тех территориях, которыми уже обладала. Центром такого возрождения был призван стать заложенный во время путешествия императрицы Екатеринослав, который в перспективе должен был стать столицей Новороссии, а возможно, и всей империи.

По плану нового города, его лавки проектировались «наподобие Пропилея или предворья Афинского с биржею и театром», палаты губернские предполагалось построить «во вкусе римских и греческих зданий». Городу предстояло также вместить в себя университет и музыкальную академию (см.: Екатерина и Потемкин 1997, 209). Впрочем, Екатеринославу, призванному объединить в себе Рим и Афины, еще только предстояло быть воздвигнутым, но Херсон уже успел разрастись за несколько лет со скоростью, изумлявшей даже не слишком доброжелательных наблюдателей из политически враждебной Франции (см.: Сегюр 1907, 243; Людольф 1892, 172). Граф Людольф сообщал о Херсоне, что «по-видимому, императрица собирается посвятить этому городу все свое внимание», и без тени недоверия предрекал, что «подлежащие постройке здания в Екатеринославе будут великолепны» (Там же, 173, 177).

> Катись свозь новы, Днепр, Афины, <...>
> Цвети Темпейской рай долины, —

писал о Херсоне в оде 1777 г., переведенной позже на греческий,

Петров (I, 159). Край, наконец восстановивший свою российскую и христианскую природу, становится прообразом грядущего земного рая.

5

Райские мотивы, кажется, являются непременным атрибутом имперских утопий — стоит вспомнить, с каким упорством Петр именовал Парадизом полюбившиеся ему болота Ингерманландии, но, конечно, природа Новороссии и особенно Крыма буквально напрашивалась на такое осмысление. Почти сразу после присоединения Крыма Темпейской долиной устойчиво называют имение Потемкина у Байдарских ворот. В 1789 г. Сегюр в письме Потемкину восхищался «коммерцией, завлеченной в Херсон, флотом, построенным в два года каким-то чудом в Севастополе, <...> Вашей Темпейской долиной, Вашим Екатеринославом, где Вы собрали в два года более монументов, чем другие столицы в два столетия» (Потемкин 1875, 232).

Все путешествие Екатерины в Новороссию и Крым проходит под знаком райской топики. Можно проследить, как разрастаются эти мотивы в письмах Екатерины Я. А. Брюсу:

[30 апреля, Кременчуг:] Губернский дом <...> при прекрасной дубовой роще и фруктовом регулярном саде, все деревья и даже дуб раскинулись, и тепло так, как у нас в июле. Вообще, с тех пор, как мы выехали в Екатеринославское наместничество, воздух и все вещи и люди переменили вид и все кажется живее. [4 мая, по пути из Кременчуга в Херсон:] Здешний климат почитаю лучшим в Империи, здесь без изъятия все фруктовые деревья растут на вольном воздухе, я сроду не видала грушевые деревья величиной с самого большого и толстого дуба, воздух самый приятнейший. [14 мая, Херсон:] Херсон почитать можно между самыми лучшими городами нашими. Сие дитя много обещает, где сажают, тут все растет, где пашут, тут изобилие, строение все каменное, мы жары по сю пору не чувствуем, все здоровы, здешние люди больного вида не имеют и все копышется, людство великое и стечение людей со всех краев, наипаче же все полуденные.

Отметим в последней цитате, что стремительный рост каменных строений и разнообразие населяющих край племен тоже прочитывается здесь как плод мощных производительных сил местной природы, созидающей и растения и народы в невероятном изобилии и разнообразии.

Вид Тавриды.
В. П. Петров. 1791

Итоговая оценка звучит в письме от 16 мая, также из Херсона: «Я весьма рада, что видела все своими глазами, <...> здешний край есть рай земной» (Екатерина 1889, 21—25). Екатерина и сама приняла участие в разведении райских садов, посадив в Херсоне абрикосовое дерево, которое необыкновенно хорошо принялось и дожило, по крайней мере, до 1840 г. (Пелино 1844, 607). В воспоминаниях А. И. Михайловского-Данилевского рассказано о совместном посещении Херсона с императором Александром I в 1818 г.: «Государь повел нас в сад, находившийся подле столовой комнаты, и остановился у большого абрикосового дерева. С умилением и молча долго смотрел на него; не постигая причины этой остановки, мы тоже молчали. Наконец он сказал: "Это дерево посадила императрица Екатерина. Она намерена была основать в Херсоне столицу южной России и часто говорила мне об этих своих намерениях"» (Шильдер IV, 100) .

Апофеозом этих райских кущ должна была служить Таврида. Императрица еще за год до путешествия писала И. Г. Циммерману, что видит разведение «садов и особенно садов ботанических» «одним из главных предметов в Тавриде» (СбРИО XXVII, 360). Находившийся в свите Екатерины принц К.-Г. Нассау-Зиген писал из Крыма, что «фруктовые сады этой местности могут дать понятие о райских садах»

(Тимощук 1893, 297). О характерно потемкинском размахе в устройстве этого рая можно получить представление из контракта, заключенного светлейшим князем с садовником И. Бланком, обязавшимся сажать «всякого роду деревья <...> как-то: масличные, фиговые, сладких и горьких померанцев, разного роду цитронные, бергамотные и другие. <...> Ежегодно деревьев миндальных тысячу, шелковичных две тысячи, персиковых пятьсот, ореховых двести для рассаживания оных через два или три года» (Потемкин 1875, 254; ср.: Шенле 2001).

Соответственно и произведения, связанные с присоединением Крыма, отражают райскую топику и мотивы преображения природы.

> Летит и воздух озаряет,
> Как вешне утро тихий понт!
> Летит, и от его улыбки
> Живая радость по лугам,
> По рощам и полям лиется, —

начинает свою крымскую оду Державин (I, 182).

В екатерининских письмах и высказываниях этих месяцев постоянно звучит противопоставление ложного петербургского рая настоящему, крымскому. «Говорено о благорастворенном воздухе и теплоте климата, — заносит 4 мая в дневник Храповицкий свой разговор с императрицей. — "Жаль, что не тут построен Петербург, ибо, проезжая сии места, воображаешь времена Владимира 1-го"» (Храповицкий 1874, 34)[1]. Князь Владимир вспомнился императрице не случайно. В 1782 г., как раз накануне покорения Крыма, был учрежден орден Святого Владимира, а уже в ходе путешествия Екатерины по южным землям был торжественно спущен на воду корабль «Владимир» (Храповицкий 1874, 35).

Мысль о соперничестве новых земель с балтийскими завоеваниями Петра получает развитие в письме П. Д. Еропкину из Бахчисарая от 20 мая: «Весьма мало знают цену вещам те, кои с уничижением бесславили приобретения сего края: и Херсон и Таврида со временем не токмо окупятся, но надеяться можно, что если Петербург приносит осьмую часть дохода Империи, то вышеупомянутые места превзойдут плодами бесплодные места. <...> Я помню еще, что тот край никому не нравился, воистину сей не в пример лучше»

---

[1] О почитании князя Владимира как своего рода субституте традиционного культа Петра Великого см.: Расмусен 1978.

(Екатерина 1808, 258—259)[1]. 8 июня, уже по пути обратно, Екатерина выразила высочайшее одобрение трудам Потемкина и присвоила ему почетный титул князя Таврического. По-видимому, вопрос о будущей геополитической ориентации России был для нее в основном ясен. Это понимали и современники.

Итогом путешествия стало празднование 25-летия вступления Екатерины на русский престол 28 июня в Москве. Как и четвертью века раньше, в подготовке идеологически значимого торжества принимал участие М. М. Херасков, написавший план представления «Щастливая Москва». Согласно этому либретто, перед публикой появлялись четыре гения, представлявших четыре стороны света, и каждый говорил о том, чем он славен в Российской империи. Последним выходил «полуденный гений», торжественно провозглашавший:

> Величайтесь Вашим счастьем, благополучные Гении! Вы подлинно счастливы, но, может быть, я перед вами некое преимущество имею; все то, чем вы каждый порознь славитесь, все то я один в моих полуденных владениях вмещаю; изобилие есть мой жребий, тучные стада в полях моих пасутся, благорастворенный воздух жителей оживотворяет, летаю посреди цветов благоуханных, ликую! И сладчайшие плоды в лесах моих вкушаю, но, что всего паче, целое царство вновь в мое правление вступило, царство, млеко и мед точащее.

> (Херасков 1787, 11)

Надо вспомнить, с какой устойчивостью и частотой Россия на протяжении всего столетия называлась «Севером» и «полнощной державой», а турки — «сынами полудня», чтобы оценить радикальность этой риторики. Появление в пределах империи Тавриды, «царства, млеко и мед точащего», обещало в корне изменить состав национального самосознания и культурную географию России. Однако этим переменам не суждено было реализоваться в полной мере. Вторая Русско-турецкая война, начавшаяся через два месяца после возвращения Екатерины, задержала освоение южных губерний, а смерть Потемкина в 1791 г. нанесла ее планам непоправимый урон. В 1796 г. умерла и сама императрица, и все южные проекты оказались навсегда похороненными, оставшись, однако, в русской культуре как замысел, как упущенная возможность, как подспудная, но оттого еще более сильная сфера тяготения.

---

[1] Вопрос о том, был ли выбор Петром места для столицы добровольным или он был связан с военными неудачами на юге, вызывал широкий интерес в XIX в. (см.: Осповат 1994).

6

В 1798 г. в Николаеве вышла описательная поэма С. С. Боброва «Таврида», посвященная Н. С. Мордвинову.

И место издания, и посвящение были глубоко знаменательны. Мордвинов получил должность контр-адмирала в ходе екатерининского путешествия в Крым и был связан с полуостровом всей своей судьбой. Невзирая на осложнение в конце жизни Потемкина их личных отношений, Мордвинов оставался подлинным идейным наследником светлейшего (см.: Осповат 1994, 481). К нему обратил после смерти Потемкина свою музу Петров, чья ода стала одним из первых изданий николаевской типографии. Все 90-е гг. Мордвинов занимался благоустройством Николаева — города, который по своему положению казался ему более подходящим на роль «вторых Афин», чем Херсон и Екатеринослав (Иконников 1873, 70). К 1798 г. он был в опале у Павла, не любившего ни проекты своей матери, ни ее ставленников.

«Таврида» Боброва по большей части посвящена описанию крымской природы. Но всякий рассказ о таврической флоре был полон в те годы напряженного политического смысла:

> Ах! — Тамо рай за ним сияет, <...>
> Блаженное жилище Флоры,
> Блистающий престол Помоны, —
> В прекрасном Афинее Темпе <...>
>   под висящими плодами
> *Черешней, вишней, слив и груш;*
> На коих дикий *виноград,*
> Объемля ветви до вершин
> И их приятный взор сугубя
> Своим сиянием багровым,
> Растут без попеченья сами
>
>   и т.д.
>   (Бобров 1798, 57—60)

Однако этот райский сад имеет свою историю, и Бобров рассказывает об Ифигении, страдавшей от грубости нравов сарматов и скифов, о просвещении, принесенном на полуостров греками, о крещении Владимира и о мусульманском завоевании Крыма. По Боброву, это завоевание приводит не только к политической, но и, так сказать, к биологической деградации:

> Природа резвая дотоле
> На сих горах, на сих лугах
> Оцепенела, побледнела
> Под мрачной сению луны <...>
> О сколь ужасна перемена
> Тогда была во дни их буйства,
> Тогда ни виноград, ни смоква,
> Ни персики, ни абрикосы
> Природных вкусов не имели.

(Там же, 136—137)

Эта трактовка крымской эволюции полностью соответствовала взглядам Мордвинова, который в 1802 г. писал в «Мнении относительно Крыма»: «Крым пришел в упадок с тех пор, как вывели из горной части христиан и татары вошли в их сады и места» (Мордвинов 1901, 211). Только возвращение полуострова под эгиду христианских монархов России может привести к возрождению крымского рая. Таврида не просто входит в состав Российской империи, она становится высшим перлом европейской цивилизации. С ее присоединением к России история завершает свой логический круг и начинается золотой век:

> Но если б росски Геркулесы,
> Одушевленные Минервой,
> Ступая на сии хребты,
> Здесь лики водворили муз
> И преселили в мирны сени
> Столетни опыты Европы
> На помощь медленной природе,
> Тогда бы гордый Чатыр-даг
> Меонией прекрасной был бы.
> Салгир чистейшей Иппокреной,
> Тогда исполнился бы тот
> Период славный просвещенья,
> О коем бесподобный Петр
> Пророчески провозвещал,
> Тогда бы музы совершили
> Столь дивно царствие свое
> И *эллиптический* свой путь
> Скончали там, где начинали,
> Из знойного исшед Египта
> В Элладу на брега Эгейски
> И поселясь при гордом Тибре,

Тамизе, Таге и Секване,
Дунае, Рене и Неве
Обратный путь бы восприяли
И возвратилися в источник.
Тогда бы новые Омиры,
Сократы мудры и Платоны
На горизонт наук взошли
И потекли бы как светила
По новому порядку лет.

(Бобров 1798, 163—164)

Пророчество Петра, о котором написал Бобров, это фраза, сказанная ганноверскому послу К. Веберу и получившая широкую известность в России:

Историки полагают колыбель всех знаний в Греции, откуда (по превратности времен) они были изгнаны, перешли в Италию, а потом распространились было и по всем Европейским землям. <...> Указанное выше передвижение наук я приравниваю к обращению крови в человеческом теле, и сдается мне, что со временем они оставят теперешнее свое местопребывание в Англии, Франции и Германии, продержатся несколько веков у нас и затем снова возвратятся в истинное отечество свое — в Грецию.

(Вебер 1872, 1074—1075)

Бобров вносит в эти прорицания в высшей степени существенные коррективы. Музам, собственно говоря, незачем покидать Россию и возвращаться к себе в Грецию, ибо русские в некотором, прежде всего религиозном, смысле и есть греки, а свою Грецию они уже обрели в Тавриде. В этой перспективе уже нет смысла и воевать за Константинополь, ибо идеальным воплощением Константинополя становится возрожденный Таврический Херсонес.

7

Академик Паллас, путешествовавший по Крыму в 1790-е гг., описывал развалины Херсонеса, расположенные, по его мнению, в ближайшей к Севастополю Карантинной бухте (Паллас 1883, 56). Ровно через два столетия ее долго оспаривали для своей части Черноморского флота Россия и Украина. В длинном перечне провинций, отпавших в 1991 г., Крым остается едва ли не единственной, потеря которой, кажется, все еще саднит российское общественное сознание.

Обычно объяснения этой острой ностальгии сводятся или к бытовому «некуда поехать отдохнуть», или к милитаристскому «Севастополь — город русской славы». Между тем для отдыха Крым сегодня доступен куда более, чем разрушенная войной Абхазия или даже Прибалтика, столь же освоенная советскими отпускниками. Что же до «русской славы», то Севастополь, конечно, не может соперничать здесь, например, с Полтавой. Однако все эти места отнюдь не вызывают подобных эмоций.

Можно предположить, что за всеми этими объяснениями, лежат глубинные, но именно поэтому мало отрефлектированные представления о том, что обладание Крымом составляет венец исторической миссии России, ее цивилизационное назначение. Стоит задуматься, каким образом в сознании сегодняшнего человека оживают культурно-символические концепты в буквальном смысле «времен Очаковских и покоренья Крыма».

Не претендуя на исчерпывающий ответ на сложнейший вопрос о механизмах ретрансляции культурной памяти, все же рискнем высказать одно предположение. Решающим фактором в сохранении в массовом сознании памяти о потемкинских проектах является, на наш взгляд, архитектура крымского санатория и пионерского лагеря. Мир белых домов у моря, гравиевых дорожек между кустами лавра, кипарисовых аллей с гипсовыми вазами и статуями, горнистов в алых галстуках на артековской линейке, прогуливающихся курортников в светлых пижамах — это и есть наша Древняя Греция, наш рай, пусть и очищенный после войны волей отца народов от чрезмерного этнического разнообразия, но доступный по профсоюзной путевке или направлению пионерской организации для человека империи. Он может спокойно отдыхать, ибо на рейде в севастопольских бухтах стоит Краснознаменный Черноморский флот с бело-синими морячками в бескозырках, по которым напрасно сохнут девушки в далеких русских деревнях. Именно здесь бытовое и милитаристское истолкования русской тяги к Крыму сливаются до неразличимости.

В книге Владимира Паперного «Культура два» говорится о резком и климатически не объяснимом «потеплении» советской, и особенно московской, архитектуры в 1930-е гг., в высшей точке тоталитаризма. Архитекторы как будто перестают замечать зиму, заботясь исключительно о прохладе, влаге, зелени. По словам Паперного, «мироощущение культуры словно бы сползает на несколько десятков градусов южнее, с 60° широты до, по крайней мере, средиземноморских широт» (Паперный 1996, 171). Трудно сказать, средиземноморские ли это широты или черноморские, но, во всяком случае, ясно: мечта Екатерины и Потемкина пусть временно и странно, но сбылась. Константинополь нам не достался, но империя повернулась к югу и гений полудня превратил «щастливую Москву» в «царство, млеко и мед точащее».

Глава IV

ЭДЕМ
В ТАВРИЧЕСКОМ САДУ

ПОСЛЕДНИЙ ПРОЕКТ ПОТЕМКИНА

П оэма С. С. Боброва, где овладение Крымом интерпретировано не как один из этапов реализации «греческого проекта», но как символический апофеоз российской экспансии
на юг, вышла в свет уже после смерти Екатерины II. Едва ли покойная государыня одобрила бы подобную ревизию своих заветных
планов. Императрица до последних дней сохраняла убежденность
и в принципиальной осуществимости этих замыслов, и в их благотворности для России (см.: Рагсдейл 1988). В то же время ее представления о сроках их возможной реализации колебались в зависимости от изменения политической ситуации. Один из таких сдвигов
произошел в течение 1789 г. 26 января, приказав соорудить для Потемкина триумфальные ворота в Царском Селе, Екатерина велела
снабдить их надписью, взятой из оды В. П. Петрова «На взятие
Очакова»: «Ты в плесках внидешь в храм Софии». Отдавая это распоряжение, императрица заметила: «Он (Потемкин. — *А. З.*) будет
в нынешнем году в Царьграде» (Храповицкий 1874, 245). Однако
10 октября того же года она сделала уже совсем другое предсказание:
«О Греках: их можно оживить. Константин мальчик хорош; он через
тридцать лет из Севастополя проедет в Царьград. Мы теперь рога
ломаем, а тогда уже будут сломлены и для него легче» (Там же, 312).

Таким образом, срок осуществления «греческого проекта» увеличился с года до тридцати, явно отодвинувшись за пределы времени, отпущенного императрице. Такая перемена могла быть вызвана целым рядом обстоятельств — и не слишком благоприятным
ходом турецкой и шведской войн, и начавшейся во Франции революцией, и вновь обозначившейся враждебностью европейских держав по отношению к завоевательным планам России. Но важнейшим фактором, по-видимому, была опасность, которую Екатерина
усматривала в событиях, происходивших в Польше. По словам
С. М. Соловьева, «восточный вопрос терял на время свое значение,
на первом плане стоял вопрос польский» (Соловьев 1863, 251).

Во второй половине 80-х гг. Польша, казалось бы полностью устраненная с европейской сцены разделом и внутренними раздорами, стала неожиданно вновь обретать политическое бытие. На открывшемся в конце 1788 г. сейме огромное влияние приобрела патриотическая партия, настаивавшая на замене анархической шляхетской республики более эффективной системой государственного устройства, политических и социальных реформах, создании национальной армии. Единственным средством к достижению этих целей лидеры патриотов считали союз с Пруссией. Сейм потребовал вывода из Польши русских войск и запретил России использовать свою территорию для сообщения с армией, сражавшейся с турками.

И без того ведшая войну на два фронта Россия была вынуждена принять эти требования. В мае 1789 г. русскому оккупационному гарнизону было приказано покинуть Польшу, где он находился четверть века. До заключения мира с турками и шведами Екатерина стремилась избежать еще одного открытого конфликта. Тем не менее ей было ясно, что империя приобретает на своих западных границах еще одного недоброжелательного соседа, который в любой момент может потребовать пересмотра результатов раздела (см.: Лорд 1915, 92—111). Российской дипломатии предстояло выработать новый политический курс, учитывающий изменившуюся расстановку сил. Такая задача требовала и фундаментальной идеологической переориентации.

Новые ориентиры для российской политики были снова намечены Потемкиным. Утрата светлейшим значительной доли влияния на императрицу и его внезапная смерть, по-видимому, воспрепятствовали официализации и окончательному оформлению его замыслов. Однако эти необычайно интересные проекты определили символику праздника, устроенного Потемкиным для императрицы 28 апреля 1791 г. в Таврическом дворце.

Последнему потемкинскому празднику посвящено несколько страниц исследования Р. Вортмана «Сценарии власти. Миф и церемониал русской монархии» (Вортман 1994, 143—146). В основу своего анализа ученый кладет подробнейшее «Описание торжества в доме князя Потемкина», выполненное Г. Р. Державиным. По замечанию Р. Вортмана, характерным для Державина личным интонациям было суждено утвердиться в церемониальных текстах лишь в XIX в. (Там же, 143; анализ философско-космологических представлений, отразившихся и в самом празднестве, в архитектуре Таврического сада и в державинском «Описании...», см.: Погосян 1997).

Портрет
Г. А. Потемкина-
Таврического.
И.-Б. Лампи Старший

Эта «персональность» державинского «Описания...» могла быть связана с тем, что потемкинский праздник, несмотря на свойственный светлейшему размах и участие всего высочайшего семейства, не был, в строгом смысле этого слова, государственным. Пространство его проведения и его программа были отчетливо маркированы как принадлежащие верноподданному великой государыни, который приносит ей дань любви и признательности за невиданные благодеяния. С другой стороны, поводом для торжеств было событие вполне государственного значения — грандиозная победа российского оружия. «Властелин всемощного Рима <...> не мог бы для празднества своего создать большего дома или лучшего великолепия представить. Казалось, что все богатство Азии и все искусство Европы совокуплено там было к украшению храма торжеств Великой Екатерины. Едва ли есть ныне частный человек, которому бы толь обширное здание жилищем служило», — написал Державин (I, 391, примеч.). В 1808 г., редактируя «Описание...» для четвертого тома своих «Сочинений», поэт исправил этот оборот на «едва ли есть ныне где такой властитель...». На этом со-противопоставлении «частного человека» и «властителя» держалось смысловое напряжение праздника.

Празднуя взятие Измаила в собственном доме, Потемкин объявлял себя единственным творцом одержанной победы. Непосредственно командовавший штурмом Суворов был за три дня до праздника отправлен осматривать шведскую границу. «Недоверчивость к шведскому королю внушил князь, — записал в дневнике секретарь Екатерины Храповицкий. — Говорят, будто бы для того, чтоб отдалить Суворова от праздника и представления пленных пашей» (Храповицкий 1874, 362; ср.: Екатерина и Потемкин 1997, 455)[1]. Однако у этой инициативы был и другой, пожалуй более важный, аспект. Такая приватизация торжеств позволяла их организатору утвердить в сознании императрицы и всего высшего петербургского общества собственную интерпретацию не только измаильского триумфа, но и российской политики в целом.

Первое донесение о взятии Измаила Потемкин отправил Екатерине 18 декабря 1790 г., а 11 января он стал просить у государыни разрешения прибыть в Петербург (Екатерина и Потемкин 1997, 444, 447). Светлейшему так не терпелось, что уже 13-го он сообщил, что едет осматривать строение судов на Днепре, «чтобы в ближнем месте на пути петербургском получить позволение ваше и тем сократить дорогу» (Там же, 449). Потемкин, однако, не выехал из Ясс, но продолжал бомбардировать Екатерину чрезвычайно патетическими просьбами о дозволении приехать. Получив разрешение покинуть театр военных действий при условии, что его отъезд не повредит началу мирных переговоров, князь отправился в столицу, куда прибыл 28 февраля (Храповицкий 1874, 358). По свидетельству современников, его торопили в Петербург сообщения об усиливающемся влиянии на императрицу ее последнего фаворита Платона Зубова. Как вспоминал Державин, Потемкин, «поехав из армии, сказал своим приближенным, что нездоров и что едет в Петербург *зубы дергать*» (Державин IV, 617).

---

[1] В. С. Лопатин, много сделавший для выяснения подлинных обстоятельств биографии Потемкина, впадает в излишнюю апологетику своего героя, утверждая, что отъезд Суворова из Петербурга был связан не с нежеланием светлейшего князя видеть своего прославленного подчиненного на празднике, а с военной необходимостью (см.: Лопатин 1992, 230—231). Необходимости такого масштаба, которая бы не позволяла отложить отъезд Суворова на три дня, конечно, не существовало, и уж тем более ничто не мешало Потемкину хоть как-то отметить во время праздника роль Суворова в штурме Измаила.

Невзирая на последние успехи в турецкой войне и уже подписанный мир со шведами, политическое положение, в котором находилась Россия зимой и весной 1791 г., было далеко от благополучного. Ей угрожало столкновение с неизмеримо более мощной коалицией. Английский флот готовился к отправке в Балтийское море, Пруссия объявила мобилизацию, в Польше усиливались антирусские настроения. Многие ближайшие сотрудники убеждали императрицу уступить давлению держав и принять невыгодные условия мира с Турцией. Потемкин, хорошо знакомый с реальным состоянием армии и не веривший в возможность «рекрутам драться с англичанами» (Храповицкий 1874, 361), еще с юга подключился к этим уговорам, советуя посулить Польше территориальные приобретения в турецкой Молдавии, вести с Пруссией переговоры и «ласкать» Англию, заинтересовав ее выгодным торговым трактатом (Екатерина и Потемкин 1997, 402, 442—443). Появившись в Петербурге, он пытался использовать все свое влияние, чтобы заставить Екатерину «переписаться с королем прусским», а также составил совместно с канцлером Безбородко «записку для отклонения от войны» (Храповицкий 1874, 359, 361).

Екатерина, однако, сумела выдержать и внешнее, и внутреннее давление. Как пишет Р. Лорд, она «благодаря поразительным мужеству и твердости одержала победу, быть может, самую блистательную за все свое царствование» (Лорд 1915, 190). В конце концов из-за сильной оппозиции непопулярной войне с Россией, умело усиленной русской дипломатией, английское правительство отступило от своего ультиматума и согласилось признать куда более приемлемые для Екатерины условия мира, вскоре принятые и турками (см.: Там же, 153—191; Мадарьяга 1981, 416—421; Петров А. I—II и др.). «Курьер с известием, что Англия, по-видимому, в войну <...> не вступит», прибыл в Петербург 30 апреля, через два дня после торжеств в потемкинском доме (Храповицкий 1874, 362).

В этих чрезвычайно драматических личных и политических обстоятельствах Потемкин напряженно готовился к празднику. Окончание строительства дома, оборудование парка и площади перед дворцом, рытье каналов, внутренняя отделка помещений, подготовка спектаклей и балетных представлений были осуществлены под его непосредственным наблюдением ровно за два месяца, начиная с прибытия светлейшего в Петербург. Первоначально праздник планировалось устроить к дню рождения Екатерины — 21 апреля, приходившемуся в 1791 г. на Фомин понедельник, первый после Пасхи. Однако даже организационный гений Потемкина не смог вовремя преодолеть все препятствия, и торжества пришлось на неделю отложить. Тем не менее к 28 апреля подготовительные работы были полностью завершены.

По словам Я. К. Грота, «праздник, который неслыханным великолепием должен был затмить все прежние праздники этого рода» был задуман светлейшим князем как «последнее средство доказать государыне, что по преданности к ней никто не может с ним сравниться» (Державин I, 378). Однако при всей любви светлейшего князя к роскоши и гиперболически пышным церемониям он едва ли мог рассчитывать ослепить ими Екатерину. Его целью было заново перехватить политическую инициативу у нового фаворита, показать, что он по-прежнему способен вынашивать и реализовывать самые грандиозные замыслы. Конечно, сутью этих замыслов он мог делиться с императрицей как в переписке, так и в личных беседах. В то же время именно празднество позволяло снять с его проектов налет сиюминутной дипломатической или придворной конъюнктуры, обнаружить их фундаментальное идеологическое измерение. Потемкинское видение государственных задач России должно было обрести зримое и наглядное воплощение. Учитывая последовавшую менее чем через полгода кончину светлейшего, можно сказать, что торжества 28 апреля стали его политическим завещанием.

2

Возвышение Потемкина в середине 1770-х гг. было связано с выдвинутой им «восточной системой», на основе которой впоследствии сформировался «греческий проект» Екатерины II. Для того чтобы столь же сильно увлечь императрицу своими новыми замыслами, ему надо было предложить ее вниманию идеи, качественно отличные от прежнего проекта, но обладающие по отношению к нему определенной преемственностью.

В 1779 г., по случаю рождения великого князя Константина Павловича, Потемкин уже давал в честь Екатерины праздник на своей даче в Озерках. Праздник этот был всецело выдержан в духе стилизованной античности, характерной для идеологической метафорики «греческого проекта».

Место, где приготовлен был ужин, — пересказывает Я. К. Грот составленное В. П. Петровым описание, — представляло пещеру кавказских гор (находившихся в одном из наместничеств, вверенных хозяину); пещера была убрана миртовыми и лавровыми деревьями, между которыми вились розы и другие цветы; ее прохлаждал ручей, стремительно падавший с вершины горы и разбивавшийся об утесы. Во время ужина, устроенного по обычаю древних, хор певцов под звуки органа пел в честь славной посетительницы строфы, составленные на *эллиногреческом* языке; они были переведены по-русски Петровым, который пользовался особенным покровительством Потемкина.

(Державин I, 379)

Та роль, которую Потемкин играл в «греческом проекте», создавала у современников устойчивую инерцию восприятия всех его действий и планов. В написанной в начале 1791 г. оде «На взятие Измаила» Державин обращается к европейским странам, пытавшимся заступиться за Турцию, с увещеваниями, полностью лежащими в русле давних мечтаний Екатерины о восстановленной Греции и обновленной христианской республике, некогда предсказанной Генрихом IV и М. де Сюлли:

> <...> Росс рожден судьбою
> От варварских хранить
>   вас (европейцев. — *А. З.*) уз,
> Темиров попирать ногою,
> Блюсть ваших от Омаров муз,
> Отмстить крестовые походы,
> Очистить Иордански воды,
> Священный гроб освободить,
> Афинам возвратить Афину,
> Град Константинов Константину
> И мир Афету водворить.
>
> Афету мир? — о труд избранный,
> Достойнейший его детей,
> Великими людьми желанный!

Позднее, составляя «Объяснения...» к собственным сочинениям, Державин укажет, что «город Афины следовало возвратить богине Минерве, под которою разумеется Екатерина», а «Константинополь подвергнуть державе великого князя Константина Павловича». Он также пояснит, что «Генрих IV и другие великие люди желали в Европе мир утвердить» (Там же, 357). Примерно в то же время появился русский перевод «Мира Европы... или Проекта всеобщего замирения» А. Гудара, выполненный «в стане пред Очаковом в 1788 году» (СКРК I, 262, № 1662).

Несколько неожиданно для жанра батальной оды, но вполне предсказуемо для политической ситуации начала 1791 г., отмеченной напряженными ожиданиями нападения Англии и Пруссии, «На взятие Измаила» завершается апофеозом всеобщего мира, в котором победоносная Россия займет достойное ее место.

Получив заказ описать потемкинский праздник, Державин в основном интерпретировал его в том же ключе. «В изумлении своем чаешь быть в цветущей Греции, — писал он, — где одеум, лицей, стадии, экседры и театры из разных городов и мест собрались и в одном сем здании воскресли» (Там же, 390). Базовая метафорика «греческого проекта» вновь ожила в написанных им хорах. Четырьмя годами ранее Екатерина не смогла взять внуков в крымское путешествие, теперь их присутствие на празднике как бы освящало связанные с ними замыслы:

> Кто Александр великий,
> Кто будет Константин, <...>
> Тот громы к персам несть,
> Сей вновь построит Рим.
>
> (Там же, 402)

Речь шла о столице Восточной Римской империи — Константинополе. Мифология возрожденной Греции была и мифологией земного Эдема, которую Потемкин стремился воссоздать еще в своих таврических и новороссийских владениях. Теперь ему предстояло воспроизвести эту условно райскую Грецию в Таврическом дворце. Недаром, подарив дворец Потемкину, Екатерина написала, что дарует ему «рай земной, как ты называешь ту дачу, которую ты у меня просил» (Екатерина и Потемкин 1997, 436; ср.: Погосян 1997, 459—460).

Праздник в античном вкусе, который он давал двенадцатью годами раньше в Озерках, проходил в конце июня, в то время как торжества по поводу измаильской победы — в конце апреля. (По новому стилю, соответственно, в начале июля и в начале мая.) В условиях петербургского климата разница эта была более чем существенна. По словам одного из мемуаристов, «во весь день» праздника «шел дождь и холод был чувствительный» (Кирьяк 1867, 679—680; об авторе воспоминаний см.: Фоменко 1999). Конечно, имитировать изобильную южную природу «холодной, отчасти снежной и дождливой» балтийской весной (Там же) было сложнее и дороже, чем в середине лета, но таким образом еще резче подчеркивалась творческая, преображающая воля устроителя и демиурга празднества.

Высочайшие пальмы, по подбористым и ровным их стеблям до самых вершин увиты как бы звездами и горят как пламенеющие столпы. Ароматные рощи обременены златопрозрачными померанцами, лимонами, апельсинами; зеленый, червленый и желтый виноград, виясь по тычинкам огнистыми кистями своими, и в тенях по черным грядам лилеи и тюльпаны, ананасы и другие плоды пламенностью своею неизреченную пестроту и чудесность удивленному взору представляют, —

восклицал Державин (I, 409).

Т. Кирьяк, описавший праздник в частном письме, оставил более прозаическое разъяснение природы этого изобилия:

Сад состоит из небольших пригорков, густо усаженных цитронными, померанцевыми и другими подобными деревьями, из которых некоторые и плоды имеют; но на большей части деревьев плоды подделаны были из стекла, как-то сливы, вишни и разных цветов виноград, коего целые гроздья представлены сделанными из стекла, наподобие оных фонарями. Из среди сих куртин возвышаются подделанные кедры, кои многолиственными своими верхами поддерживают потолок; а без того оной, судя по пространству здания, не мог бы, кажется, держаться. Дорожки, устланные по краям дерном, также обращали на себя зрение. Все они усажены ананасами, арбузами и дынями натурального цвета, величины и вида. Листья их и стебли сделаны из жести, а самый плод из стекла; все сии плоды имели в середине огонь.

(Кирьяк 1867, 687)

Разумеется, ни Потемкин, заказывавший все эти поддельные фрукты, ни Державин, их воспевавший, не собирались кого бы то ни было вводить в заблуждение. Речь шла о символическом преображении пространства, своего рода театральной декорации, позволявшей гостям ощутить себя участниками мифологического действа (ср. аналогичную трактовку так называемых «потемкинских деревень»: Панченко 1983). Южные растения, декорированные в зимнем саду, свидетельствовали, что благодатный край, который производит эти плоды, также принадлежит пространству империи. По словам еще одного мемуариста, «изобилие и вкус царствовали повсюду, и плоды, кои видели в зимнем саде стеклянными, на столах являлись естественные и в великом множестве» (Державин I, 416; полный текст мемуаров, опубликованный в 1800 г. гамбургским журналом «Минерва», см.: Потемкин 1852; Потемкин 1991). Державин, изобразив в одном из вошедших в «Описание...» стихотворений праздничный пир как совместное произведение различных частей необъятной России, отвел специальную строку «сладким плодам» Тавра, края, покоренного империи Потемкиным (Державин I, 417).

Впрочем, настоящие растения и деревья, также в изобилии высаженные в этом саду, все равно требовали резкого изменения климата. Воздух подогревался печами, «которых для зимнего сего сада потребно было не мало» и которые были «скрыты за множеством зеркал, одинакой величины и цены чрезвычайной» (Державин I, 388, примеч.). Невероятное число зеркал, отмеченное всеми, кто писал о празднике, позволяло не только спрятать от взгляда технические приспособления, но и способствовало иллюзии умножения пространства. «Противолежащая колоннада отделяет от галереи сад, коего украшения еще блистательнее, ибо большая часть оных состоит из зеркал. По обоим концам сея колоннады, между последними двумя столбами, поставлены великие зеркала, увитые зеленью и цветами. В них представляется троякая длина оныя», — писал Кирьяк (1867, 685). Именно с помощью этой системы бесконечных взаимоотражений, усиливавших иллюминацию 140 тысяч лампад и 20 тысяч восковых свечей (Державин I, 408, примеч.), дворец и сад можно было символически расширить до масштабов вселенной[1].

Главная зала торжеств представляла собой, по словам Кирьяка,

некий род храма. Дабы придать великолепия как храму, так и самому преддверию оного, князь дал повеление на последней уже неделе воздвигнуть пред сказанными вратами два огромные столба под красный мрамор. Сие сделалось как бы неким творческим духом. <...> Самой храм или пантеон имеет фигуру квадрата с обрезанными углами, и только две главные стены по правую и левую руку, другие же две стороны занимаются колоннами, поддерживающими небольшие хоры сводом.

(Кирьяк 1867, 682—683)

Вход в залу напоминал «царские врата в большой придворной церкви» (Там же).

Мотивы античного храма были вновь обыграны и усилены в смысловом центре праздничного пространства: «В саду противу самой средины галереи воздвигнут род жертвенника об 8-ми вокруг стоящих столбах, имеющих в диаметре больше аршина и высотою своею равняющихся колоннам галереи. Верх оного сведен куполом, пол выстлан серым мрамором. Среди сего олтаря, на подножии из красного мрамора, стоит образ Екатерины, изсеченный из чистей-

---

[1] О метафоре «сад — вселенная» см.: Погосян 1997, 456—461; о зеркальном гроте и зеркальной пирамиде и порождаемых ими оптических эффектах см.: Кирьяк 1867, 687—689.

Екатерина-
законодательница.
Ф. И. Шубин. 1789—1790

шего белого мрамора в рост человеческий, во образе божества в длинном Римском одеянии» (Там же, 686).

В более эффектном, хотя и менее наглядном описании Державина гость праздника «нечувствительно приходит к возвышенному на степенях сквозному алтарю, окруженному еще восемью столпами, кои поддерживают свод его. Вокруг онаго утверждены на подставках яшмовые чаши, а сверху висят лампады и цветочные цепи и венцы; посреди же столпов на порфировом подножии с златою надписью блистает иссеченный из чистого мрамора образ божества, щедротою которого воздвигнут дом сей» (Державин I, 386).

Во время первой Русско-турецкой войны Петров писал, что освобожденные греки «во храме вольности, покоя и отрады <...> образ сей Паллады век должны жертвой чтить» (Петров I, 77), а Вольтер предсказывал, что «Зевксы и Фидии» покроют Элладу изображениями Екатерины II (Екатерина 1971, 71). Через двадцать лет, за отсутстви-

Зимний сад Таврического дворца. Ф. Д. Данилов. 1792

ем освобожденной Эллады, храм покоя и отрады был возведен в северном Петербурге, а образ Паллады для этого жертвенника, вместо греческих Зевксов и Фидиев, изваял архангельский скульптор Федот Иванович Шубин.

3

Захваченный хорошо знакомым ему кругом классических ассоциаций, Державин затрагивает другие символические пласты празднества гораздо менее подробно и детально. Между тем именно они задают всему действу совершенно иную смысловую динамику[1]. Сами торжества, начавшиеся с появления высочайшего семейства, открылись кадрилью, «из двадцати четырех пар знаменитейших и прекраснейших жен, девиц и юношей составленной» (Державин I, 395). По свидетельству Державина, «они одеты были в белое платье» (Там же). Кирьяк пишет, что «кавалеры были одеты в испанскую одежду, дамы в греческую» (Кирьяк 1867, 691). Кадриль началась с «польского танца», на мотив которого Державин написал свой знаменитый хор «Гром победы раздавайся» (Державин I, 395—398). Затем этот «марш превратился в греческий» танец, «продолжавшийся не более четверти часа», после «чего началось театральное представление» (Кирьяк 1867, 692).

После представления танцы были продолжены, и изысканную кадриль, поставленную прославленным балетмейстером Ш. Ле

---

[1] Мы не касаемся здесь всего круга «ориентальной» эмблематики, очень существенной для понимания как этого праздника, так и вообще поэтики поведения Потемкина, но не связанной прямо с темой настоящей главы (см.: Погосян 1997, 459—462).

Пиком, сменили «пляски по малороссийским и русским простым песням, из которых одна ниже сего следует, — добавляет Державин. — А как собственное народное пение любящим свое отечество нравится более иностранного, то какое было удовольствие видеть пред лицом монарха одобрение (в первом издании — «ободрение». — *А. З.*) к своим увеселениям» (Державин I, 412). Сходное развлечение для гостей Потемкин заготовил и в отдаленной части сада, где на прудах «множество матросов и гребцов богато одетых» (Там же, 413) должны были исполнять гребецкие песни, но, как замечает Кирьяк, «худая погода быть сему не дозволила» (Кирьяк 1867, 694).

Переход к народной музыке Державин объясняет исключительно патриотическими соображениями, однако характерно, что на первое место он ставит «малороссийские песни». Естественно предположить, что именно они исполнялись особенно активно. Более того, отчасти вопреки синтаксису процитированной фразы он включает в «Описание...» образец не «русской простой», но также малороссийской песенной поэзии «На бережку у ставка» (Державин I, 413). По указанию Я. К. Грота, «эту малороссийскую песню можно отыскать в "Песеннике" И. Гурьянова (Ч. IV. М., 1835. С. 114), где она помещена под заглавием "Награжденный казак за спасение девушки от потопления"» (Державин I, 413)[1].

Не вполне ясно, то же ли сочинение имеет в виду Кирьяк, когда пишет, что и «по отбытии» императрицы «пели со всеми инструментами одну любимую князем и ныне всем городом малороссийскую песню» (Кирьяк 1867, 694). Но, во всяком случае, не подлежит сомнению, что присутствие украинской тематики в составе торжества было достаточно значительным. При этом переход от античных мотивов к народным, и прежде всего малороссийским, был уже отчасти подготовлен театральным представлением.

«Открылся занавес, — пишет Державин. — Место действия и помост осветился лучезарным солнцем, в среди которого сияло в зеленых лаврах вензелевое имя Екатерины II. Выступили танцовщики, представлявшие поселян и поселянок. Воздевая руки к сему благородному светилу, они показывали движениями усерднейшие

---

[1] Близкий друг Державина Н. А. Львов в статье «О русском народном пении», опубликованной примерно в то же время, проводит между малороссийскими и великороссийскими песнями четкое различие: «Свойство малороссийских песен и напев совсем от русских отменен: в них более мелодии нежели в наших плясовых; но мне неизвестна ни одна армоническая малороссийская песня, которая бы равнялась с нашими протяжными» (Львов 1994, 314).

свои чувствования» (Державин I, 405). Дальнейший сценарий представления четко указывал и на самую главную причину этой благодарности.

По свидетельству современника, опубликованному в гамбургском журнале, первая комедия, игравшаяся на потемкинском празднике, называлась «Les faux amants [Ложные возлюбленные]». В библиографии французских пьес XVIII в. такого произведения не значится, но есть комедия под заглавием «Le faux amant [Ложный возлюбленный]». Ее полное название «Слуга-дворянин, или Ложный возлюбленный, или Наказанная гордость», она принадлежит мадам А.-Л.-Б. Бонуар [Beaunoir] и была впервые поставлена в Париже в 1776 г. (см.: Бреннер 1947, 175, № 3538). К сожалению, отыскать текст этой пьесы нам не удалось, но другое произведение, исполненное на празднике, устанавливается с полной определенностью.

Автором пьесы «Смирнский купец [Le Marchand de Smyrne]» был знаменитый французский драматург и афорист Никола Шамфор. Написанная в 1770 г., она была тогда же поставлена в «Комеди Франсез», имела шумный успех и вызвала резкую критику Гримма и Лагарпа (Арно 1992, 50—51; Тепп 1950, 100—101). Важнейшей особенностью комедии был ее радикально антифеодальный и эгалитаристский пафос. Много позже сам Шамфор, ставший одним из самых популярных публицистов Французской революции и обвиненный в дни якобинского террора в сочувствии аристократам, приводил в свое оправдание именно эту пьесу. «Шамфор — аристократ, — писал он, — те, кто знают меня, расхохотались бы. — <...> Аристократ! Тот, у кого любовь к равенству всегда была господствующей страстью, врожденным, непобедимым и автоматическим инстинктом! Тот, кто больше двадцати лет назад принес в театр "Смирнского купца", которого и сегодня часто исполняют на сцене и в котором дворян и аристократов любого рода продают задешево, потому что они ничего не стоят» (Арно 1992, 246).

При всей вынужденно избыточной риторике этих заявлений, Шамфор верно излагает суть дела. Сюжет его комедии весьма незамысловат. Благородный турок Гасан, некогда бескорыстно выкупленный из неволи незнакомым французом, дает обет каждый год выкупать и освобождать одного пленного христианина. Исполняя этот обет, он натыкается на своего благодетеля Дорваля. В тот же день столь же благородная супруга Гасана выкупает европеянку, которая неожиданно оказывается возлюбленной Дорваля. Растроганный Гасан покупает на невольничьем рынке и отпускает на свободу и всех товарищей Дорваля по несчастью, которые вместе с обеими парами празднуют счастливое соединение возлюбленных.

В центре пьесы сцена продажи невольников купцом Каледом. Парадоксальным образом цена, по которой продает свой товар этот алчный работорговец, и определяет реальную стоимость каждого человека. Немецкий барон, испанский идальго, юрист из Падуи, ученый знаток генеалогии не стоят здесь ничего, ибо не способны к настоящему труду. Между тем слуга, «умеющий работать, пахать хлеб да <...> еще и не дворянин», стоит воистину дорого. Моралист Гасан не может поверить, что среди европейцев существуют «такие люди, которые не учатся ничему, надеясь на природное свое право провести свою жизнь в праздности за счет ближних» (Шамфор 1789, 43)[1].

Было бы очень соблазнительно, в особенности опираясь на перекличку с приведенным выше заглавием комедии мадам Бонуар, увидеть в выборе репертуара для праздничного представления вызов «выскочки» Потемкина аристократической спеси его более родовитых противников при дворе. Однако такого рода предположения следует выдвигать только с большой долей осторожности, поскольку совершенно неясно, что именно увидели зрители на устроенных во дворце подмостках.

Анонимный мемуарист из журнала «Минерва» называет «Смирнского купца» «комедией» (см.: Державин I, 404, примеч.), между тем Державин говорит о нем как о балете и упоминает лишь эпизод продажи невольников. Не исключено, что это отнюдь не обмолвка. Дело в том, что еще в 1771 г. немецкий композитор Георг Йозеф Фоглер написал по мотивам пьесы Шамфора одноименную оперетту в «популярном итальянском стиле с блестящими ариями, двумя бравур-ариями, дуэтом и терцетом» (Шафхойтль 1979, 14). Одна из увертюр к оперетте приобрела исключительно широкую популярность и часто исполнялась отдельно.

---

[1] Особый и чрезвычайно любопытный историко-литературный сюжет — рецепция «Смирнского купца» в России. Первая отечественная переделка пьесы появилась почти сразу же после выхода в свет оригинала — в 1771 г. под заглавием «Благодеяния приобретают сердца». В. С. Сопиков приписывает этот перевод А. С. Шишкову. Затем в 1780 г. комедия под заглавием «Смирнинской купец», переведенная В. В. Лазаревичем, появляется в журнале «Что-нибудь». Наконец, в 1789 г. еще один анонимный перевод под названием «Возвращенное благодеяние» выходит в университетской типографии (см.: СКРК I, 106, № 591; III, 484, № 591; I, 172, № 1045; III, 485, № 1045; Пухов 1999, 183—184). Мы не рассматриваем здесь эту проблематику, поскольку на потемкинском празднике комедия, вероятно, игралась по-французски.

Вряд ли Державин перепутал бы балет с опереттой, но, возможно, на празднике исполнялось не все сочинение Фоглера, а только балетный дивертисмент. Впрочем, здесь мы сталкиваемся еще с одним противоречием. В «Минерве» речь идет о «двух французских комедиях и двух балетах» (Державин I, 404, примеч.), между тем в державинском «Описании...» упомянуты (в зависимости от того, как квалифицировать «Смирнского купца») два балета и одна комедия или две комедии и один балет. Цифры сойдутся, только если посчитать пьесу Шамфора дважды и предположить, что исполнение комедии завершалось балетом, для которого была выбрана эффектная сцена невольничьего базара.

Интерпретация, которую дает Державин этой истории про «смирнского купца, торгующего невольниками всех народов», совершенно недвусмысленна:

К чести российского оружия не было ни одного соотечественника нашего в плену сего корыстолюбивого варвара. Какая перемена политического нашего состояния! Давно ли Украйна и понизовые места подвержены были непрестанным набегам хищных орд? давно ли? О коль приятно напоминание минувших напастей, когда они прошли как страшный сон! Теперь мы наслаждаемся в пресветлых торжествах благоденствием. О потомство! ведай: все сие есть творение духа Екатерины.

(Там же, 405—406)

Таким образом, балет, изображавший благодарность поселян к «лучезарному солнцу», равно как и вся комедия Шамфора (вне зависимости от того, что именно увидела избранная публика) прославляли совместное достижение Екатерины и Потемкина — избавление южных областей империи от турецкого владычества и угрозы татарских набегов. Четырьмя годами ранее, во время поездки императрицы в Крым, малороссийский элемент почти отсутствовал в символике действ, устраивавшихся Потемкиным. В ту пору светлейшего более всего интересовали перспективы греко-скифского синтеза. Теперь же в центре его внимания оказались именно «Украйна и понизовые места», то есть территории расселения казачьих войск.

Мы не знаем, были ли балетные поселяне, благодарившие императрицу, одеты в условно-идиллические или в народные, русские или украинские, костюмы — Державин об этом умалчивает, а более приметливый, хотя и менее красноречивый Кирьяк на представлении не был (Кирьяк 1867, 692). Он, однако, обратил внимание на наряды «преогромных гайдуков», прислуживавших гостям во время пира и одетых «в польское или черкесское» платье (Там же, 693). Как и персонажи других потемкинских маскарадов, эти гайдуки вводят нас в самую суть занимавшей светлейшего политической проблематики.

4

Позиция Потемкина в польском вопросе с трудом поддается однозначной интерпретации. На всем протяжении этого периода он предлагал разные, порой взаимоисключающие планы действий и со свойственными ему энергией и решительностью немедленно приступал к их реализации. Причем если некоторые его замыслы сменяли друг друга, то другие шаги в противоположных направлениях он порой предпринимал параллельно, как бы стремясь иметь заранее подготовленный ответ на любой из возможных вариантов развития событий.

В 1787—1788 гг. главной идеей Потемкина было заключение русско-польского союза, по которому существенной части польского ополчения предстояло влиться в русскую армию, воевавшую с Турцией под началом светлейшего князя. За это Россия должна была предоставить Польше финансовые субсидии и согласиться на осуществление там некоторых важных государственных реформ. Переговоры о таком союзе Потемкин вел одновременно и с реформаторски настроенным королем Станиславом Августом, и с лидерами аристократической оппозиции, вроде гетмана Ф. Браницкого, который как раз видел в опоре на Россию гарантию от каких-либо изменений. Вероятно, поддерживая контакты с обеими сторонами, светлейший стремился сохранить за собой в дальнейшем свободу действий. В то же время такая политика свидетельствовала, что внутренние проблемы Польши казались ему маловажными сравнительно с перспективой объединить военные усилия и получить под свое командование польские части.

Общее представление о том, каким виделся Потемкину русско-польский союз, можно составить по двум его запискам Екатерине (Екатерина 1874, 269—280). Записки эти не датированы, но по содержанию, скорее всего, относятся к тому же периоду. Впрочем, для уверенной датировки у нас нет достаточных оснований, поскольку планы такого рода Потемкин вынашивал с 1787 г. и практически до смерти. Светлейший предлагал начать с формирования национальных польских бригад, на базе которых должна была возникнуть пророссийская конфедерация.

Эти намерения Потемкин пытался реализовать еще во время южного путешествия Екатерины весной 1787 г. (см.: Лорд 1915, 515). В письме Екатерине от 25 декабря он вспоминал о своих заслугах в создании союза с Австрией и подчеркивал, что его нынешние предложения есть продолжение той же политики:

> Вы изволите упоминать, что союз с Австрией есть мое дело. Сие произошло от усердия. От оного же истекал в Киеве и польский союз. <...> Из приложенного у сего плана вы изволите усмотреть, какой бы сей союз был. Они бы уже теперь дрались за нас, а это было бы весьма полезно, ибо чем тяжелее наляжем на неприятеля, тем легче до конца достигнем. Мои советы происходили всегда от ревности. Ежели я тут неугоден, то вперед, конечно, кроме врученного мне дела говорить не буду.

> (Екатерина и Потемкин 1997, 257—258)

Тон этого письма показывает, что Потемкин знал, что планы его не встречают поддержки у Екатерины, крайне скептически относившейся к полякам и пользе, которую Россия может извлечь от союза с ними. Он, однако, продолжал настаивать, считая, что может и должен возглавить польское народное ополчение:

> Куда бы, матушка, хорошо поскорей решить поляков и при сем им надобно обещать из турецких земель, дабы тем интересовать всю нацию, а без того нельзя. Когда изволите апробовать бригады новые народного их войска, то та, которая графу Браницкому будет, прикажите соединить к моей армии. Какие прекрасные люди и, можно сказать, наездники. Напрасно не благоволите мне дать начальства, если не над всей конницей народной, то хотя бы одну бригаду. Я столько же поляк, как и они. Я бы много добра сделал», — писал он 5 февраля.

> (Там же, 265; ср. с. 260, 268 и др.; план «народной милиции», составленный Браницким, вероятно, при участии Потемкина см.: Екатерина 1874, 274—280)

Как справедливо замечает В. С. Лопатин, «называя себя поляком, Потемкин напоминает о своем происхождении из смоленской шляхты», имевшей исторические связи с польским дворянством (Екатерина и Потемкин 1997, 807). Разумеется, столь гиперболически усиливая польскую составляющую своей генеалогии, Потемкин не перестает ощущать себя великороссом. Скорее речь идет о том, что он способен выступить связующим звеном между двумя народами, тем паче, что за упомянутым выше графом Браницким была замужем одна из его племянниц.

С исключительным рвением Потемкин скупал имения в Польше, превращаясь в одного из крупнейших землевладельцев республики, что давало ему право голоса на сейме и статус одного из польских магнатов. В уже цитировавшемся письме от 25 декабря он писал, что купил в Польше имение Любомирского, «дабы сделавшись владельцем, иметь право входить в их дела и в начальство военное» (Там же, 257; о польских владениях Потемкина см.: Лорд 1915, 514—515).

Екатерина совсем не была убеждена в правоте своего корреспондента. Частично следуя настояниям Потемкина, она в то же время писала: «...выгоды им обещаны будут; естьли сим привяжем поляков и будут нам верны, то сие будет первый пример в истории постоянства их. <...> Принять в армию и сделать их шефами подлежит рассмотрению личному, ибо ветреность, индисциплина или расстройство и дух мятежа у них царствуют» (Екатерина и Потемкин 1997, 271). Светлейший пытался возражать. «В рассуждении дисциплины, — писал он, — то, матушка, будьте уверены, что я вам говорю истину: что у них в учрежденных войсках оная наблюдается даже до педантства. Персонально же из них выдаются люди отличной храбрости и немало было знаменитых в других службах» (Там же, 274).

Однако убедить императрицу ему не удалось. Составленный ею проект договора не содержал практически никаких существенных уступок Польше и ни в малой степени не мог переломить нарастания там антирусских настроений. «В Польше худо, чего не было бы, конечно, по моему проекту, — писал Потемкин Екатерине в конце 1788 г. после открытия сейма. — Но быть так» (Там же, 327; ср. с. 334—335).

Неудача этого предприятия побудила светлейшего с еще большим рвением действовать в иных направлениях. По-прежнему полагая, что «армия национальная необходимо требует умножения милиции» (Там же, 340), то есть ополчения гражданского населения, он перенес основные надежды с польской конницы на казачьи войска. Формированием казачьих частей Потемкин активно занялся еще с самого начала Русско-турецкой войны (см.: Там же, 258, 266, 329, 341, 353 и др.; подробнее см.: Петров А. I, 125—129). Эти силы нужны были Потемкину на турецком фронте, однако параллельно он связывал с ними планы совсем иного рода. В конце 1789 г. он послал императрице «план, касательный Польши» (Екатерина и Потемкин 1997, 381). Выдержки из этого плана были недавно опубликованы В. С. Лопатиным.

> О Польше. Хорошо, естли б ее не делили, но когда уже разделена, то лутче б, чтоб вовсе была уничтожена, соседи уже сближены. В таком случае зло будет меньше, ежели между нами не будет посредства, ибо самому иметь кому-либо из них войну трудно, нежели действовать интригами, подуща третьего, и нас тем тяготить, не теряя для себя ни людей ни иждивения. И так оставить Польшею только княжество Мазовецкое + и нечто Литвы. Естли б первый Прусский Король взял, сие было бы еще полезнее, тогда б мы могли цесарцев вовлечь, —

писал Потемкин. По его словам, жители восточных воеводств Польской республики испытывали желание

> возобновить прежнее состояние, как они были под своими гетманами, и теперь все твердят, что должно опять им быть по-прежнему, ожидая от России вспоможение. Сие дело исполнить можно самым легким образом. По начальству моему над казаками имянуйте меня Гетманом войск казацких Екатеринославской губернии.

> (Там же, 893)

Таким образом, Потемкин планировал стать гетманом Восточной Польши, населенной в значительной степени православными украинцами.

Предложения Потемкина вызвали у Екатерины известное беспокойство. «Имянование Гетманом войск казацких Екатеринославской губернии затруднению не подлежит, — отвечала она, — и рескрипт о сем недолго заготовить. Но от подписания меня удерживает только то одно, чего тебе самому отдаю на разрешение: не возбудит ли употребление сего названия в Польше безвременного внимания Сейма и тревоги во вред делу?» (Там же, 387).

Возможно, такая реакция на его замыслы заставила светлейшего предположить, что сама императрица или его противники при дворе истолковали его желание получить гетманскую булаву как проявление непомерного честолюбия и далеко идущих намерений. В своем ответе он отводит не только высказанные, но и оставшиеся между строк аргументы высочайшей собеседницы: «Сие умножит у поляков и забот, и страху. Ресурс неожидаемый всегда поразит. План будет секретный, а к имени привязки сделать нельзя. Я тут себе ничего не хочу; если б не польза ваша требовала, принял ли бы в моем степени фантом, более смешной, нежели отличающий. Но он есть средством, и могу сказать одним, как ни оборачивать, но не можно оставить Польшу. Так нужно, конечно, ослабить или, лутче сказать, уничтожить» (Там же, 394).

Екатерина приняла доводы Потемкина. «Изволь трудиться, Господин Великий Гетман, — милостиво написала она ему. — Вы человек весьма умный, хороший и нам верный, а мы Вас любим и милуем» (Там же, 396). Указ о наименовании Потемкина Великим Гетманом Императорских Екатеринославских и Черноморских казачьих войск был подписан 10 января 1790 г. и немедленно распространен Потемкиным по всем упомянутым в нем территориям (Там же, 901—902). Трудно сказать, в какой мере светлейший действительно считал свой новый титул «смешным фантомом». По крайней мере, он полагал важным для себя часто появляться в немедленно пошитом им гетманском костюме, в котором он остался в памяти многих современников и потомков (Энгельгардт 1997, 82—83). Кстати, именно в таком наряде он появляется на страницах гоголевской «Ночи перед Рождеством» (Гоголь I, 235).

Планы Потемкина спровоцировать восстание украинского населения Польши и с помощью казачьих войск подчинить ее восточную часть своей гетманской власти относятся к концу 1789 г. Но, как проницательно предположил Р. Лорд, вероятно, они существовали и ранее, когда Потемкин формировал казачьи части и скупал польские земли (Лорд 1915, 516). Косвенное, но важное подтверждение этому можно найти в шуточном стихотворении Державина «На Счастие», написанном весной 1789 г., как раз во время первого приезда Потемкина с юга в Петербург.

В этом стихотворении Державин аллегорически изображал политическую ситуацию тогдашней Европы, демонстрируя чрезвычайную осведомленность во всех нюансах русской дипломатии. По мнению Я. К. Грота, источниками информации поэта могли быть как секретарь Екатерины и его давний приятель А. В. Храповицкий, так и его ближайший друг Н. А. Львов, служивший при канцлере Безбородко (см.: Державин I, 247). Перечисляя различные поступки Счастия, эмблематизировавшего в стихотворении Екатерину и русскую политику в целом, Державин, в частности, пишет, что оно «хохол в Варшаве раздувает». И без того прозрачный смысл этой строчки становится окончательно ясен, если сопоставить ее с автопримечанием Державина к строке «И вьется локоном хохол» из того же стихотворения. Державин пояснил, что под «хохлом» он здесь имел в виду Безбородко и других малороссиян, «знатные роли счастливо игравших» (Там же, 255).

Отстаивая идею союза с Польшей, Потемкин в то же время, «на всякий случай», готовился к развязыванию там гражданской войны. Точно так же, активно продвигая планы казачьей интервенции и раздела королевства, светлейший держал в резерве и вариант восстановления русско-польского союза. «Мое поведение на Украине всех привлекает поляков», — писал он императрице в марте 1790 г. (Екатерина и Потемкин 1997, 401), а полугодом позже уверял ее, что «большая часть» польской нации «наклонна России» и лишь «прусский» сейм служит препятствием для этих естественных наклонностей. В самом конце года, уже послав Суворова штурмовать Измаил, он вновь настойчиво побуждал Екатерину привязать к себе умы поляков, посулив им Молдавию (Там же, 442, 443).

Возникает естественный вопрос: в каком соотношении между собой находились эти взаимоисключающие проекты? Можно ли обнаружить в них единый стратегический замысел? Иными словами, менял ли Потемкин свое видение политических целей России в зависимости от колебаний конъюнктуры, или речь для него шла лишь о выборе правильного способа достижения этих целей?

Многие современники и историки полагали, что Потемкин решал по преимуществу задачи личного свойства, стремясь заполучить для себя, в виду возможной смерти императрицы и хорошо известной ненависти к нему наследника престола Павла Петровича, какое-то самостоятельное владение в Польше. В 1787 г. английский посланник Фицгерберт писал в Лондон, что «Князь Потемкин из новокупленных в Польше земель, может быть, сделает Tertium quid, ни от России, ни от Польши независимое» (Храповицкий 1874, 28). Разговоры о том, что Потемкин питал такого рода надежды в последний год жизни, воспроизводят в своих воспоминаниях столь разные люди, как польский аристократ М. Огиньский (I, 148) и родственник Потемкина Л. Н. Энгельгардт (1997, 95)[1]. По свидетельству Энгельгардта, именно в связи с формированием полка Великой Гетманской Булавы, укомплектованного настолько, что он, по сути, составлял целую армию, начались толки о намерениях светлейшего: «одни полагали, что [Потемкин] хотел быть господарем Молдавии и Валахии, другие — что он хотел объявить себя независимым гетманом, иные думали, что он хотел быть королем польским» (Там же, 94—95).

Разумеется, Потемкин знал об этих слухах и отвергал их с негодованием. «Неужели я в подозрении и у вас. Простительно слабому

---

[1] Сводку источников и литературы по этому вопросу см.: Лорд 1915, 512—515. Р. Лорд ошибочно толкует процитированную нами запись из дневника Храповицкого и приписывает суждение из перлюстрированного письма английского посланника Екатерине.

Королю думать, что хочу Ево места. По мне — черт тамо будь. И как не грех, ежели думают, что в других могу быть интересах, нежели государственных», — писал он А. А. Безбородко (Екатерина и Потемкин 1997, 920). Конечно, к любым заявлениям такого рода, исходящим к тому же от крупного и опытного политика, следует относиться с большой долей осторожности. И все же известного доверия слова Потемкина заслуживают. Как подчеркивал не знавший этого письма историк А. Н. Фатеев, говорить «о тайном намерении Потемкина надеть корону пястов решительно нет оснований. <...> Потемкин скупал польские земли и получил на Сейме польское дворянство. Едва ли он был настолько простодушен, что полагал, что обойдется без Екатерины, и настолько не думал об интересах отечества. <...> Польским королем мог быть католик. Потемкин не походил на ренегата» (Фатеев б.д., 90).

Однако, если предположить, что речь шла не о короне пястов, но о гетманстве на территории украинских воеводств Польши и ряда юго-западных губерний Российской империи, уже вверенных управлению светлейшего, то ситуация решительно изменится. О подобных намерениях Потемкин и сам писал Екатерине и, следовательно, имел основания надеяться, что императрица их одобрит. Между тем, при политическом устройстве тогдашней Польши с бесконечно изменявшимися очертаниями конфедераций и реконфедераций такое гетманство обладало бы значительной долей независимости.

Это толкование помогает понять и смысл несколько странного свидетельства племянницы Потемкина графини Браницкой, сказавшей, что светлейший намеревался «возглавить всех казаков, объединиться с польской армией и провозгласить себя королем Польши» (Лорд 1915, 513).

Строя подобные планы, Потемкин был одержим свойственным ему честолюбием, но он не мог не полагать, что действует в высших государственных интересах России. В сложной унии Польши и России центральное место и в географическом, и в политическом отношении должно было занимать подчиненное светлейшему малороссийское казачество. Предлагавшаяся конструкция отчетливо напоминала ту, которая должна была возникнуть в результате осуществления «греческого проекта», где между возрожденной греческой и российской империями предусматривалось создание королевства Дакия, одно время тоже предназначавшегося Потемкину (см.: Мадарьяга 1981, 377—388). Теперь светлейший князь выступал с новой инициативой, в которой ему предстояло играть еще более значимую роль.

Если основой «греческого проекта», или «восточной системы», выдвинутой Потемкиным в противовес «северной системе» Н. И. Панина, было религиозное единство России, Греции и дунайских княжеств, из которых предполагалось составить Дакию, то новый проект (по аналогии с предыдущими его можно назвать «западной системой») делал основой грядущего единства народов славянское братство. Его живым воплощением была сама фигура светлейшего князя, объединявшего в себе польского магната, малороссийского гетмана и ближайшего сподвижника (по некоторым предположениям — тайного мужа[1]) российской государыни.

5

На протяжении всей карьеры Потемкина бардом его побед, замыслов и празднеств неизменно был Петров. На этот раз светлейший обратился к Державину, что, как справедливо заметил Я. К. Грот, «легко объясняется тогдашней поэтической славой последнего» (Державин I, 407). Именно в эти годы Державина начали привечать при дворе, а его ода «На взятие Измаила» удостоилась одобрения императрицы, при встрече сказавшей поэту: «Я не знала по сие время, что труба ваша столь же громка, как и лира приятна» (Там же IV, 614). Этот отзыв закреплял за певцом Фелицы статус официального поэта, подтверждавший единодушное мнение читающей публики, никогда особенно не благоволившей В. Петрову.

Сблизившийся в ту пору с Державиным И. И. Дмитриев впоследствии вспоминал о несколько ревнивом отношении к старшему поэту, принятом в державинском окружении: «Оды его (Петрова. — *А. З.*) и тогда были при дворе и у многих словесников в большом

---

[1] В. С. Лопатин, обстоятельно аргументирующий старинную версию о тайном браке Екатерины и Потемкина, называет его «мужем и соправителем» Екатерины (Екатерина и Потемкин 1997, 531, 540 и др.). Ранее ту же терминологию употреблял в своих пражских докладах А. Н. Фатеев (б.д., 34—46). Даже если соглашаться с первым определением, нельзя не отметить, что «соправителем» Потемкин не был никогда. Императрица, конечно, доверяла ему и высоко ценила его государственные дарования, но ни по своим взглядам, ни по человеческому складу, ни по политическому стилю она не нуждалась в соправителях и не потерпела бы их рядом с собой. Да и тщательно собранные В. С. Лопатиным материалы не оставляют на этот счет никаких сомнений. Потемкин предлагает, просит, настаивает, умоляет, но все решения принимает только Екатерина, и порою они оказываются совсем не по сердцу ее корреспонденту.

уважении; но публика знала его едва ли не понаслышке, а Державин и приверженные к нему поэты хотя и не отказывали Петрову в лирическом таланте, но всегда останавливались более на жесткости стихов его, чем на изобилии в идеях, на возвышенности чувств и силе ума его» (Дмитриев 1986, 302).

Взявшись исполнять потемкинский заказ, Державин ощущал потребность опереться на опыт Петрова. Во всяком случае, он собственноручно переписал оду, сочиненную тем для маскарада, устроенного Потемкиным в 1779 г. в Озерках, и набросал один из своих хоров для измаильского праздника на ее обороте (Державин I, 407). Действительно, задача, стоявшая перед Державиным, была для него в достаточной мере непривычна и сложна. Значительно превосходя Петрова степенью общего признания и, вероятно, мощью поэтического дара, он не обладал ни образованием, ни самостоятельностью и глубиной политического мышления, отличавшими его предшественника. А самое главное, за его спиной не было десятилетий, проведенных в тесном общении с Потемкиным. В «Плаче на кончину Потемкина» Петров писал о «преньях», которые они вели со светлейшим «о промысле и роке, о смерти, бытии, о целом мира токе» (Петров II, 111; ср.: Кочеткова 1999, 425—428).

Неудивительно, что наиболее полное отражение поздних замыслов Потемкина можно найти не столько в державинском «Описании...», еще всецело ориентированном на привычный для автора «греческий проект»[1], сколько в одах Петрова, написанных как в последние годы жизни светлейшего князя, так и после его смерти. Ода Петрова «На взятие Очакова» представляет собой монолог аллегорического Днепра, торжествующего освобождение своего устья от турецкого владычества:

> Я сам подвержен был несчастью,
> Мой желтый брег судьбины властью
> Постыдной сделан был межой;
> Поитель Россов, друг их славе,

---

[1] Как известно, «Описание...» вызвало гнев светлейшего, который по прочтении, как пишет Державин, «с фуриею выскочил из своей спальни <...> и ускакал Бог знает куда» (Державин VI, 619—620). И сам Державин, и его современники (см.: Дмитриев 1986, 299), и биографы (см.: Грот 1997, 397—398; Ходасевич 1988, 169—170) предлагали различные объяснения причин этого гнева. С должной мерой осторожности можно дополнить ряд выдвигавшихся гипотез предположением, что, по крайней мере отчасти, Потемкина могло рассердить то, что Державин не понял его мыслей и намерений.

> Я с радостью в их тек державе,
> Неволей кончил век в чужой.
> Но ныне вполне я восставлен,
> О Россы, силой ваших рук,
> От поношения избавлен
> И нестерпимых сердцу мук.
>
> (Петров II, 53)

Речь здесь идет о переходе под власть России устья Днепра, ранее принадлежавшего туркам. Со взятием Очакова, стоявшего в днепровском лимане, процесс этот был завершен. Однако Днепр долгое время служил для России границей, или, по выражению Петрова, «постыдной межой», не только с Турцией, но и с Польшей. Окончательное превращение Днепра во внутреннюю российскую реку Петров воспел уже в 1793 г. в оде «На присоединение польских областей к России», написанной после второго раздела Польши, который он истолковал как исполнение заветных чаяний своего покойного друга.

Екатерина не хотела широкомасштабных торжеств по случаю второго раздела. В предисловии к первому изданию оды Петров отмечает, что «как о сем происшествии, сколь оно ни спасительно, молебен пет, а из пушек не палимо», им овладело сомнение, нужно ли «заряжать стихотворным громом идеи в описании дела, которое кончилось бесшумно», и угодит ли он государыне «усилением растверживать то, что, по-видимому, сочтено маловажным». Поэт был выведен из этого недоумения явлением «Днепра, величественного бога с венцом на главе, в торжественной ризе, держащего в руках длинный свиток, на коем изображены были села, города и народы, сквозь кои он протекает». Как пишет Петров, «худоба или изрядность песни, которую я пел, лежит вся на отчете Днепра, я в том не участник, я был только его переписчик» (Петров 1793, б.п.). Подобно очаковской, эта ода строится как апофеоз Днепра, празднующего свое полное освобождение:

> Услышав Днепр веленье рока,
> Дабы, сколь логом ни далек,
> Он весь от моря до истока
> Во области Российской тек,
> Чело венками увивает,
> Пресветлу ризу надевает
> И должную воздав хвалу
> Великой Севера Богине,

> Его веселия причине,
> Восходит спешно на скалу.

В верховьях Днепра находится Смоленск, родной город Потемкина. Ниже по его течению лежал Екатеринослав, город, заложенный светлейшим как южная столица России. Именно по Днепру начала Екатерина свое путешествие в Крым 1787 г., ставшее высшей точкой карьеры Потемкина и признания его заслуг как строителя нового государства. Воспевая присоединение к империи последних приднепровских областей, Петров вспоминает то плавание императрицы, которое явилось предзнаменованием грядущего положения Днепра в сердце державы и превратило его берега в земной рай:

> Каков величествен в вершине,
> Коль славен в устии моем,
> Таков теперь в моей средине
> Я живо движусь телом всем.
> Весь с матерью, нет части сирой,
> Весь красной оттенен порфирой;
> Со дня как Боги принесли
> На брег Тя мой, сладчайша Мати,
> Предзнак грядущей благодати
> На ней оливы проросли.

Именно Днепр, объединяющий великороссов, малороссов и поляков, призван в риторике Петрова символизировать Российскую империю и потому может пророчествовать о грядущем славянском братстве, в котором России суждено играть ведущую роль.

> Приидет некогда то время,
> Днепр если может то проречь,
> В которо все славянско племя
> В честь Норда препояшет меч.
> Росс будет телеси главою,
> Тронув свой род побед молвою,
> Он каждый в рассеяньи член,
> Собрав в едино, совокупит
> И тверд родствами гордо вступит
> Меж всех в подсолнечной колен.

В этой панславистской утопии грядущего единения славян вокруг России особое место отводится Польше, вошедшей в состав Российской империи ранее других единокровных народов:

> Но вам, наперсники России,
> Поляки, первородства честь;
> Вы дни предупредили сии,
> Вам должно прежде всех расцвесть.
> Став с Россом вы в одном составе,
> Участвуйте днесь первы в славе,
> В блаженстве имени его.

В своих призывах к польско-русскому братству Петров достигает поистине экстатического вдохновения:

> Причастники усыновленья,
> Того же ветви древеси,
> Язык свят, люди обновленья,
> Которым небо, небеси
> И мира таинства открыты,
> И подвиги презнамениты,
> И счастья храм, где славы трон,
> Поклоньшися Екатерине,
> Присутствующей в ней Богине,
> Не выходите тщетно вон.

(Петров II, 138—151)

6

Реальность второго раздела Польши никак не соотносилась с этими мечтаниями. Екатерина и раньше воспринимала проекты светлейшего с большой осторожностью. Она не одобряла русско-польского союза, во всяком случае не считала, что Россия должна идти ради него на какие-либо уступки, потому что не доверяла полякам. Она считала, что украинский план светлейшего может быть пущен в ход только в случае нападения на Россию Пруссии и Польши, ибо опасалась казачьей вольницы. Она не видела особых выгод и в новом разделе, поскольку не хотела допустить усиления злейшего врага России, каким она считала прусского короля. По-видимому, наилучшим вариантом она считала восстановление существовавшего до 1788 г. статус-кво, при котором Польша оставалась бы слабой и анархической республикой, не способной влиять на европейскую политику и в которой Россия бы сохраняла безраздельное влияние. Однако развитие событий сделало такое возвращение назад невозможным.

На следующий день после праздника в Таврическом дворце в Петербург прибыл курьер от русского посланника в Варшаве Я. И. Булгакова, сообщивший о состоявшейся там 3 мая (по европейскому стилю) революции (АГС I, 851). Подобный исход дела был полностью неприемлем для Екатерины, как потому, что в результате этих политических изменений восторжествовала враждебная России польская патриотическая партия, так и в силу того, что императрица усматривала здесь угрожающее приближение к российской границе французской революционной заразы (Мадарьяга 1981, 420—424). В мае и июле Екатерина написала готовившемуся к отъезду на юг Потемкину два рескрипта относительно плана предполагаемых действий. В первом из них она в принципе санкционировала его проекты, оговорив, однако, порядок и условия их реализации.

Екатерина поручала Потемкину «преклонить к нам нацию» обещаниями «при настоянии удобного случая <...> споспешествовать в присоединении Молдавии к Польше». Между тем такого рода «удобный случай» заведомо не мог наступить, поскольку русская дипломатия уже отказалась от обращенного к Турции требования об уступке Молдавии.

Точно так же запланированное светлейшим казачье вторжение с восстанием православного населения восточных польских воеводств предполагалось осуществить только после начала войны с Пруссией, Польшей и, возможно, Англией. По мнению некоторых историков, это была щадящая самолюбие Потемкина форма отказа, поскольку ко времени подписания рескрипта Екатерина уже знала, что возможность такой войны полностью снята с повестки дня (см.: Лорд 1915, 247; ср: Лойек 1970, 580—581)[1].

Во втором рескрипте речь шла о подготовке конфедерации пророссийских польских аристократов, оппозиционно настроенных по отношению к принятым сеймом решениям. Такая конфедерация должна была обратиться к Екатерине за помощью в восстановлении старой конституции, гарантом которой при первом разделе выступала Россия. В крайнем случае Екатерина считала возможным и новый раздел Польши (см.: Екатерина 1874, 246—258, 281—289).

---

[1] По концепции Дж. Лойека, в окружении Екатерины шли споры, не предпочтительней ли для России принять результаты революции 3 мая, а сама императрица испытывала по этому поводу сильные колебания, и только предательская нерешительность польских вождей, и прежде всего короля Станислава-Августа, подтолкнула ее к интервенции (ср.: Лойек 1986, 172—182). К сожалению, никакие документы, в том числе и впервые публикуемые историком, не подтверждают этой гипотезы.

Как и предполагала императрица, российская интервенция в Польшу началась сразу после подписания мира с Турцией в мае 1792 г. по призыву так называемой Тарговицкой конфедерации, формирование которой было начато в Яссах Потемкиным и продолжено после его смерти Безбородко. Однако роль тарговчан была чисто формальной. Обеспечив Екатерину необходимым предлогом для вторжения, дальше они, по существу, ехали в обозе наступающей русской армии. Разумеется, все военные действия вели регулярные части — замыслы светлейшего и о национальных польских бригадах, и о казачьих частях были похоронены вместе с ним, да едва ли Екатерина санкционировала бы их осуществление и при его жизни.

Что же до роли в российской политике лояльных польских магнатов, то создатели Тарговицкой конфедерации были попросту жестоко обмануты. Посулив им восстановление прежней шляхетской вольницы, Екатерина вела за их спинами переговоры о разделе с Пруссией и Австрией (Лорд 1915, 274—282; Мадарьяга 1981, 427—440). В рескрипте Я. Е. Сиверсу от 22 декабря 1792 г. императрица сформулировала свои взгляды на польский вопрос с предельной отчетливостью:

> Не столько заботимся мы сим могущим воспоследовать событием, сколько расположением нынешнего пагубного французского учения до такой степени, что в Варшаве развелись клубы, наподобие Якобинских, где сие гнусное учение нагло проповедуется и откуда легко может распространиться до всех краев Польши и следовательно коснуться и границ ее соседей. <...> По испытанию прошедшего и по настоящему расположению вещей и умов в Польше, то есть по непостоянству и ветрености сего народа, по доказанной его злобе и ненависти к нашему, и особливо по изъявляющейся в нем наклонности к разврату и неистовствам французским, мы в нем никогда не будем иметь ни спокойного, ни безопасного соседа, иначе, как приведя его в сущее бессилие и немогущество.
>
> (Соловьев 1863, 303—304; ср.: Булгаков 1792)

Еще более усилили именно такое истолкование событий восстание под руководством Т. Костюшко и последовавший за ним третий раздел, устранивший Польшу с карты Европы (Мадарьяга 1981, 441—454; Лорд 1924/1925).

Ода Петрова, написанная по этому поводу, уже почти не содержит прекраснодушных надежд на славянское братство. Скорее, окончательное уничтожение Польши истолковывается здесь как результат необходимости покончить с угрожающим всему миру влиянием революционной Франции. Ровно через двадцать лет после оды на Кучук-Кайнарджийский мир Петров усилил прежние схемы, но роль проводников зловещих французских замыслов теперь играют не турки, а поляки:

> Подобья сущие детей
> Им лестны новые затеи.
> И были б только чародеи,
> Они есть жертва их сетей. <...>
>
> В чудовищей преобразились,
> Секванским (парижским. — *А. З.*)
>   духом заразились.

Революционный дух, пришедший из Франции и охвативший Польшу, изображается как вселенская катастрофа, угрожающая алтарям, тронам, личной безопасности людей и в конечном счете существованию вселенной:

> Поправ священные права,
> Грозят срыть храмы и расхитить,
> Чужим имуществом насытить
> Их алчны руки, рты, чрева.
>
> Грозят во все края достигнуть,
> Царей с престолов низложить,
> Восстать на Твердь, Творца в ней сдвигнуть
> И в век законом уложить,
> Чтоб все на свете были равны;
> Все наглы, хищны, зверонравны.
> Когда не так: весь дол трясти,
> Поделать пропасти ужасны,
> И, кои с ними несогласны,
> Живых во аде погрести.
>
>   (Петров II, 165—167)

Единственной силой, способной отвратить эту смертельную угрозу всему миропорядку, оказывается Россия, опирающаяся на исторический опыт и мистическую поддержку своих героев, уже однажды, в начале XVII в., смиривших сарматскую гидру:

> Блеснул, как новых луч светил,
> На мгле, несомой от Эфира,
> Великолепный Михаил (Романов. — *А. З.*)
> Спускается, и с ним Пожарской,

> Восстановитель власти царской,
> Простерт взор долу обоих;
> И Минин (зри, небесны круги
> Не знатность ставят, но заслуги),
> И Минин смотрит из-за них.

(Там же, 171)

Идеологическая интуиция снова не подвела стареющего поэта. Оставленному Петровым метафорическому инвентарю предстояло быть активно востребованным российскими политиками и публицистами уже в XIX столетии.

Глава V

НАРОДНАЯ ВОЙНА

СОБЫТИЯ СМУТНОГО ВРЕМЕНИ
В РУССКОЙ ЛИТЕРАТУРЕ 1806—1807 ГОДОВ

Второй и третий разделы Польши привлекли внимание русской публики к сюжетам, связанным с окончанием Смутного времени: ополчению Минина и Пожарского, освобождению Москвы и избранию на царство Михаила Федоровича Романова. Через десять с небольшим лет, в краткий период, отделяющий Аустерлицкий разгром от Тильзитского мира, эти фигуры и эти события заняли доминирующее положение в национальном историческом пантеоне. В 1806 г. было написано напечатанное двумя годами позднее «историческое представление» Г. Р. Державина «Пожарский», в 1807-м одна за другой появляются поэмы С. Н. Глинки «Пожарский и Минин» и С. А. Ширинского-Шихматова «Пожарский, Минин, Гермоген, или Спасенная Россия», трагедия М. В. Крюковского «Пожарский». Тогда же совсем юный А. С. Стурдза начал писать посвященную тем же событиям трагедию «Ржевский», оставшуюся незаконченной и неопубликованной (РО ИРЛИ. Ф. 288. Оп. 1. № 13; ср.: Гуковский 1995, 165—166).

В 1807 г. был объявлен конкурс на памятник Минину и Пожарскому, итогом которого стал знаменитый монумент Мартоса. Выбор среди большого числа поданных проектов (см.: Петров 1864, 518—519) был сделан сардинским посланником Жозефом де Местром. В 1808 г. он доносил своему королю: «Его Императорское величество счел уместным повелеть, чтобы был воздвигнут памятник, бронзовый или мраморный, в честь князя Пожарского и некоего мясника, по имени Минина, которые в первых годах семнадцатого столетия спасли чудесным образом Россию от ига Иноплеменников. Планы для этого памятника находятся во множестве у княжны Куракиной, жены князя Алексея, министра внутренних дел. В одно прекрасное утро княгиня, у которой я накануне ужинал, прислала мне огромный сверток этих планов, испрашивая моего мнения запискою. Я тотчас догадался, откуда это поручение и кому доставится мой ответ, но не показал виду. По внимательном рассмотрении планов, я послал княгине ответ, в сущности подкрепленный весьма серьезными доводами, но по форме

Первый проект
памятника Минину
и Пожарскому.
И. П. Мартос.
1804—1807

написанный для дамы. Вскоре после этого был обед на пятьдесят кувертов
у графа Строганова в день его именин. Старый граф, председатель Академии художеств, сказал нам после обеда: "Господа, Его Императорское Величество счел уместным воздвигнуть памятник. Ему представили множество проектов: вот тот, который он предпочел и только что прислал мне для
исполнения". Итак Его Величество да ведает de perpetuam rei memoriam,
что его министр решил выбор памятника гг. Пожарскому и Минину, мужьям
знаменитым, имена которых я узнал лишь в нынешнем году» (Местр 1871,
117—118). Первые эскизы мартосовского памятника, выставленные в Академии художеств, обсуждались уже во второй половине года на страницах

«Журнала изящных искусств» (см.: Кошанский 1807; ср.: Коваленская 1938, 57—62)[1] и в вышедшем отдельно «Похвальном слове князю Пожарскому и Кузьме Минину» В. М. Севергина. Одновременно Академия художеств предложила своим воспитанникам для годовой работы по классу исторического рисунка тему: «Достохвальный подвиг Пожарского, когда он, встав с одра болезни, спешит с пришедшими к нему Московскими гражданами подать помощь столичному граду, угрожаемому от неприятелей» (Петров 1864, 493).

Конечно, эти героические страницы русской истории привлекали писателей и раньше — достаточно вспомнить трагедию М. М. Хераскова «Освобожденная Москва», написанную в 1798 г., или замысел поэмы Державина «Пожарский», относящийся, по мнению Я. К. Грота, к 1780-м гг. (Державин III, 469). Да и в послетильзитские годы С. Н. Глинка опубликовал «отечественную драму» «Минин» (1809), а П. Ю. Львов — исторические повествования «Пожарский и Минин» (1810) и «Избрание на царство Михаила Федоровича Романова» (1812). В 1811 г. была с большим успехом исполнена оратория композитора С. А. Дехтярева «Минин и Пожарский», написанная на либретто Н. П. Горчакова. Однако характерным образом это либретто было в значительной степени построено на обширных цитатах из поэмы С. А. Ширинского-Шихматова. Именно в 1806—1807 гг. был создан исторический канон восприятия событий двухсотлетней давности. Освобождение России от поляков и воцарение династии Романовых начинают восприниматься как ключевое событие народной истории. На протяжении всего XVIII столетия подобная роль неизменно отводилась петровскому царствованию.

В первой половине 1830-х гг. поход Минина и Пожарского на Москву и Земский собор 1613 г. были окончательно канонизированы как мифологическое возникновение российской государственности. Преемственность новой государственной идеологии по отношению к разработкам 1806 г. была зафиксирована тем, что вновь выстроенный Александрийский театр открылся в 1832 г. постановкой «Пожарского» М. Крюковского (1964, 603). Лишь затем идеологическую эстафету у старой трагедии давно умершего драматурга приняли «Жизнь за царя» и «Рука Всевышнего Отечество спасла» (см.: Киселева 1997). В основе новой официальной трактовки Смутного времени лежала историческая параллель, эксплицированная в названиях

---

[1] По мнению Н. Н. Коваленской, одним из источников замысла Мартоса была статья С. С. Боброва (1806).

двух первых романов М. Н. Загоскина — «Юрий Милославский, или Русские в 1612 году» и «Рославлев, или Русские в 1812 году»[1]. Особо значимой делала эту параллель легко заметная современникам связь между Июльской революцией 1830 г. во Франции и вспыхнувшим в ноябре того же года польским восстанием. Тем интересней, что интерпретативные модели, приобретшие в 1830-е гг. официальный статус, были в основном разработаны еще до наполеоновского вторжения в Россию в литературной среде, отчетливо оппозиционной по отношению к тогдашнему правительственному курсу.

Практически все авторы перечисленных произведений так или иначе были связаны с кругом А. С. Шишкова. Старый Державин и молодой Шихматов представляли собой ведущих поэтов этого круга, С. Глинка был близок к нему в идейном плане (см.: Альтшуллер 1984; Киселева 1981), а начинающего драматурга Крюковского Шишков выдвигал в качестве противовеса В. А. Озерову. По словам Н. И. Греча, Крюковский «свою трагедию, едва набросанную, по совету Александра Семеновича, переменил и исправил в ней многое и при его же посредстве стал известен» директору императорских театров А. Л. Нарышкину (Греч 1930, 282).

Причины такого всплеска интереса к исторической тематике вполне очевидны. Их ясно понимали уже читатели и зрители тех лет. С. П. Жихарев связывал восторженный прием, оказанный пьесам Озерова и Крюковского, с текущими политическими обстоятельствами и антинаполеоновской кампанией 1806—1807 гг. Он заранее предсказал, что трагедия Крюковского будет «иметь огромный успех на сцене, потому что все почти стихи в роли князя Пожарского имеют отношение к настоящим патриотическим обстоятельствам и патриотическим чувствованиям народа» (Жихарев 1955, 410; ср.: Бочкарев 1959 и др.). Действительно, поражение при Аустерлице только усилило в русском обществе ненависть к Наполеону и воинственные настроения, на которые опирался Александр, отказавшись ратифицировать в июле 1806 г. мирный договор, подписанный его посланником П. Я. Убри, и начав подготовку к новой войне (см.: Дубровин 1895; Жаринов 1911). Однако самый выбор из всей богатой войнами русской истории одного, центрального, эпизода все же требует пояснений.

---

[1] По подсчетам Д. Ребеккини, именно сюжеты на темы Отечественной войны 1812 г. и Смутного времени преобладают в корпусе русских исторических романов 1830-х гг. (см.: Ребеккини 1998, 421).

2

В сознании русского общества между Польшей и Францией существовала отчетливая метонимическая связь, основанная на их географическом положении относительно России, религиозной общности, а также факторах историко-политического характера. Франция наиболее активно противодействовала русской политике в Польше, а варшавские возмущения 1791 и 1794 гг. воспринимались в России как распространение французского революционного духа.

В идеологическом обосновании кампании 1806—1807 гг. огромную роль сыграла православная церковь. В объявлении Синода от 30 ноября 1806 г., читавшемся во всех церквях, Наполеон обвинялся в отпадении от христианства, идолопоклонстве, стремлении к «ниспровержению Церкви Христовой», а начинавшаяся кампания приобретала характер религиозной войны «против сего врага Церкви и Отечества» (Шильдер I, 354—356).

Целью синодального объявления о начале войны были разъяснение и пропаганда указа Александра от 30 ноября 1806 г. «О составлении и образовании повсеместных временных ополчений или милиции», в котором император обращался ко всем сословиям с призывом «проявить ревностнейшую любовь к Отечеству, дух мужества и истинное ревнование славы. Таковыми только чувствами воспламененный и движимый народ, — говорилось в манифесте, — поставить может повсеместным ополчением непроницаемый оплот противу сил враждебных, сколь бы они велики ни были» (ПСЗ № 22374).

Чисто военная эффективность этой меры была в очень скором времени поставлена под сомнение внимательными наблюдателями. «Весьма коротко знакомы мне люди всех состояний, — писал императору И. В. Лопухин. — Нет никого, кроме водимых видами личных выгод или легкомыслием, кто бы не находил учреждение милиции тягостным и могущим расстроить общее хозяйство и мирность поселянской особливо жизни» (Лопухин 1990, 169). Через несколько лет те же соображения высказывал Карамзин в «Записке о древней и новой России»: «Нет сомнения, что благородные сыны Отечества готовы были тогда на великодушные жертвы, но скоро общее усердие простыло; увидели, что правительство хотело невозможного; доверенность к нему ослабела, и люди, в первый раз читавшие Манифест со слезами, через несколько дней начали смеяться над жалкой милицией!» (Карамзин 1991, 64—65).

По довольно распространенному мнению, небольшой рекрутский набор принес бы армии куда больше пользы (Дубровин 1895,

№ 4, 237—239). Однако император в значительной степени преследовал политические и идеологические цели, пытаясь мобилизовать страну на борьбу с врагом поверх сословных и идейных барьеров. При этом разговор с низшими сословиями оставался прерогативой Синода. Высочайший манифест был обращен по преимуществу к дворянству, успевшему за пятилетнее правление Александра выработать определенную настороженность по отношению к инициативам и проектам, исходящим от престола.

«При столь трудных обстоятельствах обращаемся Мы с полною надеждою к знаменитому сословию благородного дворянства Империи Нашей, службой и верностью на ратном поле и величайшими пожертвованиями жизнью и собственностью положившего основы величества России», — говорилось в манифесте (ПСЗ № 22374). «Сие знаменитое сословие, одушевленное духом Пожарского и Минина, жертвует всем отечеству и гордится лишь титлом Россиян», — откликнулся из Москвы на призыв государя граф Ф. В. Ростопчин, выразивший удовлетворение тем, что император «наконец» признал дворянство «единственною опорою престола» (Ростопчин 1892, 418).

Необходимость в патетических жестах ощущалась тем острее, что чаемое народное единство выглядело менее всего гарантированным. «Все сие усердие, меры и вооружение, доселе нигде не известные, обратятся в мгновение ока в ничто, когда толк о мнимой вольности подымет народ на приобретение оной истреблением дворянства, что есть во всех бунтах и возмущениях единая цель черни, к чему она ныне еще поспешнее устремится по примеру Франции», — писал Александру Ростопчин в том же письме (Там же). Император ответил ему раздраженным рескриптом, где отверг обвинения в недооценке дворянства: «...неизвестно мне, почему вы говорите, что я *наконец* признавать стал опорою престола, хотя подлинно никогда я не переставал считать его таковым», — и решительно отмел предположения о возможных бунтах (Александр 1902, 634). Однако, сколь бы резкой ни была реакция государя на эти непрошеные предостережения, он и сам был глубоко обеспокоен состоянием умов.

«Уклоните помышления ваши от всех злых начинаний, не ослепляйтесь коварными обольщениями людей строптивых, развращенных, к временной и вечной погибели ведущими», — говорилось в объявлении Синода (Шильдер II, 355—356). Одновременно с манифестом о создании милиции появился сенатский указ «О высылке из России всех подданных французских». Желающим остаться было предписано принести присягу на подданство России или, если они входили в несколько категорий, для которых было сделано исключение, в том, что они не имеют никакой связи с Францией (ПСЗ № 22371).

Эти поблажки серьезно напугали Ростопчина, утверждавшего, что

меры, принятые к изгнанию иностранной сволочи из империи, <...> вместо пользы произвели сугубое зло: ибо из 40 человек едва один решился оставить землю, где всякий иноземный находит и уважение, и богатство. Присяга на подданство, страхом и корыстью внушенная, устремляет французов на вред России, что и оказывается действием внушений их в сословии слуг, кои уже ждут Бонапарта, дабы быть вольными. Государь! — призывал Ростопчин Александра, — исцелите Россию от заразы.

(Ростопчин 1892, 419)

Чтобы приготовить страну к схватке с врагом, ее необходимо было полностью очистить от иностранной скверны. Слухи о скором освобождении, которое сулит Наполеон низшим сословиям, активно ходили по Петербургу (Дубровин 1895, № 6, 24—25).

Еще большую опасность общественное мнение тех лет видело в поляках, которые в обстановке предвоенной истерии воспринимались как пятая колонна внутри империи. Наряду со слухами об освобождении крепостных в обществе циркулировали предсказания грядущего восстановления Польши (Там же). Страхи эти подпитывались ликованием, с которым был встречен Наполеон в Варшаве, пронаполеоновскими прокламациями польских патриотов и, главное, ропотом в западных губерниях, лишь недавно отошедших к России после разделов Польши (см.: Завадский 1993, 164—167). «До меня доходят слухи, что в русских губерниях, принадлежавших прежде Польше, открываются враждебные настроения», — писал министр иностранных дел А. Я. Будберг (Богданович II, приложение, 20), а журнал «Вестник Европы» даже утверждал, что именно «поляки дали Наполеону титло непобедимого» (Зимний поход 1807, 45).

Антипольские настроения, нараставшие в российском обществе со времен разделов и польских восстаний 1790-х гг., оформляются в эти годы в комплекс ясных идеологических представлений, которые тремя годами позднее четко сформулировал П. Ю. Львов, написав о «древней завистнице Российского царства, всегдашней ненавистнице Москвы, властолюбивой Польше, всегда искавшей нам бед» (Львов 1810, 42—43). В этой ситуации особую тревогу общества вызвало то, что одной из заметных фигур в ближайшем окружении императора продолжал оставаться князь Адам Чарторижский, лишь недавно покинувший пост министра иностранных дел.

«Князь Адам Чарторижский, управлявший иностранными делами, <...> сделался всем ненавистен, — вспоминал впоследствии Ф. Ф. Вигель. — В средних классах называли его прямо изменником, а тайная радость его при виде неблагоприятных для нас событий не избежала также от глаз высшей публики. Император в то время дорожил еще мнением России, которая громко взывала к нему об удалении предателя, и Чарторижский в конце лета должен был оставить министерство» (Вигель II, 206). Для самого Чарторижского ни характер собственной репутации, ни ее причины ни в малейшей степени не составляли секрета: «Одно обстоятельство, касавшееся императора Александра, было предметом непрерывных нареканий по его адресу и постоянной критики. Это мое присутствие подле него и назначение меня на очень высокий пост. <...> Поляк, пользующийся полным доверием императора и посвященный во все дела, представлял явление оскорбительное для закоренелых понятий русского общества» (Чарторижский I, 310—311).

Однако в этом яростном неприятии был один момент, вызывавший у князя известное недоумение: «Они (русские. — *А. З.*) подозревали меня в тайном сочувствии Франции, в желании вовлечь Александра в сношения с Бонапартом и держать его в зависимости от Бонапарта, так сказать, под очарованием его гения» (Там же, 313). Подозрения эти ни в малой степени не соответствовали действительности. Внешнеполитическая система Чарторижского была ориентирована на конфронтацию с французским императором. В окружении Александра он как по общему складу своих политических убеждений, так и по польским пристрастиям безусловно принадлежал к «военной партии» (Гримстид 1969, 104—156; Завадский 1993, 61—136). Сам он писал впоследствии, что был «далек от мысли» «склонять русскую политику к тесной связи с Наполеоном», поскольку для него было очевидно, что «всякое соглашение между этими государствами было бы гибельно для интересов Польши» (Чарторижский I, 322). Недаром именно известие об отставке министра, как полагали многие, побудило посланника П. Я. Убри подписать в Париже невыгодный мир, впоследствии отвергнутый императором (Николай Михайлович 1903, 393).

Однако эти тонкие политические расчеты не могли поколебать логику общественного мнения. Те же, кто был осведомлен о позиции Чарторижского, давали ей еще более зловещее объяснение. Как доносил баварский посланник Ольри, после Аустерлицкой битвы «везде только и говорили между собою и в общественных местах, что князь Чарторыйский согласился на эту войну только потому, что он предвидел, что поражение русских приведет армию Бонапарта в его отечество, что он не сомневался, что победитель поднимет там знамя восстания и навяжет сейму в короли князя Чарторыйского, поддержав его избрание своей победоносной армией» (Ольри 1917, 464). Устойчивое соотнесение Франции и Польши предполагало, что поляк, оказавшийся рядом с русским троном, неизбежно должен был обладать бонапартистскими симпатиями.

3

Чтобы понять концептуальную параллель, которую выстраивали литераторы шишковского круга между событиями начала XVII и начала XIX в., необходимо подробнее вглядеться в источники их представлений о народе и народном единстве. Ключевую роль в таком анализе приобретает вопрос о воздействии на политические идеи старших архаистов философии Руссо.

Анализ этой проблемы наталкивается на вполне очевидные трудности. Для литераторов, в той или иной степени ориентированных на программу Шишкова, идейное наследие Руссо, не только убежденного демократа, апостола естественной религии, пророка Французской революции, но к тому же еще и мыслителя, относившегося к России с устойчивой и глубокой неприязнью, было, разумеется, не только неприемлемо, но и попросту враждебно. В их сочинениях мы почти не встречаем прямых ссылок на женевского мыслителя. Между тем самый строй мышления русских традиционалистов конца XVIII — начала XIX в. формировался в мощном поле притяжения руссоистских доктрин (о воздействии идей Руссо на языковые концепции так называемых «старших архаистов» см.: Лотман 1992; Лотман 1969; Лотман и Успенский 1996, 345, 353, 405; Киселева 1981; Киселева 1983).

Интерес русского читателя к «Общественному договору» или «Эмилю» с самого начала был неотделим от той резкой и пристрастной оценки, которую дал один из властителей умов всей просвещенной Европы опыту исторического развития России: «Русские никогда не станут истинно цивилизованными, так как они подверглись влиянию цивилизации чересчур рано. Петр <...> хотел сначала создать немцев, англичан, тогда как надо было начать с того, чтобы создавать русских. <...> Так наставник-француз воспитывает своего питомца, чтобы тот блистал в детстве, а затем навсегда остался ничтожеством (Руссо 1969, 183).

Это суждение не могло быть приятно российским поклонникам Руссо, тем более что оно было высказано в пору, когда всеобщий культ Петра находился еще в зените, а права русских на достойное место среди наций Европы были поддержаны авторитетом Монтескье, писавшего, что «Петр I, сообщая европейские нравы и манеры европейскому народу, добился успеха с легкостью, которой он сам не ожидал» (Монтескье 1955, 418). И тем не менее мысль Руссо об утрате русскими своего национального характера, а именно национальный характер («caractère national») Руссо выделил в качестве определяющего начала государственного бытия в «Проекте конституции для Корсики» (Руссо 1969, 268), пришлась в России в известном смысле ко двору, причем читательская аудитория с каждым десятилетием делалась восприимчивее к его аргументации.

Когда автор «Общественного договора» уподобил Петра «наставнику-французу [un précepteur françois]», он, без сомнения, отсылал к осужденной им в вышедшем в том же году «Эмиле» современной практике воспитания во Франции. Проще говоря, речь шла о французском воспитателе при французском ребенке, а слово «французский» выступало в качестве синонима к «дурной». Между тем для русской аудитории, уже не без внутреннего раздражения привыкшей числиться учениками у «просвещенной Европы», аналогия Руссо указывала на иностранца при *русском* воспитаннике, а все то же слово «французский» обозначало здесь «чужой».

«Все, что собственное наше, становится в глазах наших худо и презренно. Французы учат нас всему: как ходить, как стоять, как кланяться, как петь, как говорить и даже как сморкать и кашлять», — заявлял Шишков в своем «Рассуждении о старом и новом слоге» (Шишков II, 14). Близкий к нему Е. Станевич сокрушался, что «иностранцы принимают детей Российских при их рождении, иностранцы руководствуют их младенчеством, управляют юношеством. <...> От столиц до самых отдаленных селений вы найдете повсюду иностранцев, воспитывающих, образующих и наставляющих дворян наших» (Станевич I, 18). Причем для этих авторов речь шла отнюдь не только о недоброкачественности иностранных учителей. По словам Шишкова, «самый честный из них и благонамеренный не научит меня знать землю мою и любить народ мой» (Шишков IV, 180). Трудно не увидеть в этих требованиях отзвук того патриотического воспитания, которое дает Эмилю его наставник.

Эта сосредоточенность на педагогической проблематике не была достоянием определенного круга мыслителей — вся Европа была вовлечена в разговоры о воспитании. Однако идея национального воспитания, опирающегося на приобщение к традиционным формам народного бытия: обрядам, празднествам, играм, песням, — отчетливо обнаруживала руссоистские корни, хотя в наиболее полном виде она была впоследствии развита в немецкой педагогической мысли конца XVIII — начала XIX в. (см.: Кениг 1954). В российской перспективе существенно, что особенно подробно и развернуто Руссо высказался по этому поводу в «Соображениях об образе Правления в Польше». Это сочинение, написанное после первого раздела Польши и посвященное тому, каким образом поляки могут сохранить свое национальное бытие перед лицом русской угрозы, стало, по словам Ж. Старобинского, «политическим завещанием Жан-Жака» (Старобинский 1962, 32). Антирусские настроения Руссо достигли здесь своей кульминации — такого рода работа прославленного философа не могла не вызвать в России самого живого интереса, хотя прямо ссылаться на нее было, разумеется, абсолютно невозможно.

Глава «Воспитание», открывающаяся фразой: «Это важный раздел» (Руссо 1969, 465), предшествует в «Соображениях...» таким разделам, как «О короле», «Администрация», «Военная система» и проч. Политическое бытие Польши подходило к концу, но, по Руссо, ей предстояло сохранить себя, поддерживая национально-культурную идентичность. «Вы не можете помешать русским проглотить вас, но сделайте, по крайней мере, так, чтобы они были не в состоянии вас переварить. <...> Если вы добьетесь того, чтобы ни один поляк не мог превратиться в русского, я отвечаю вам, что Россия никогда не подчинит себе Польшу. <...> Именно воспитание придает душам национальную форму. <...> Дитя, раскрывая глаза, должно видеть отечество и до смерти не должно ничего видеть, кроме отечества. <...> В двадцать лет поляк не должен быть иным человеком, он должен быть поляком. <...> Наставниками должны быть только поляки» (Руссо III, 959—960; Руссо 1969, 465—466).

Впрочем, представление о фундаментальных началах народного воспитания было у Руссо и национально ориентированных русских мыслителей начала XIX в. в значительной степени различным. Если для Шишкова и его сторонников основой основ был язык, то Руссо не придавал ему в этом отношении особого значения. Как можно судить по «Рассуждению о происхождении и основаниях неравенства» и «Опыту о происхождении языков», Руссо не считал язык частью культурной традиции, относя его скорей к области естественных явлений. Кроме того, развивая свою политическую доктрину, он, без сомнения, ориентировался прежде всего на Женевскую республику, а языковая ситуация Швейцарии не позволяла рассматривать язык в качестве фактора национальной самобытности. Да и для Польши, которой Руссо давал свои рекомендации, языковая проблема не была сколько-нибудь существенной.

Однако и здесь концепции русских мыслителей обнаруживают отчетливо руссоистский источник. Предпринятые Шишковым в «Рассуждении о старом и новом слоге» попытки указать на национальную природу словотворчества и вытеснить французские заимствования с помощью придуманных им новообразований со славянскими корнями отчетливо восходили к немецким источникам, и в особенности к изданному в 1798 г. в Брауншвейге И. Г. Кампе «Словарю улучшения и онемечивания [Verdeutschung] нашего языка» (Кампе 1798). Шишков переводил детские сочинения Кампе и внимательно следил за его творчеством (см.: Кампе I—II; ср.: Земскова 2000), а почти религиозное преклонение немецкого педагога перед Руссо хорошо известно. Кампе, в частности, был инициатором и комментатором перевода «Эмиля» на немецкий язык (см.: Мурнье 1979, 126—130, 286—298).

Следуя логике Кампе и, по-видимому, имея в виду политическое бытие разделенной Германии и идеи немецких националистов о существовании идеального немецкого отечества всюду, где звучит немецкая речь, Шишков утверждал: «Опытами доказано, что в сопряжении областей не составляют оне совершенного единства тела и души, доколе языки их различны, и, напротив того, самые разделенные и отторженные одна от другой области, имеющие один язык, сохраняют в себе тайное единодушие» (Шишков IV, 184). Риторика «одного тела и одной души» совершенно отчетливо обнаруживает представление о народе как о нравственной личности («personne morale», по Руссо), наделенной единой волей, которая стремится к воплощению в едином государственном организме.

Евстафий Станевич, обсуждая, как должна вести себя Россия по отношению к некогда угрожавшим ее существованию, а ныне покоренным полякам и шведам (речь шла об отвоеванных у Швеции финляндских провинциях), писал: «Приложим все свои старания к истреблению не городов их и сел, но их наречия» (Станевич II, 18). Руссо, учивший поляков, как не дать могучему соседу себя «переварить», советовал им укорениться в почве родных традиций. Станевич рекомендовал своему правительству оторвать их от этой почвы, именно с тем, чтобы переварить и включить в единое тело Российской империи.

Руссо говорил о необходимости национального воспитания преимущественно по отношению к малым и политически слабым государствам: Польше, Корсике, родной ему Женевской республике. Ж. Старобинский даже увидел здесь проекцию биографических проблем автора: «По странному совпадению Польша 1772 г., для которой законодательствует Руссо, представляет собой достаточно верный образ самого Жан-Жака, окруженного, обложенного, преследуемого подлинными или вымышленными врагами и гонителями» (Старобинский 1962, 98—99). Легко понятен и интерес к этой проблематике у немецких поклонников Руссо — для разделенной Германии именно закрепленное воспитанием единство национальных традиций становилось залогом будущего политического воссоединения.

Россия, казалось бы, находилась в совершенно ином положении, однако ощущение предельной непрочности государственного устройства, уязвимости самого существования державы было знакомо и здесь. Причиной столь печального положения вещей, в полном соответствии с концепцией Руссо, оказывается пренебрежение к национальным традициям и обрядам.

> Когда станут увеселять нас чужие обычаи, чужие игры, чужие обряды, чужой язык, обворожая и прельщая воображение наше, тогда при всех правилах, при всех добрых расположениях и намерениях станет уменьшаться первейшее основание любви к отечеству, дух народной гордости. <...> Когда один народ идет на другого с мечем и пламенем в руках, откуду у сего последнего возьмутся силы отвратить сию страшную тучу, сей громовой удар, если любовь к отечеству и народная гордость не дадут ему оных. <...> Отсюду явствует, что не одно оружие и сила одного народа опасна бывает другому — тайное покушение прельстить умы, очаровать сердца, поколебать в них любовь к земле своей и гордость к имени своему есть средство надежнейшее мечей и пушек, —

говорил Шишков в «Рассуждении о любви к отечеству», произнесенном в торжественном собрании «Беседы любителей русского слова» за несколько месяцев до того, как армия Наполеона перешла Неман (Шишков IV, 166, 170—171).

Логика этого построения вполне прозрачна. Иностранные наставники прививают российскому юношеству привязанность к языку и обычаям чужой страны, от чего молодые русские утрачивают народную гордость и становятся неспособны противостоять военной угрозе. Изнеживающее и расслабляющее влияние французской цивилизации оказывается особенно опасным. Напомним, что в уже приведенной цитате из «Общественного договора» говорится, что утрачивающая свою национальную природу Россия, равно как и давно утратившие ее европейские страны, станут добычей татар.

Этот национально-культурный изоляционизм руссоистского толка вызвал резкую критику Д. И. Хвостова: «Говоря о воспитании, автор отвергает иностранных наставников, то как же страна просветиться может, <...> язык народа, чурающегося произведений других стран, чем обогатиться может. Местами писано сильно и недурно, но вообще [речь] могла годиться при царе Михаиле Романове, а не потомках его» (Хвостов 1938, 378).

Времена Михаила Романова вспомнились Хвостову не случайно. Примеры подлинной любви к отечеству Шишков находил в античности, а параллели к ним он подбирал из российской истории. Автор стремился дать понять своим слушателям, что россияне способны на патриотические чувства не в меньшей мере, чем герои Греции и Рима, и в несравнимо большей, чем современные евро-

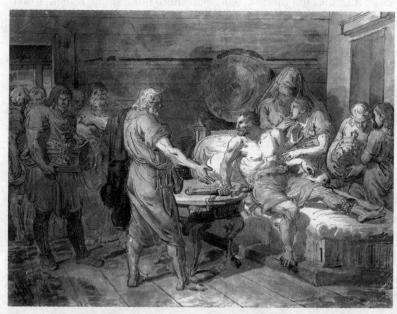

Минин взывает к князю Пожарскому о спасении Отечества.
Г. И. Угрюмов. 1800-е

пейцы. При этом три из четырех российских примеров он заимствовал из истории Смутного времени, когда Россия находилась перед угрозой польского завоевания.

Шишков выбрал для своих исторических экскурсов эту эпоху, потому что видел в ней аналогии с современностью, когда России, по его мнению, грозило быть покоренной Наполеоном, и только патриотический порыв, подобный подвигу Минина и Пожарского, был способен спасти страну от неминуемой гибели. В сущности, лидер «Беседы...» воспроизводил модели, отработанные несколько лет назад его соратниками и единомышленниками.

4

История освобождения Москвы в 1612 г. как нельзя лучше отвечала схемам идеологического строительства, которые выдвигала ситуация тех лет. Прежде всего она давала разгромленной в Аустерлицком сражении России необходимую историческую перспективу. Некогда униженная и почти покоренная поляками, Россия теперь господствовала над враждебным народом. С противопоставления ее былых несчастий нынешнему величию начинается поэма Шихматова. Более того, в ней патриарху Гермогену открывается будущее, и он пророчески восклицает:

> Отверзлись очи мне душевны,
> Я вижу таинства времен...
> Забудь Россия дни плачевны;
> Царица ты земных племен.
> Врагов бесчестья полны лицы,
> Потухли бранныя зари,
> Почиют царства и цари
> Под сению твоей десницы
> Сармация твоя раба...

(Ширинский-Шихматов 1971, 368)[1]

---

[1] Ср. у Стурдзы:

> Но в будущем, я зрю, народ сей заблужденный,
> Каратель и тиран, к славянам приобщенный,
> Под скиптром русским мир и счастие вкусит.

(РО ИРЛИ. Ф. 288. Оп. 1. № 13. Л. 27)

Разумеется, контраст между, скажем, татарским игом и покорением Казани в принципе обеспечивал автора тем же набором ассоциаций. Однако это были «дела давно минувших дней», в то время как окончательное покорение Польши произошло еще на памяти большей части пишущей и читающей публики, что делало исторические аллюзии более живыми и действенными. Не случайно, в противовес неприемлемому для шишковской группы «Димитрию Донскому» Озерова, исполненному пафосом дворянской чести и личной свободы, была выдвинута пьеса о Пожарском (см.: Гордин 1991; отзыв Шишкова о пьесе см.: Сидорова 1952). При этом история похода ополчения на Москву могла служить идеальной аналогией и апологией как предпринимавшимся усилиям по созданию милиции, так и тому месту, которое отводилось в этой деятельности православной церкви.

Вся первая (из трех) песня поэмы С. Шихматова «Пожарский, Минин, Гермоген, или Спасенная Россия» посвящена описанию молитвы заточенного в Чудовом монастыре патриарха Гермогена, которая чудесным образом долетает до Нижнего Новгорода и побуждает Минина собирать ополчение. В пьесах Державина и Крюковского исход осады Москвы в кульминационный момент решается воззванием патриарха к воинам. Немалую роль в обеих пьесах, особенно у Державина, играют обращения «келаря Троицкой Лавры» Авраамия (Палицына) (Державин IV, 132). С чтения Мининым письма Авраамия начинается и поэма Глинки. Слово духовных пастырей пробуждает народ подняться во имя своего освобождения, ибо война должна была в первую очередь вестись за веру.

> Раскол латин душеотравный
> Уже — о, нестерпимо зло —
> На гибель веры православной
> Возносит гордое чело, —

восклицал в начале поэмы Шихматов (Ширинский-Шихматов 1807, 19).

Сами заглавия, которые дали своим поэмам Шихматов и Глинка, указывали на важнейшие исторические мифологемы, востребованные текущей политической ситуацией. Формула «Пожарский, Минин, Гермоген, или Спасенная Россия» эмблематизировала объединение всех сословий во имя высокой цели. Формула «Пожарский и Минин, или Пожертвования россиян» — энтузиастический характер этого объединения, тот жертвенный порыв, которого требовал от подданных высочайший манифест.

«Кажется, природа произвела одного ближе к престолу, а другого ближе к хижинам нарочно для того, чтобы, руководствуя умами всех сословий, тем с большей ими действовать силою на благо общее», — писал о героях, запечатленных на эскизе мартосовского памятника, Севергин (1807, 16). Если Озеров в «Димитрии Донском» или Херасков в «Освобожденной Москве», также посвященной событиям 1612—1613 гг., но написанной еще в XVIII в., изобразили национальное единение как союз князей, то все упомянутые нами авторы описывают историю возникновения народа. Конечно, внутри этого народа сохраняются сословные перегородки[1], но общий духовный порыв сплачивает его воедино. Шихматов сравнивает войско Пожарского с сибирской рекой, вбирающей в себя бесчисленные притоки:

> Текут в него со всех градов,
> Преславны жаждущи трудов
> Отечества нелестны чады.

(Ширинский-Шихматов 1971, 366)

Подобное рождение народа самым непосредственным образом связано с базовой метафорой жертвы на алтарь отечества, нашедшей свое идеальное воплощение в хрестоматийном призыве Минина к нижегородцам отдать последнее на освобождение Москвы. Пожертвование самого дорогого и заветного достояния ради общего дела имело не только прагматически денежный смысл, но и символизировало добровольный отказ от частного, своего, освобождение себя от всего, что не принадлежит единому народному телу.

> Дадим себя, как Россам сродно
> Отечеству и вере в дань.
> Все силы, все стяжанье наше
> Слием для подвига сего, —

говорит Минин в шихматовской поэме (Ширинский-Шихматов 1807, 22).

Синодальное объявление, обнародованное 30 ноября 1806 г., наставляло паству «приносить с благодарением Отечеству те блага,

---

[1] Так, Минин у Глинки отказывается быть вождем ополчения, торжественно объявляя:

> Я б изменил себе,
> Отечеству и вам, принявши сан военный.

(Глинка 1807, 9)

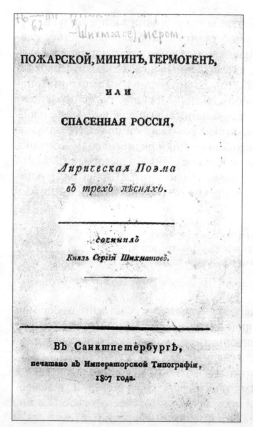

Титульный лист поэмы
С. А. Ширинского-Шихматова
«Пожарский, Минин, Гермоген, или Спасенная Россия»

которыми вы Отечеству обязаны» (Шильдер II, 357). Ориентация на тот же исторический образец угадывается и в дневниковом описании успеха первых подписных листов, сделанном Жихаревым еще 4 января: «Наши коренные вельможи и знатное духовенство показали достохвальный пример, и за ними последовали и продолжают следовать прочие состояния народа: все наперерыв спешат поднести посильные дары свои отечеству, а иной возлагает на алтарь его и последнюю лепту» (Жихарев 1955, 311).

Цензурное разрешение на издание «Пожарского и Минина, или Пожертвований россиян» было дано 31 января 1807 г., «Пожарский, Минин, Гермоген, или Спасенная Россия» была прочитана Шишковым на литературном вечере у Державина 10 февраля (Там же, 358—359). Неделей раньше Жихарев говорил о поэме как о «сочиненной недавно» (Там же, 351). Скорее всего, воспроизводя речь Минина, занимающую в поэмах немалое место, оба автора прямо откликались на обращение Синода. Во всяком случае, не вызывает сомнений сходство мобилизационных стратегий, разрабатывавшихся поэтами и церковным руководством для борьбы с новым страшным противником.

Однако этот тип национальной мобилизации, по-видимому, совершенно немыслим без мифологем заговора и измены. Представление о народе как едином организме, единой воле, в которую сливаются множество личных воль, предполагает предварительное очищение от скверны и заразы, без которого невозможны ни великий акт общего самоотречения, ни победа в эсхатологической схватке со злом. Готовясь к войне с Наполеоном, в котором они видели зловещее порождение революционной Франции, российские консервативные литераторы воспроизводили логику якобинцев с их неустанным поиском врагов, противопоставляющих себя volonté générale, воплощенной в Конвенте. Вернее, и те и другие воспроизводили логику «Общественного договора» Руссо.

По словам Севергина, «внешний неприятель, сколь ни велик, <...> раздоры Государства есть сильнейший враг» (Севергин 1807, 18). И Державин, и Крюковский, и Глинка в «отечественной драме» «Минин», написанной двумя годами позднее, и Стурдза в «Ржевском» отводят ключевое место в сюжете интригам Заруцкого, казачьего гетмана, последнего спутника Марины Мнишек, властолюбца, пытающегося изменой и тайным сговором с поляками расчистить себе путь к российскому престолу. Для сравнения укажем, что в «Освобожденной Москве» Хераскова Заруцкий вообще не фигурирует. Едва ли авторы всех этих пьес непосредственно метили в Чарторижского, но в выстраиваемой ими системе идеологических координат фигура чужака, волею судеб оказавшегося соратником вождя и готового ради своих корыстных интересов войти в тайные сношения с неприятелем и погубить родину, оказывается совершенно необходимой.

Державин и Крюковский воспринимают казака Заруцкого как не вполне русского, что отчасти мотивирует его предательство. «Чтоб русский изменил», — говорит державинская Марина Мнишек изменнику Заруцкому о колеблющемся Трубецком (Державин IV, 155), а Крюковский называет его «украинским гетманом» (Крюковский 1964, 274). Дополнительным обстоятельством, ведущим гетмана к гибели, оказывается его связь с полячкой Мариной Мнишек, которая делает его наследником польского ставленника Отрепьева. Державин, кроме того, еще и заставляет Пожарского влюбиться в Марину и героически преодолеть эту страсть во имя отечества[1]. На долгие годы полячка становится в русской литературе символом соблазна и опасности.

Однако подрывная деятельность Польши вовсе не сводится к чарам Марины Мнишек. Поляки «в русскую страну стараются вводить опасну новизну» и,

> желая в воинстве раздоры поселить,
> <...> кабалу в России разрешают
> И вольности мечтой сограждан обольщают.
>
> (Державин IV, 273)[2]

Угроза извне грозила основам государственного бытия и самому существованию России, которой суждено было уцелеть, только опершись на народное единство и национальные традиции. При этом литераторы шишковского лагеря вовсе не были глухи к опасным параллелям между собственными построениями и риторикой своих заклятых врагов и настойчиво стремились, чтобы под их пером в идеализированном облике «сынов отечества» не проступили зловещие черты «enfants de la Patrie».

В начале XVII в. поляки оказались в Москве в результате решения Боярской думы, присягнувшей Владиславу. Однако об этом

---

[1] Соблазнительно было бы увидеть здесь намек на фаворитку Александра Марию Антоновну Нарышкину, урожденную княжну Четвертинскую, польку по происхождению. Именно в 1806 г. отношения между Александром и Нарышкиной приобрели, как доносил баварский поверенный Ольри, открытый характер (см.: Брэ 1902, 119). Однако от этого предположения, по-видимому, надо отказаться. Уже в набросках поэмы «Пожарский», которую Я. К. Грот относит по почерку к 1780-м гг., Пожарский выведен влюбленным в вымышленную полячку Клеонису (см.: Державин III, 368—372). Вероятно, мы имеем дело с литературным стереотипом, позволявшим обострить конфликт между долгом и чувством. С другой стороны, не все датировки Я. К. Грота оказались безукоризненными, и, возможно, эта проблема требует дальнейшего исследования.

[2] Мы не останавливаемся подробно на этом круге аллюзий, поскольку они уже были исчерпывающе разобраны М. Г. Альтшуллером (1984, 157—166). Кажется, исследователь несколько преувеличивает, видя в последней цитате намек на пятилетней давности покушения советников Александра из Негласного комитета на крепостное право. Страхи относительно распространения революционных идей в низших сословиях, о которых шла речь в предыдущем разделе, создают для этой фразы вполне достаточный исторический контекст.

эпизоде истории Смутного времени в упомянутых произведениях говорится достаточно глухо. Инициаторы присяги польскому королевичу и после освобождения столицы не были исключены из народного тела, а, напротив, играли важнейшую роль в государственном управлении. Никто из литераторов, писавших на эти темы в начале XIX столетия, не хотел подрывать народное единство, ставя под сомнение верность родовитейших семей в государстве. Чужак Заруцкий подходил на роль предателя в неизмеримо большей степени. Куда более показателен, однако, другой квазиисторический эпизод.

5

Итогом и смысловой кульминацией описываемых событий служит во всех упомянутых произведениях избрание на царство Михаила Федоровича, положившее начало династии Романовых. При этом практически всегда инициатором этого избрания выступает Пожарский, перед этим трогательно и величественно отклоняющий поднесенный ему венец. У Державина народ сначала предпочитает самодержавие власти Боярской думы возгласом «Не надобно бар, да здравствует царь», а потом, уже вместе с Думой, восклицает: «Пожарский нам люб» (Державин IV, 187—188). У Крюковского Пожарскому от лица воинства подносит корону «Смоленский вождь» (Крюковский 1964, 273). Но самую выразительную картину рисует Шихматов:

> Но что? Се возникает глас,
> Подобный шуму вод спокойных:
> Пожарский первый из достойных!
> Да будет царь, кто царство спас! <...>
>
> Духовный лик и сонм бояр,
> Несущи утвари державных,
> Величество богов земных,
> Грядут — и вся Россия в них —
> К свершителю деяний славных.
>
> Взложи сияющий венец;
> Одеян красотою царской,
> На царский трон воссядь, Пожарской!
> Воссядь — и будь царем сердец!
>
> (Ширинский-Шихматов 1971, 378—380)

В своей поэме Шихматов стремился достаточно строго следовать канве исторических событий. Державин и Крюковский, в соответствии с законами драматических жанров, вносили в свои пьесы много вымышленных происшествий, но и для них известное историческое правдоподобие сохраняло значение. Державин к тому же снабдил свое «героическое представление» предисловием, где указал, что было им выдумано, а что заимствовано из источников. Эпизод с поднесением короны князю Пожарскому он решительно включил в перечень исторически достоверных происшествий. Между тем ни опубликованные к тому времени документы, ни известные рукописи, ни исторические труды не содержат решительно ничего подобного[1]. Вот, например, как описывает благодарность отечества Пожарскому И. И. Голиков:

> По принесении усерднейших молитв Господу, обратились всех мысли и очи на виновников радости их, князя Дмитрия Михайловича Пожарского и Козьму Минина. Они, признавая их за орудие милости Божией к ним, изливали, так сказать, перед ними сердца свои, живейшей благодарностью преисполненные, называли их своими благодетелями и спасителями, и в засвидетельствование того все государственные чины согласно приговорили поднести Князю честь Боярства и вручили ему на то жалованную грамоту, подписанную руками бояр всего государства и знатного духовенства, которая потом и царем Михаилом Федоровичем утверждена.
>
> (Голиков II, 336; ср.: Манкиев 1770; Новый летописец 1792)

Речь идет о награде, в высшей степени почетной, но все же очень далеко отстоящей от царского венца.

Державин явно испытывал с этим эпизодом известную неловкость. Сославшись во всех остальных случаях — и с полным основанием — на «"Ядро Российской истории" и прочие летописи», он на этот раз ограничился невнятным указанием: «как некоторые иностранные писатели и все обстоятельства утверждают» (Державин IV, 131). Отсылка ко «всем обстоятельствам» совершенно отчетливо демонстрирует, что анонимные «иностранные писатели»

---

[1] В хронографе князя Оболенского Пожарский действительно назван среди активных участников избрания Михаила (см.: Платонов 1913, 411), но о его кандидатуре на престол не сказано ни слова. Напротив того, единственное свидетельство подобного рода — это утверждение дворянина Сумина, скорее всего клеветническое и наверняка неизвестное литераторам начала XIX в., что Пожарский пытался воцариться на Москве и предлагал ему за это 20 000 рублей (см.: Забелин 1848, 85).

Проект памятника
Минину и Пожарскому.
И. П. Мартос (?). 1809

здесь не более чем фигура речи. Но каковы бы ни были источники Державина, источником для остальных писателей, скорее всего, послужил он сам.

В вышедшем в 1810 г. историческом повествовании «Пожарский и Минин» Павел Львов довольно близко, порою цитатно, держится изложения Голикова, отступая от него, однако, в вопросе о добровольном отречении Пожарского от престола. Это место автор сопровождает следующим комментарием:

> Летописи наши молчат о сем достославном отречении князя Пожарского, может быть потому, что в те времена добродетель не была чудом, и частые подвиги ее не обращали на себя удивления, а почитались непременною обязанностью честного человека и богобоязненного христианина, но предание, с того дня из рода в род, из уст в уста переходящее, <...> до нас достигло. <...> Предание сие возвещено в песнопении одного из славных Скальдов наших. С восторгом приемлю предание сие за истину, никакому сомнению не подлежащую, ибо убедительно верю, что в России могло свершиться толь чрезвычайное событие, поелику в ней был Пожарский и толь беспримерное величие духа ему было не чуждо.

(Львов 1810, 175—176)

Говоря о «песнопении Скальда», Львов имеет в виду не драму Державина, опубликованную лишь двумя годами ранее и не пользовавшуюся никаким успехом, а прославленную оду «На коварство французского возмущения и в честь князя Пожарского». В этой оде Державин, в частности, писал о своем любимом историческом герое:

> Не вняв к себе народа клику,
> Избрал достойного владыку
> И над собою воцарил;
> Который быв покорен воле
> Избранного собой царя,
> Не возроптал и в низкой доле,
> Его веления творя. <...>
> Царя творец и раб послушный,
> Не ты ль, герой великодушный,
> Пожарский, муж великий мой.

(Державин I, 230—231)

В 1789 г., когда писалась эта ода, Державин мало думал о соответствии сообщаемого им предания фактам и документам. Теперь, в эпоху бурно нараставшего интереса к отечественной истории, когда он сам обвинял «Димитрия Донского» Озерова в нарушении «верности исторической» (см.: Жихарев 1955, 331), поэт оказался вынужден поддерживать когда-то созданную им легенду ссылками на сомнительные источники и непонятные «обстоятельства».

Впрочем, текст, отразивший именно такую версию исторических событий, все же существует. Это народная историческая песня, впервые опубликованная в 1868 г. П. В. Киреевским:

> Как и взговорют бояре — воеводы московские:
> «Выбираем мы себе в цари
> Из бояр боярина славного —
> Князя Дмитрия Пожарского сына!»
> Как и взговорит к боярам Пожарский князь:
> «Ох вы, гой еси, бояре — воеводы московские!
> Не достоин я такой почести от вас,
> Не могу принять я от вас царства Московского.
> Уж скажу же вам, бояре — воеводы московские:
> Уж мы выберем себе в православные цари
> Из славного, из богатого дому Романова
> Михаила сына Федоровича».

(Путилов 1966, 95)

Не исключено, что именно эта песня, записанная через много лет у семидесятилетней старухи в селе Слобода Боровского уезда

Калужской губернии (см.: Там же, 345)[1], могла послужить источником Державину. Поэт интересовался фольклором (см., напр.: Альтшуллер 1984, 285—291), а в том, как он изобразил в своем «Пожарском» Марину Мнишек, возможно, сказалась песенная традиция представлять ее волшебницей и чародейкой (см.: Путилов 1966, 30, 36 и др.; Адрианова-Перетц I, 373). И все же более вероятен другой вариант. В той же оде «На коварство...» упоминается Велизарий, по словам самого Державина, «наивеличайший полководец <...> греческого императора Юстиниана; он победил Карфагену, <...> Готов, Сиракузы, Палерму, Неаполь и многие другие города и народы; подносимую корону от готов не принял...». В том же плане говорится о Велизарии в оде «Водопад» (см.: Державин I, 320; III, 520).

Исторический Велизарий был хорошо известен в России благодаря роману Ж.-Ф. Мармонтеля, который Екатерина II вместе со спутниками переводила в 1767 г., путешествуя по Волге (Там же III, 239). Ко времени написания «Пожарского» вышло уже пять изданий русского перевода «Велизария» (СКРК II, 218—219). Вероятно, Державин воспользовался вполне традиционной схемой уподобления российских героев античным и по образцу Велизария создал легенду об отречении Пожарского от престола. Разумеется, источниками соответствующего места в оде могли быть одновременно и Мармонтель, и народная песня — их объединение только облегчало творческую задачу поэта.

Во всяком случае, Пожарский оды «На коварство...» — это образец стоических добродетелей античной выделки. В набросках поэмы «Пожарский» герой, принеся присягу Михаилу, «о себе объявляет, что он удаляется в уединение с тем, что если его рука или советы когда-нибудь понадобятся отечеству, он готов всегда оказать ему услуги» (Державин III, 373). В первом десятилетии XIX в. его самоотверженный поступок приобрел совсем иные черты.

В «Освобожденной Москве» Хераскова реплика Пожарского, призывающего на царство Михаила, служит только композиционным завершением уже по сути закончившейся трагедии (см.: Херасков 1961, 371). Напротив того, у авторов, пишущих на эти темы в 1806—1807 гг., соответствующий монолог становится смысловым центром.

---

[1] Ср. характерное замечание автора академической истории русского фольклора: «Пожарский — народный герой, а потому песня, вопреки истории, вводит эпизод, повествующий о том, что совет бояр и воевод решил избрать царем Пожарского, но он якобы сам отказался от престола, предложив избрать на царский трон Михаила Романова. Так своеобразно преломилось в народном творчестве воспоминание о борьбе разных кандидатур на русский престол» (Адрианова-Перетц I, 376; ср.: Бусанов 1992, 112—113).

У Державина герой отказывается от «священной порфиры» царей, говоря: «Наследник лишь один по крови им / Спокойство может дать и возвратить нас к миру» (Державин IV, 190), у Крюковского — восклицая: «Цари от бога нам бывают нареченны» (Крюковский 1964, 283). Но особого эмоционального и концептуального накала достигает соответствующий эпизод у Шихматова:

> ... возник земный Эдем
> Для россов из земного ада;
> И я — о, из наград награда,
> Сподобился быть их вождем.
>
> Господь возводит на престолы,
> Владеть оправдывает он;
> Вотще чрез пагубы, крамолы
> Теснятся хищники на трон.
> Пусть высоты достигнут звездной,
> На землю наведут боязнь, —
> Приспеет медленная казнь,
> Восторгнет их рукой железной
> И свергнет в тартар от небес.
> И я — дерзнув ступить на царство,
> В себе вместил бы их коварство,
> Их студ достойно бы понес.

(Ширинский-Шихматов 1971, 383)

Поэт ставит своего героя перед выбором между абсолютным моральным триумфом и столь же абсолютной катастрофой, между раем и адом. Вождь, воздвигший «земной Эдем» для своего народа, окажется, прими он трон, приравнен к «хищнику», который рвется к власти чрез пагубы и крамолы и обречен на низвержение в тартар. Этический максимализм такого масштаба и напряжения становится понятен, если принять во внимание, что финальный апофеоз Пожарского проецировался Шихматовым и другими писателями того времени на судьбу Наполеона.

Генералу Бонапарту удалось остановить революционный хаос, усмирить гражданскую рознь и поднять Францию на невиданную степень могущества. На этом фоне императорская корона могла восприниматься как награда за очевидные и небывалые заслуги перед отечеством. Однако здесь и таилась вся бездна его морального падения. Недаром коронации Наполеона предшествовал потрясший русское общество расстрел герцога Энгиенского (см.: Дубровин 1895, № 2, 204—208). Напротив того, именно решение Пожарского устраниться от верховной власти, передав престол законному владельцу, становится его торжеством:

Велик, велик ты незабвенно
Кровавых множеством побед!

Но сей победою бескровной
Ты всех героев победил <...>

Вещайте, славные народы!
Сыны всех лет, всех стран, всех вер:
Блеснул ли где в прошедши годы
Подобной доблести пример? <...>
Ему совместника в вас нет;
Един Пожарский во вселенной!

(Ширинский-Шихматов 1971, 383).

В рассказе Голикова об избрании Михаила Романова говорится о первоначальных «несогласии и волнении мыслей, уподоблявшихся свирепым во время бурных дыханий волнам морским». Только с упоминанием имени будущего царя неустройство, по «гласу Божьему», сменяется общим единодушием (Голиков II, 343). Напротив того, Шихматов сравнивает голос народа, зовущего Пожарского на царство, с «шумом вод спокойных». Это и есть руссоистская volonté générale, столь близкая литераторам национально-консервативной ориентации. Только на этот раз общая воля, вопреки утверждениям Руссо (1969, 170—171), ошибается, ибо не опирается на божье благословение и национальную традицию. «Первый из достойных» не может наследовать престол.

Избрание Михаила Романова нагружается в литературе тех лет таким провиденциальным значением еще и потому, что именно это наследие должно было, с точки зрения авторов шишковского круга, в конечном счете обеспечить Александру, несмотря на его человеческие слабости и опасные заблуждения, победу над Наполеоном. «И трона хищник в прах перед царем падет» — этой репликой Пожарского завершалась трагедия Крюковского (1964, 284). Ее премьера была с громовым успехом сыграна в Петербурге 22 мая 1807 г. (см.: Жихарев 1955, 543—546). Оставалось десять дней до Фридландского поражения и месяц до Тильзитского мира.

6

Вторая война с Наполеоном 1806—1807 гг. вызвала резкую активизацию национально-консервативной оппозиции. Ее идеологи почувствовали, что ситуация национальной мобилизации создает исключительно благоприятные возможности для перехода в политическое наступление. Именно в это время начинаются регулярные литературные чтения у Шишкова и Державина, через несколько лет переросшие в «Беседу любителей русского слова» (Альтшуллер 1984, 48—49). В написанных в эти месяцы произведениях писателям этого круга удается предложить целостный набор идеологических метафор, разработать новую мифологию происхождения российской государственности, нащупать исторические аналогии для происходящих событий, поменять расположение фигур в национальном пантеоне. К середине 1807 г. контуры новой государственной идеологии были в основном намечены. По-видимому, и сам император обдумывал в этот период перспективы сближения с былыми идейными противниками.

В воспоминаниях Державина говорится, что в «1806 и в начале 1807 году, в то время как вошли французы в Пруссию» он написал императору

две записки о мерах, каким образом укротить наглость французов и оборонить Россию от нападения Бонапарта, <...> о чем с Ним и словесно объяснялся, прося позволения сочинить проект, к которому у него собраны мысли и начертан план; только требовалось несколько справок от военной коллегии и прочих мест относительно наряда войск, крепостей, оружия и тому подобное. Государь принял сие предложение с благосклонностью, хотел призвать его к себе, но, поехав в марте месяце к армии под Фридлянд и возвратясь оттуда, переменил с ним прежнее милостивое обхождение, не кланялся уже и не говорил с ним.

(Державин VI, 828)

Не приходится сомневаться, что не почтение к полководческим дарованиям стареющего поэта побудило Александра демонстрировать свою благосклонность Державину, которого он тремя годами ранее со скандалом уволил со службы.

Однако развитие событий принесло Шишкову, Державину и их сторонникам горькие разочарования. Как было написано в «Политическом журнале», «1807 год из Сарматской земли, потоками крови упоенной, *произрастил оливу дружества,* которая, скоро возвысившись, объяла ветвями своими Францию и Россию» (Историческая картина 1808, 83). Вместо очищения от чуждой скверны и решающей схватки со злом последовали Тильзитский мир, возвышение Сперанского и новый виток реформаторского активизма. Тем не менее идеологические разработки, не пригодившиеся власти в эти годы, вновь были востребованы ею в 1812 г., когда в преддверии надвигающейся войны Шишков был назначен государственным секретарем, а Ростопчин — московским генерал-губернатором.

Глава VI

ВРАГ НАРОДА

ОПАЛА М. М. СПЕРАНСКОГО
И МИФОЛОГИЯ ИЗМЕНЫ В ОБЩЕСТВЕННОМ
И ЛИТЕРАТУРНОМ СОЗНАНИИ
1809—1812 ГОДОВ

1

Новому призыву А. С. Шишкова и его единомышленников во власть предшествовала сенсационная отставка М. М. Сперанского. 17 марта 1812 г. Александр I вызвал своего государственного секретаря и после многочасовой и в высшей степени эмоциональной аудиенции, сопровождавшейся высочайшими слезами и драматическими эффектами, сместил его со всех должностей. В тот же вечер Сперанский был отправлен с полицией в Нижний Новгород. Русская история богата случаями внезапных падений вчера еще всесильных фаворитов, тем не менее опала ближайшего сотрудника и «правой руки» императора произвела оглушительное впечатление на современников. Ф. Ф. Вигель писал в своих воспоминаниях, что «повесть об его (Сперанского. — *А. З.*) изгнании все еще остается для нас загадкою и вероятно даже потомством нашим не будет разгадана. В преданиях русских она останется то же, что во Франции история о Железной маске» (Вигель IV, 34). С этой оценкой согласился и первый биограф Сперанского М. А. Корф, который был лично знаком со своим героем в последние годы его жизни (Корф II, 27).

В нашем распоряжении не так много документов, позволяющих судить о том, что произошло за закрытыми дверьми императорского кабинета: оправдательные письма Сперанского Александру, его рассказ Ф. П. Лубяновскому, зафиксированный в «Воспоминаниях» последнего (Лубяновский 1872, 227—229), несколько отрывочных и противоречащих друг другу высказываний императора (наиболее полный свод документальных свидетельств см.: Шильдер III, 31—52, 366—371, 487—496, 515—532; также см.: Корф 1902; Бычков 1902; почти исчерпывающую библиографию вопроса см.: Раев 1957, 202—203). Что касается подробнейших «Воспоминаний» Я. И. де Санглена (Санглен 1883), начальника секретного департамента Министерства полиции и активного участника развернутой против

Портрет
М. М. Сперанского.
Гравюра с оригинала
И. А. Иванова

Сперанского интриги, то они ненадежны и, при всей их исключительной ценности, должны использоваться с осторожностью.

Воспоминания эти были написаны более чем через тридцать лет после упоминаемых происшествий и после смерти Сперанского, закончившего свою жизнь уважаемым сановником. Первоначально де Санглен отказывался передать свои записки биографу Сперанского М. А. Корфу, ссылаясь на обязательства перед Александром, от которых его мог освободить только царствующий государь. Заинтригованный Корф действительно попытался добиться от императора соответствующего разрешения, но Николай I, относившийся к де Санглену с крайней брезгливостью, и слышать об этом не захотел. Тем не менее нуждавшийся, по-видимому, в самооправдании де Санглен буквально завалил Корфа своими бумагами.

Понятно, что постоянные попытки де Санглена отделить себя от участников интриги, продемонстрировать свою небывалую проницательность и показать себя рыцарем без страха и упрека, смело возражающим и своему непосредственному начальству, и именитым придворным, и самому государю, не заслуживают ни малейшего доверия. Однако сама информация, которую он сообщает об обвинениях, выдвигавшихся против Сперанского его противниками, дополняя другие известные нам источники, ничем им не противоречит. О тайных беседах Александра и де Санглена пишет, в частности, информированный Греч (1930, 512). В дневниках Л. И. Голенищева-Кутузова указано, что после ссылки государственного секретаря де Санглен говорил ему, что «преступление Сперанского есть измена». «Санглен в каком-то восторженном бешенстве», — добавил автор дневника (Бычков 1902, 18).

Это «восторженное бешенство» скромного чиновника, допущенного на вершины власти, хорошо объясняет его необыкновенную памятливость на все детали давнего происшествия, оказавшегося вершиной его карьеры. Поэтому для него и было так важно донести все случившееся с ним для потомства, представив собственную роль в возможно более благоприятном свете. Разумеется, Александр, и вообще, мягко говоря, не склонный к излишней откровенности, менее всего раскрывал перед де Сангленом свои заветные мысли. Скорее, он воспроизводил основные мотивы поступающих к нему доносов, проверяя реакцию собеседника и формируя выгодную для себя версию событий.

В источниковедческом плане наибольшее значение имеет оправдательное письмо, отправленное Сперанским императору 4 февраля 1813 г. из Перми. Известное М. А. Корфу только по испорченным и неполным копиям — его подлинный текст был обнаружен и введен в оборот позднее Н. К. Шильдером (III, 515—527), — письмо это заслуживает доверия по крайней мере в одном отношении. Стремясь оправдаться, Сперанский с максимальной полнотой перечисляет все возможные обвинения, как те, которые он услышал от императора, так и те, о которых он мог только догадываться. «Я не знаю с точностию, в чем состояли секретные доносы на меня взведенные, — писал он. — Из слов, кои при отлучении меня ваше величество сказать мне изволили, могу только заключить, что были три главные пункта обвинения: 1) что финансовыми делами я старался расстроить государство; 2) привести налогами в ненависть правительство; 3) отзывы о правительстве» (Там же, 521—522).

По первым двум пунктам Сперанский указывал, что государственные доходы за то время, которое он руководил финансовой системой страны, выросли более чем в два раза, а увеличение налогов, неизбежное для государства, обремененного огромным бюджетным дефицитом и готовящегося к войне, никогда не может быть популярной мерой. Доводы эти выглядят не только бесспорными, но и самоочевидными: невозможно представить, чтобы Александру они могли не быть известны заранее. Соответственно, выдвинутые им претензии были риторическим прикрытием подлинных мотивов его решения. По-видимому, император и не очень стремился скрыть это от своего собеседника, поскольку, прощаясь, он сказал ему, что «во всяком другом положении дел, менее настоятельном, он употребил бы год или два, чтобы точнее рассмотреть и проверить» дошедшие к нему сведения (Там же, 515).

Поэтому помимо опровержения сформулированных обвинений Сперанскому приходилось отвечать и на другие, которые могли остаться невысказанными. Самыми зловещими были распространенные в общественном мнении и как бы подтвержденные его опалой подозрения, что он действовал в интересах Франции.

Сие жестокое предубеждение о связях моих с Франциею, быв поддержано эпохой моего удаления, составляет теперь самое важное и, могу сказать, *единственное пятно* моего в народе обвинения, — писал Сперанский в письме. — Вам единственно, всемилостивейший государь, вашей справедливости принадлежит его изгладить. Смею утвердительно сказать: в вечной правде перед Богом, вы обязаны, государь, это сделать. <...> Финансы, налоги, новые установления, все дела публичные, в которых я имел счастье быть вашим исполнителем, все оправдается временем, но здесь чем я оправдаюсь, когда все покрыто и должно быть покрыто тайною.

(Там же, 523)

Речь в этих полных драматизма строках идет о том, что на протяжении нескольких лет в обязанности Сперанского входило ведение секретной корреспонденции, проходившей через его агента К. В. Нессельроде, которому удалось установить в Париже контакты с Талейраном. Переписка эта велась в обход официальных дипломатических каналов, и о ее существовании не знали ни канцлер Румянцев, ни русский посол во Франции А. Б. Куракин (Николай Михайлович I, 83). Именно с этой перепиской связан и вполне реальный служебный проступок Сперанского, о котором он подробно пишет в письме, — несанкционированное чтение материалов перлюстраций корреспонденции иностранных дипломатов (см.: Шильдер III, 53—68).

Однако это не очень значительное превышение государственным секретарем своих почти необъятных полномочий не могло стать причиной его удаления, поскольку во время роковой аудиенции Александр ничего о нем не знал. Соответствующие документы вместе с сопроводительным письмом были посланы ему самим Сперанским ночью после отставки. Это признание и продемонстрировал император впоследствии министру юстиции И. И. Дмитриеву как подтверждение виновности Сперанского, который «простер наглость свою даже до того, что захотел участвовать в государственных тайнах» (Дмитриев 1986, 346).

Парадоксальным образом деятельность Сперанского, направленная на корректировку профранцузской линии официальной дипломатии, могла выглядеть в глазах недостаточно информированных людей как проявление его особой симпатии к Франции. Однако Александр, возложивший на государственного секретаря подобные обязанности, не мог не знать истинного положения вещей. «Неприятели мои могли сомневаться в политических моих правилах, могли думать о привязанности моей к французской системе, но ваше величество не могли колебаться», — говорилось в пермском письме (Шильдер III, 524).

Десятью месяцами раньше Сперанский послал императору свое первое оправдательное письмо из Нижнего Новгорода. Оно много короче пермского и не содержит анализа выдвинутых обвинений, однако в нем можно найти указание на то, в чем сам опальный фаворит видел причину своего падения. «Первым и единственным источником всего» (Там же, 44) назван здесь подготовленный им план государственных преобразований. В пермском письме он напоминает, что составлял свои законодательные проекты по поручению государя и в тесном сотрудничестве с ним, что они получали одобрение других сановников и были направлены только на усовершенствование системы государственного управления, но ни в коей мере не на ограничение прерогатив монаршей власти (о политических идеях Сперанского этого периода см.: Довнар-Запольский 1905; Раев 1957; Предтеченский 1957; Калягин 1973; Морозов 1999 и др.).

По свидетельству де Санглена, Александр говорил ему о своем недовольстве преобразовательными замыслами Сперанского, а непосредственно в день решающего объяснения даже заявил, что тот «подкапывался под самодержавие» (Санглен 1883, № 2, 178; ср.: Шильдер III, 38). Однако, даже если принять эти показания на веру, подобные формулировки скорей были призваны оправдать готовящееся устранение государственного секретаря, чем выражали искреннее мнение императора. Если в разговорах с де Сангленом, Дмитриевым, ректором Дерптского университета Г.-Ф. Парротом Александр упоминал об измене, то более приближенным лицам — А. Н. Голицыну, Н. Н. Новосильцеву, К. В. Нессельроде — он давал понять, что не верит в виновность Сперанского. В характерном для него стиле он и этим собеседникам говорил совершенно разные вещи. В частности, Новосильцеву в Свенцянах он заметил, что Сперанский не был предателем и виноват только по отношению лично к нему, «заплатив за доверие самой черной, самой ужасной неблагодарностью» (Шильдер III, 493; Николай Михайлович I, 105).

По мнению Н. К. Шильдера, именно скептические суждения потерявшего осторожность государственного секретаря об императоре и стали подлинной причиной опалы, а все произошедшее 17 марта 1812 г. было «сведением личных счетов оскорбленного мстительного сердца» (Там же, 50).

Сходной точки зрения придерживался и М. П. Погодин, ссылавшийся на неполноту последующей реабилитации опального фаворита. Император не вернул Сперанскому прежнего расположения, много лет под любыми предлогами держал его вдали от Петербурга, а при встречах всячески избегал разговоров о происшедшем (Погодин 1871, 1146—1149). Однако, зная мстительность Александра и его склонность к мелодраматическим эффектам, трудно сомневаться, что он или никогда не простил бы Сперанскому презрительных отзывов, или должным образом обставил бы ритуал прощения. С другой стороны, смотреть в глаза жестоко и несправедливо обиженному тобой человеку всегда неприятно. Безо всякой иронии можно сказать, что то, что Сперанский был все же возвращен к государственной деятельности, а не кончил свои дни в изгнании, служит к немалой чести императора.

Практически все упоминания о подобного рода высказываниях Сперанского восходят в конечном счете к доносам на него, часто содержавшим достаточно неправдоподобную информацию (см.: Шильдер III, 35). Приведем один пример. Знаменитый отзыв Сперанского об Александре: «Все, что он делает, он делает наполовину. <...> Он слишком слаб, чтобы управлять, и слишком силен, чтобы им управляли» — известен нам через три посредующих звена. Его зафиксировал в своих мемуарах де Санглен, якобы услышавший эти слова от императора, который ссылался на министра полиции Балашова, отряженного следить за государственным секретарем.

Из четверых лиц, которым могла принадлежать эта реплика, авторство Сперанского выглядит, пожалуй, наименее вероятным. По словам самого де Санглена, услышав от государя пересказ этого эпизода, он немедленно выразил свои сомнения: «Сперанский, человек умный, как решился он, при первом знакомстве и с кем? — с министром полиции, так откровенно объясняться? Впрочем, та же фраза была сказана прежде о Людовике XV — это повторение» (Санглен 1883, № 1, 23—24).

Даже если Александр действительно был столь откровенен с чиновником среднего ранга, почти невозможно допустить, чтобы де Санглен в ответ решился противоречить императору. Скорее, он задним числом вложил себе в уста напрашивающееся возражение. Однако в любом случае его оценку трудно оспорить. Карьера Сперанского началась с самых низов, и прежде чем попасть ко двору, ему пришлось побывать в ближнем кругу нескольких крупных сановников. Нравы среды, где ему приходилось проделывать свой путь наверх, не располагали к простодушию. К тому же Сперанский знал, что окружен плотной стеной зложелательства и доносов, и даже на этом основании уже подавал несколькими месяцами ранее в отставку, отклоненную Александром. В этих обстоятельствах было бы трудно ожидать от него столь самоубийственной и совершенно бессмысленной откровенности[1].

В пермском письме Сперанский пытался объяснить императору происхождение слухов о «личных отзывах». «Отчего, спросят, — писал он, — доходили от разных лиц одни вести? Оттого, что сии разные лица составляли одно тело, а *душа сего тела был тот самый, кто всему казался и теперь кажется посторонним*» (Шильдер III, 523). Как указывает Шильдер, против этого места «в подлиннике сбоку поставлено карандашом, *по-видимому*, рукою императора Александра, NB» (Там же). По мнению М. А. Корфа, речь здесь шла о сестре императора великой княгине Екатерине Павловне (Корф 1902, 475). Справедливость этой догадки подтверждается тем, что Сперанский, как уже говорилось, считал главной причиной опалы свой план государственных преобразований, французский перевод которого был передан, по приказанию императора, мужу Екатерины Павловны принцу Ольденбургскому (Шильдер III, 44). Того же мнения придерживались и многие современники. Как впоследствии вспоминал тесно связанный с великокняжеской четой Ростопчин, низвержение Сперанского приписывали «В<еликой> К<нягине> К<атерине> и кн<язю> О<льденбургскому>» (Ростопчин 1992, 246)[2].

Близкий к Сперанскому Ф. Гауеншильд утверждал, что тот приписывал свое падение главным образом князю А. Н. Голицыну (Гауеншильд

---

[1] Сведения о другом революционном суждении Сперанского Н. К. Шильдер (III, 35) заимствует из доноса, поданного почти двадцатью годами позже Николаю I и носящего совершенно параноидальный характер (см.: Шильдер 1898/1899).

[2] Инициал «К» в тексте вместо правильного «Е», конечно, результат невнимательного перевода французского «С» — «Catherine».

1902, 261). Однако Гауеншильд обсуждал этот вопрос со Сперанским десятью годами спустя, когда он мог изменить свое мнение. К тому же Сперанский вряд ли стал бы кому-либо, кроме самого императора, высказывать свои подозрения в адрес члена царствующей семьи. Да и великой княгини к тому времени уже не было в живых.

Роль Екатерины Павловны в кампании, направленной на смещение государственного секретаря, была чрезвычайно значимой, однако Сперанский не догадывался или не хотел догадываться, что непосредственно за спинами окружавших его в последнее время осведомителей и провокаторов стоял сам император[1]. Именно Александр поручил министру полиции А. Д. Балашову и барону Г. Армфельдту собирать на Сперанского компрометирующие материалы и одновременно приказал подчиненному Балашова де Санглену присматривать за своим начальником. «Мы действовали как телеграфы, нити которых были в руках государя», — заметил де Санглен, и эта его оценка не вызывает никаких сомнений (Санглен 1883, № 3, 394).

В свете вышесказанного можно сделать осторожное предположение по поводу одной из самых неясных деталей всей интриги. Как известно, Балашов и Армфельдт предложили Сперанскому составить вместе с ними триумвират, который бы взял управление государством в свои руки. Решительно отказавшись, Сперанский, однако, не донес немедленно об этом разговоре Александру (Шильдер III, 529). Более того, у него была назначена какая-то встреча с Балашовым, не явившись на которую, он послал министру полиции извинительную записку, позднее использованную против него. Традиционно этот легкомысленный шаг объясняли нравственной брезгливостью Сперанского (см., напр.: Лубяновский 1872, 230; Шильдер III, 37—38 и др.). Однако, если допустить, что Сперанский, что было бы совершенно естественно, понимал провокационный характер сделанного ему предложения, но ошибочно полагал, что за этой провокацией стоит великая княгиня, то для того, чтобы вступить в борьбу со столь могущественным противником, он должен был лучше подготовиться и собрать больше данных. Именно из этих соображений он мог не прервать немедленно любые контакты с Балашовым.

---

[1] В. А. Томсинов несколько по-другому описывает логику этого процесса: «Громадная по своему размаху сеть интриги против Сперанского захватила Александра, потащила к намеченной не им развязке. И он, вместо того, чтобы сопротивляться, вдруг безропотно потащился, сначала пассивно, волочась за другими, но постепенно стал на ноги, пошел сам, обогнал тащивших его и сам потянул их за собою туда, куда лишь недавно тащили его они» (Томсинов 1991, 196).

Иногда, говоря о причинах опалы Сперанского, Александр предпочитал изображать себя самого жертвой обстоятельств. «У меня в прошлую ночь отняли Сперанского», — сказал он Голицыну 18 марта, а уже на следующий день заявил Нессельроде, что «именно теперешние только обстоятельства и могли выудить у меня эту жертву общественному мнению» (Шильдер III, 48). Разумеется, и здесь император не был безусловно искренен. Вся инициатива в удалении государственного секретаря полностью принадлежала ему самому. Однако некоторая доля истины в этих жалобах все же была.

Отставка Сперанского и назначение на его место Шишкова явились одним из тех символических жестов, на которые Александр всегда обладал исключительным чутьем. Эти кадровые решения обозначали окончание Тильзитской эпохи, когда фигура ненавистного дворянству поповича, вознесенного к подножию трона после эрфуртской встречи Александра с Наполеоном, эмблематизировала не только пробонапартистский политический курс, но и готовность самодержца править, не считаясь ни с каким недовольством. Теперь, в преддверии решающего столкновения со смертельным противником, император поворачивался лицом к своим подданным. По одному из свидетельств, восходящих к позднейшему рассказу Сперанского, Александр сказал ему: «У тебя сильные враги, общее мнение требует твоего удаления, только на этом условии соглашаются дать нужные нам деньги, а у меня на руках Наполеон и неизбежная война» (Бычков 1902, 11).

Не вполне ясно, пересказывал ли Сперанский слова, произнесенные во время аудиенции, или в таком виде до нас дошла его ретроспективная интерпретация мотивов государя. Трудно сказать, и о каких деньгах шла речь, то ли о военных субсидиях, которые предстояло получить от Англии, то ли о грядущих народных пожертвованиях. Так или иначе политическая подоплека произошедшего выглядит достаточно прозрачной. «Точно ли Александр был убежден в справедливости высказанных им Сперанскому обвинений и подозрений, или все это была одна только маска перед последним и, может статься, даже перед самим собою, один предлог для удаления от себя во что бы то ни стало, без вида явного неправосудия, человека, которому сам он дал слишком большое влияние? — задавался вопросом М. А. Корф. — Скорее, кажется, последнее» (Там же, 10).

Это объяснение оставляет, однако, без ответа один существенный вопрос. Для демонстрации смены политического курса было бы достаточно отставки и нового назначения, и такого рода решение вообще не потребовало бы со стороны Александра каких бы то ни было дополнительных объяснений. Запущенная им сложная интрига и чудовищные обвинения, выдвинутые против ближайшего сотрудника, выглядят в значительной степени избыточными. Сам Сперанский без большого успеха пытался угадать, зачем его противникам понадобилось уничтожить его, не ограничившись отстранением от должности (Шильдер III, 529—532). В то же время некоторым из участников интриги удалось проникнуть в замыслы императора или, что гораздо менее вероятно, заразить его собственными идеями.

Де Санглен приводит один из разговоров, якобы состоявшихся у него с Армфельдтом накануне решающих событий. «"Знайте, — сказал Армфельдт, — виновен ли он или нет, он должен быть принесен в жертву; это необходимо для того, чтобы привязать народ к главе государства и ради войны, которая должна быть национальною". — Этот разговор, — комментирует де Санглен, — открыл мне тайну, что Сперанский назначен неминуемо быть жертвою, которая под предлогом измены и питаемой к нему ненависти должна объединить все сословия и обратить в настоящей войне всех к патриотизму» (Санглен 1883, № 3, 377).

Разговор этот так поразил де Санглена, что потом он счел нужным еще раз вернуться к этой мысли: «Государь, вынужденный натиском политических обстоятельств вести войну с Наполеоном на отечественной земле, желал найти точку, которая, возбудив патриотизм, соединила бы все сословия вокруг его. Для достижения сего нельзя было ничего лучше придумать измены против государства и отечества. Публика — правильно или неправильно — все равно давно провозгласила во всей России изменником Сперанского. На кого мог выбор лучше пасть, как не на него» (Там же, 394). Снова заметим, что малая достоверность воспоминаний де Санглена не позволяет окончательно судить, кому именно принадлежала приведенная им точка зрения. Однако выразительно очерченная им смысловая констелляция — «жертва», «измена», «всеобщая ненависть», «объединение народа», «патриотизм», «национальная война» и т.п. — безусловно окрашивала собой весь ход событий.

2

В самом конце пермского письма Сперанский называет еще одну возможную причину своей опалы, причем говорит о ней вскользь, явно испытывая неловкость за то, что вынужден касаться наветов, столь заведомо вздорных в том числе и для его адресата: «Нужно ли, всемилостивейший государь, чтоб я оправдывал себя и против тех обвинений, которые рассеваемы были моими врагами о нравственных моих правилах и связях моих с мартинистами, иллюминатами и проч.? Бумаги мои ясно доказывают, что никогда и никаких связей я не имел; вообще о всех вещах я старался иметь собственные мои мнения и никогда не верил слепо чужим» (Шильдер III, 526). Сперанский давно знал о разговорах подобного рода, но никогда не относился к ним всерьез и, видимо, не верил, что хорошо осведомленный о его занятиях император может иметь к нему какие-либо претензии по этой части.

Пятью годами позднее в письме своему другу А. А. Столыпину Сперанский, ставший к тому времени пензенским губернатором, дал подобного рода толкам, касавшимся на этот раз совсем других людей, совершенно недвусмысленную характеристику: «Как мало еще просвещения в Петербурге! Из письма вашего я вижу, что там еще верят бытию мартинистов и иллюминатов. Старые бабьи сказки, которыми можно только пугать детей» (Сперанский 1870, 1152). Однако презрительный тон этих отзывов едва ли соответствовал положению вещей. В действительности речь шла о разработанном комплексе культурно-исторических стереотипов, сыгравших огромную роль не только в личной судьбе государственного секретаря, но и в судьбах России и Европы.

Представления, по которым двигателем исторических событий является тайный заговор могущественных сил, уходят корнями в толщу человеческой истории. В XVIII столетии эти объяснительные практики приобрели широкую популярность (см.: Робертс 1972; Пайпс 1997). Философы-просветители видели причину торжества невежества и предрассудков в многовековом заговоре церковников и власть имущих. Мыслители консервативного толка, напротив того, усматривали такой заговор в деятельности самих просветителей. Материализованным проявлением закулисных интриг сил зла служили для них масонские ложи, получившие уже в первой половине XVIII в. широчайшее распространение сначала в Британии, а потом и по всей Европе (см., напр.: Дефорно 1965; о распространении масонства см.: Ле Форестье 1970; Робертс 1972, 17—145; Пятигорский 1997, 37—232 и др.; о происхождении масонства см.: Стивенсон 1988).

Масонство с его постоянно афишируемым культом тайны, конечно, было идеальным объектом для мифологии всеобщего заговора[1]. Причем, если в сравнительно свободной и веротерпимой Англии масонские ложи скорее напоминали закрытые клубы, ставящие своей программной задачей моральное самосовершенствование и филантропическую деятельность, то в континентальной Европе они все чаще выглядели как тайные политические сообщества или религиозные секты. Французское и немецкое масонство надстроило над тремя принятыми в английских ложах степенями сложнейшие системы градусов, резко усложнило ритуал посвящения, дополнило официальную масонскую генеалогию связями со средневековым орденом тамплиеров и с древними эзотерическими культами.

Сильнейшее воздействие на облик европейского масонства оказали и движения оккультного и мистического характера: прежде всего розенкрейцерство, сосредоточенное на алхимических и парамедицинских исследованиях, и мартинизм, философское учение о «регенерации» — воссоединении души посвященного с миром духов, которому она прежде принадлежала (см.: Виатт I—II; Ле Форестье 1970; Робертс 1972, 101—117; Макинтош 1992 и др.)[2]. С другой стороны, свою роль в развитии лож сыграла деятельность ордена иллюминатов, тайного общества, основанного в 1776 г. в Баварии профессором Ингольштадтского университета Адамом Вейсгауптом. Иллюминаты ставили своей задачей пропаганду радикальных политических реформ отчасти уравнительно-социалистического толка (см.: Ле Форестье 1974; репрезентативное собрание документов по истории ордена см.: Делмен 1977; ср.: Робертс 1972, 118—145). На первых порах орден не был связан с масонством, но в начале 1780-х гг. его лидеры начали вступать в масонские ложи, стремясь использовать их возможности и популярность для распространения своих идей. Запрещение иллюминатов баварскими властями в 1785 г. и публикация секретных документов ордена, попавших в руки полиции, вызвали настоящую панику как среди самих масонов, внезапно узнавших, что их пытались сделать орудиями в опасной игре, так и среди их традиционных противников.

---

[1] О неустанной и даже назойливой пропаганде собственной глубочайшей секретности как одном из фундаментальных феноменологических парадоксов масонства см.: Пятигорский 1997, XIII—XIV, 76—77 и др.

[2] Термин «мартинизм» произошел, по-видимому, от имени создателя учения о регенерации Мартинеса де Паскуале, но часто связывался с именем его последователя Луи-Клода де Сен-Мартена, одного из самых популярных мистических авторов XVIII столетия (см., напр.: Робертс 1972, 103—104). О происхождении розенкрейцерства и его отношениях с ранним масонством см.: Йейтс 1999.

Вейсгаупт и иллюминаты начинают служить в европейском общественном мнении эмблематическим обозначением всемирного заговора. «Тень разогнанного ордена стала призраком, приобретшим для слабых умов ужасающую реальность», — писал историк ордена Р. ле Форестье (1974, 613; ср.: Пайпс 1997, 62—66). Многообразное, внутренне конфликтное, исполненное непримиримых противоречий явление, которым было масонство в конце XVIII в.[1], превратилось для многих сторонних наблюдателей в зловещий монолит, в котором политический радикализм и оккультные увлечения оказались частью единого плана, а эгалитаризм и иерархичность дополнили друг друга в представлениях о глубоко законспирированном штабе, действующем через многочисленных и часто непосвященных адептов.

С началом Французской революции все эти мифологемы обрели универсальное признание. Молниеносное крушение тысячелетней монархии и стремительное распространение революционной лавины за пределы Франции, казалось, подтверждали гипотезы о деятельности могущественных конспираторов. Уже в начале 1790-х гг. появляется ряд трактатов и памфлетов, доказывающих, что все происходящее — дело рук мирового масонства (см.: Робертс 1972, 146—202). К концу века в свет выходят труды, в которых эти представления получили полное и систематическое изложение: «Памятные записки к истории якобинства» аббата О. Баррюэля на французском языке, «Доказательства заговора против всех религий и правительств Европы» Дж. Робайсона на английском и «Торжество философии в XVIII веке» И. А. Штарка на немецком (см.: Баррюэль I—IV; Робайсон 1797; Штарк 1803). Несмотря на более позднее время выхода книги Штарка, она в основном писалась в то же время, что и две других, и значительная ее часть была ранее опубликована в журнале «Эвдемония», выходившем в разных немецких городах в 1795—1798 гг. (см.: Дроз 1961, 313—339).

При всем сходстве целей и посылок авторов, работавших отчасти в сотрудничестве между собой, они во многом стояли на разных позициях. Робайсон и Штарк сами были активными масонами и

---

[1] «С одной стороны, масонство развивало доктрину, что все люди братья, объединенные общим поклонением "Великому архитектору вселенной", вопреки религиозному догматизму и сектантству. С другой, оно учило, что существует древняя мудрость, передаваемая посвященными, заключенная в секретных символах и ритуалах и доступная только тем, кто достиг подобающего градуса», — писал британский историк К. Макинтош (1992, 40).

ВОЛТЕРІАНЦЫ.
или
ИСТОРІЯ О ЯКОБИНЦАХЪ,
Открывающая всѣ противу
Христіанскія злоумышленія
и таинства масонскихъ ложъ,
имѣющихъ вліяніе на всѣ
Европейскія Державы.

Съ Французскаго.

Послѣдняго, исправленнаго и вновь умно-
женнаго изданія.

Въ двѣнадцати Частяхъ.
ЧАСТЬ ПЕРВАЯ.

Съ дозволенія цензурнаго Комитета,
учрежденнаго для округа Император-
скаго Московскаго Университета.

МОСКВА.
Въ Губернской Типографіи
у А. Рѣшетникова 1805 года.

Титульный лист
первого русского перевода
«Памятных записок
к истории якобинства»
О. Баррюэля

стремились разоблачить опасные и зловещие тенденции одних объе-
динений, чтобы вывести из-под удара другие — благонамеренные
и безопасные для общества. В то же время ревностный иезуит Баррюэль был решительным противником масонства как такового. Он
готов был допустить, что многие масоны не преследуют никаких
опасных целей, но связывал это с тем, что они могут быть неосве-
домлены о преступных замыслах главарей других, потайных лож.

«Я еще раз прошу честных Масонов не считать, что их обвиняют в том, что они хотели произвести подобную революцию, — писал Баррюэль. — Когда я буду касаться этой статьи их законов, я
расскажу, как столько благородных и добродетельных душ не подозревали о подлинной цели масонства, они видели в нем только бла-
готворительное общество и такое братство, которое все чувствитель-

ные души хотели бы сделать всеобщим» (Баррюэль II, 263; ср.
с. 257—259; о Баррюэле см.: Робертс 1972, 193—202; Рике 1973; Шеппер-Виммер 1985).

По мнению Баррюэля, Французская революция стала результатом тройного заговора, «софистов безбожия», «софистов возмущения» и «софистов безначалия». Первые стремились к ниспровержению Церкви, вторые — монархии, третьи мечтали разрушить все
общественные институты. «Якобинский заговор, — писал Баррюэль, — был ни чем иным, как объединением, коалицией тройствен-
ной секты, тройной конспирацией, где задолго до революции созре-
вала и до сих пор зреет гибель алтаря, трона и всего общества»
(Баррюэль I, XVII). Заговор «софистов безбожия» изначально восходил к союзу трех — Вольтера, д'Аламбера и Фридриха Великого; заговор «софистов возмущения» оформился в ложах франкмасонов, и,
наконец, средоточием «софистов безначалия» стал орден иллюминатов во главе с Адамом Вейсгауптом, облик которого под пером Баррюэля приобрел характерные черты наместника дьявола на земле.

Три заговора, охарактеризованные Баррюэлем, можно соотнес-
ти с составляющими формулы «свобода — равенство — братство».
Человек, просвещенный философским учением энциклопедистов,
оказывается свободен от религиозных догматов, которыми его огра-
ничивало церковное учение; затем приверженцы новой философии
объединяются в союзы, ставящие своей задачей свержение монархий
и всеобщее уравнение прав, а итогом этого разрушения основ всякой
государственности становится упразднение государства как такового в утопии всемирного братства людей. Баррюэль полагал, что «весь
секрет масонства состоит в сих словах: равенство и свобода, все люди
равны и свободны; все люди братья» (Там же II, 261).

Категорию братства Баррюэль определенно связывал, с одной
стороны, с закрытым ритуалом масонских лож, а с другой — с кос-
мополитизмом иллюминатов, не признающих национальных границ.

> В ту минуту, когда люди составили народы [nations], — воспроизводит
> Баррюэль логику иллюминатов, — они перестали узнавать друг в дру-
> ге людей. *Национализм* или *любовь народная* заступила место любви
> общей. <...> Итак, стало добродетелью распространять свои пределы
> за счет тех, кто не находится под властью нашей империи. Стало по-
> зволено презирать иностранных, обманывать и обижать их. *Эта доб-
> родетель называется патриотизмом.* <...> Умалите, искорените сию
> любовь к отечеству, и люди снова научатся познавать себя и любить
> друг друга как людей.
>
> (Там же III, 172—173)

Разоблачавший масонов Баррюэль активно подхватил масонские и розенкрейцерские спекуляции о древности происхождения их ритуалов. По его мнению, «посвященные знатоки в самом масонстве отнюдь не заблуждались, называя тамплиеров среди своих предшественников» (Там же II, 387). Он усматривал корни масонской символики и организации и у тамплиеров, и у средневековых еретических сект катаров и альбигойцев и в конечном счете возводил учение вольных каменщиков к основателю манихейства Мани (см.: Там же, 387—412). Перед глазами читателя возникала единая картина чудовищной деятельности антихристианской, антигосударственной и антиобщественной секты, с доисторических времен объединявшей всех врагов порядка от адептов оккультных наук до просветителей XVIII в. Французская революция оказывалась в этой системе взглядов кульминацией разрушительного процесса и ступенью на пути заговорщиков к мировому господству.

«Памятные записки...» приобрели всеевропейское признание и были немедленно переведены на английский и немецкий, а впоследствии и на большинство других европейских языков. Именно Баррюэль предложил, с одной стороны, наиболее целостный, подробный и разветвленный, а с другой — самый упрощенный и внутренне непротиворечивый вариант теории всеобщей конспирации. По словам французского историка Д. Морне, «вся антимасонская политика XIX в. имеет своим источником книгу Баррюэля» (Морне 1967, 362; ср.: Робертс 1972).

Читателю начала XXI в. картина всемирного заговора, нарисованная Баррюэлем, несомненно покажется знакомой. Для полной узнаваемости, однако, в ней недостает еще одной важной фигуры — еврея. И это дополнение было сделано практически сразу же. В 1806 г. Баррюэль получил письмо из Флоренции от некоего капитана Симонини, личность которого ни самому аббату, ни историкам так и не удалось установить. Выразив свое восхищение «Памятными записками...», Симонини посетовал, что Баррюэль не отразил решающей роли евреев во всем описанном им заговоре от Мани до Французской революции (см.: Шеппер-Виммер 1985, 251—253, 402—406). Письмо это было впервые напечатано только в 1878 г., но его содержание тем не менее стало быстро известно широкой публике прежде всего от самого Баррюэля, который поверил Симонини тем легче, что уже высказывался в том же роде в одном из примечаний к немецкому переводу своей книги (см.: Пайпс 1997, 74, 216). Первоначально он даже планировал издать по этому поводу новый труд, но потом отказался от этого намерения, по некоторым данным опасаясь спровоцировать массовое истребление евреев, и ограничился рассылкой соответствующих предупреждений многим своим корреспондентам, в особенности сотрудникам полицейского и церковного аппарата. Как указывает немецкий историк Й. Р. Биберштейн, через Жозефа де Местра эта информация дошла до Александра I, который отнесся к ней с доверием (см.: Биберштейн 1976, 627). Действительно, в 1821 г. Александр называл неаполитанских карбонариев «одной из синагог Сатаны» (Николай Михайлович I, 546). В архиве Н. К. Шильдера, имевшего доступ к бумагам императора, находится сделанная, скорее всего, самим историком копия письма Симонини Баррюэлю (Pièce trouvée parmis les papiers de feu de P. Barruel jésuite, auteur d'un Mémoire pour servir à l'histoire de jacobinisme: ОР РНБ. Карт. 20. № 10).

Заговор такой силы и опасности требовал адекватных средств борьбы. Напрашивающимся решением, казалось, была бы немедленная и полная ликвидация всех тайных обществ, чье существование не только таило в себе угрозу для традиционных абсолютистских режимов, но и противоречило основам начинавшего складываться в ту эпоху национального сознания. Формирующееся национальное тело должно было представлять собой единый организм, не допускающий возникновения независимых образований, закрытых от общего взгляда. Руссо в «Общественном договоре» подчеркивал, что в условиях народного суверенитета частные ассоциации недопустимы, так как противоречат «общей воле» (Руссо 1969, 171)[1]. Однако такой путь часто выглядел недостаточно надежным, поскольку, с одной стороны, не гарантировал от возникновения заговоров, а с другой, лишал защитников существующих порядков мощного и эффективного оружия, которым могли пользоваться заговорщики.

По мнению Баррюэля, сами иллюминаты «восхищались законами и порядками иезуитов, которые умели под единым руководством побудить действовать во имя единой цели столько людей, рассеянных по всей вселенной, и стремились подражать их средствам, *развивая диаметрально противоположные взгляды*» (Баррюэль III, 11)[2]. И сам Баррюэль, и поддержавший его в этом вопросе Жозеф де Местр были убеждены, что изгнание иезуитского ордена из многих европейских стран инспирировалось масонами, у которых

---

[1] Ж. Старобинский на совсем другом материале показал, что стремление к «прозрачности» было основной жизненной обсцессией Руссо (см.: Старобинский 1971).

[2] Выделенные курсивом слова были, по указанию Баррюэля, цитатой из «Прусской монархии» Мирабо.

тем самым оказались развязаны руки. «Один знаменитый французский революционер сказал, что революция была бы невозможна, если бы этот орден существовал, и действительно, ничего не может быть более справедливым», — писал в 1811 г. Жозеф де Местр королю Виктору-Эммануэлю (Местр XII, 73). Поэтому в среде, вырабатывавшей и поддерживавшей мифологию всемирной дьявольской конспирации, постоянно возникает идея противопоставить ей тайное объединение сил добра.

Если для одних примером такой «праведной конспирации» могли служить иезуиты, то для других им должно было стать «братство [conjuration] философов», вооружившихся «во имя истины» и противостоящих «антихристианскому братству», — как писал Баррюэлю Штарк (см.: Шеппер-Виммер 1985, 387). В самой масонской и розенкрейцерской среде иллюминатской угрозе стремились противопоставить объединение настоящих христиан, одушевленных стремлением к подлинному небесному просвещению (см.: Дроз 1961; Эпстайн 1966, 84—111). Здесь опасные явления в масонстве нередко связывали именно с иезуитским проникновением в ложи и ордена (см.: Робертс 1972, 138—141, 180—184 и др.).

Такое перенимание приемов врага было, конечно, явлением обоюдоострым. В политической борьбе XIX столетия книга Баррюэля стала не только предупреждением об опасности конспиративных обществ, но и учебником конспирации. Колоссальная разрушительная сила, которую приписал иллюминатам Баррюэль, была необычайно привлекательна для многих революционных организаций новой эпохи и, в частности, способствовала притягательности в их глазах масонской символики и атрибутики. Мифология всемирного заговора, окончательно оформившаяся к концу XVIII в., существенным образом стимулировала возникновение множества локальных заговоров, которым было отмечено начало XIX в. (см.: Робертс 1972, 203—246; Пайпс 1997, 76—80; об интересе к Баррюэлю декабристов см.: Ланда 1975, 251—306, 366; Рогов 1997, 115—117). Послереволюционная Европа стремительно вступала в эпоху политических тайных обществ.

3

История складывания образа масона в России, как показал американский историк Д. Смит, во многом соответствовала европейской модели (см.: Смит 1999, 136—175). Однако в российской интерпретации антимасонская мифология почти сразу же сливается с традиционными представлениями о тайном заговоре против России, который плетут за ее пределами. Почти с началом возникновения русских лож появляется значительное число текстов, в которых масон представлен, с одной стороны, слугой сатаны, занимающимся черной магией, а с другой — неисправимым галломаном, следующим предписаниям, поступающим из враждебной Франции. Одно из стихотворений, в которых отразились подобные представления, — анонимная «Псальма на обличение франк-масонов» — вошло даже в «Письмовник...» Н. Г. Курганова, что косвенно свидетельствовало о популярности этого текста и обеспечивало ему широкую известность в будущем (Курганов 1769, 325; ср.: Мартынов 1988, 439; Смит 1999, 140—142).

В 80-х гг. XVIII в. самым значительным явлением антимасонской полемики были комедии и публицистические выступления Екатерины II, изображавшие масонов шарлатанами и обманщиками, запутывающими в свои сети простодушных обывателей (см.: Семека 1902). Однако иронически-презрительный тон печатных отзывов императрицы о тайных обществах призван был замаскировать ее глубокий испуг перед ними. По рассказам митрополита Платона, записанным Ф. П. Лубяновским, в 1787 г., по возвращении из Крыма в Москву, Екатерина была склонна усматривать «предзнаменование» своих похорон «по наущению мартинистов» в песке, которым были посыпаны улицы, темно-серой краске фонарных столбов и даже в телосложении некоторых московских духовных лиц (Лубяновский 1872, 187—188). «Меня здесь погребают, — говорила она Платону, — проповедник ваш должен быть темный мартинист: посмотрите на него, кожа да кости, весь высох» (Там же). В тот момент Екатерину особенно беспокоили связи московских масонов с враждебной Пруссией и их попытки вступить в контакт с наследником престола Павлом Петровичем (см.: Вернадский 1999; Западов 1976, 46—48 и др.). Масоны, которых императрица не отличала от ненавистных ей мартинистов, снова оказались одновременно колдунами, предающимися черной магии, и агентами иностранных держав.

В эти годы Екатерина и переходит в своей политике по отношению к масонам от полемики и полицейских ограничений к прямым репрессиям. Примерно тогда же в русском обществе широко распространяются слухи о намерении якобинцев и масонов отравить императрицу (Тургенев 1887, 88). Много позднее в «Записке о мартинистах» Ф. В. Ростопчин писал, что мартинисты «бросали жребий, кому зарезать императрицу Екатерину и что жребий пал на

Лопухина» (Ростопчин 1875, 77; ср.: Смит 1999, 166—167). Со своей стороны, масоны вовсе не ставили под сомнение реальность подобного заговора, но стремились подчеркнуть собственную невинность, указывая в качестве заговорщиков на неведомых иллюминатов (Барсков 1915, 200—203).

Возрождение русского масонства в первые годы царствования Александра с неизбежностью вызвало и возрождение традиционных фобий. Характерным образом испуг по поводу масонской угрозы особенно обостряется в 1806—1807 гг., в период конфликта с Францией. Именно в это время появляются русские версии двух самых знаменитых книг, посвященных всемирному масонскому заговору: сразу два издания Баррюэля и пересказ Робайсона (см.: Баррюэль 1805/1809 I—XII; Баррюэль 1806/1808 I—IV; Робайсон 1806). Тогда же была закрыта популярная ложа «Народ Божий», или «Новый Израиль», а ее основатель, Тадеуш Грабянка, польский граф и последователь радикальной авиньонской системы «масонства в католическом духе» (Лубяновский 1872, 214), был арестован и заключен в крепость (см.: Лонгинов 1860; Пыпин 1997, 323—332; Серков 2000, 59—62). Пострадали и некоторые члены этой ложи: журнал А. Ф. Лабзина «Сионский вестник» был запрещен, Ф. П. Лубяновский едва не был сослан в Якутск за перевод мистической книги Г. Юнга-Штиллинга «Тоска по отчизне» (см.: Лубяновский 1872, 214—216; ср.: Бакунина 1967, 280, 311).

Сам Штиллинг, состоявший в эти годы в переписке с русскими масонами, тоже предостерегал их от «великого общества» «врага Господа нашего и царства его, <...> в котором Вольтер был первым членом». Главную роль в этом обществе играли Вейсгаупт и иллюминаты, ставившие своей целью «всемирную республику, истребление всех владык земных, или порабощение их иллюминатам, и совершенное уничтожение христианской веры» (письмо И. В. Лопухину от 16/27 сентября 1804 г.: Виницкий 1998, 297—298; письмо распространялось в российских масонских ложах, см.: Там же, 28). Конечно, в отличие от Баррюэля, протестант Штиллинг видел главную опору в борьбе с сатанинским злоумышлением не в иезуитах, а в деятельности секты гернгутеров. Он полагал, что в апокалиптические времена гернгутерам суждено обрести свою землю обетованную в «азиатской Солиме», расположенной в «Крыму, волжских степях и Астрахани», под сенью крыл «Орла», то есть императора Александра I. «Купно все помолимся, — писал Штиллинг, — да сохранит Господь сего сильного и благого Государя и окружающих его от Иллюминатизма, наипаче ныне опасного» (Там же).

В преддверии надвигавшейся войны 13 января 1807 г. был создан Комитет охранения общей безопасности. В первом пункте секретного «Положения о Комитете...» содержалось совершенно отчетливое указание на источник главной угрозы для империи: «Коварное правительство Франции, достигая всеми средствами пагубной цели своей, повсеместных разрушений и дезорганизации, между прочим, как известно, покровительствует рассеянным во всех землях остаткам тайных обществ под названием *Иллюминатов, Мартинистов* и других тому подобных, и чрез то имеет во всех европейских государствах, исключая тех зловредных людей, которые прямо на сей конец им посылаются и содержатся, и таких еще тайных сообщников, которые, так сказать, побочным образом содействуют Французскому правительству, и посредством коих преуспевает оно в своих злонамерениях» (Шильдер II, 365; ср.: Иванов 1997, 83—87).

Автором «Положения...» и, вероятно, инициатором создания комитета был один из «молодых друзей» императора Н. Н. Новосильцев. 5 марта того же 1807 г. он писал императору: «Наши канцелярии полны "мартинистов", "израелитов" (намек на «Новый Израиль» Грабянки. — *А. З.*), "иллюминатов" и негодяев всех оттенков, а дома кишат французами и якобинцами всех наций» (Николай Михайлович 1999, 280)[1]. Однако на этот раз наступление на масонство оказалось неглубоким. Подверглись преследованиям только те, кто был так или иначе связан с ложей Грабянки. Непродолжительным было и антифранцузское направление русской внешней политики. В июне 1807 г. был подписан Тильзитский мир, а осенью 1808-го последовала Эрфуртская встреча Александра и Наполеона, окончательно положившая франко-русский союз в основу нового политического устройства Европы. После возвращения из Эрфурта Сперанский и становится доверенным лицом императора и его правой рукой.

4

Обстоятельства возвышения Сперанского превратили его в своего рода символ непопулярного профранцузского курса. Слухи о невиданных похвалах, которыми удостоил нового фаворита Наполеон во время эрфуртской встречи, равно как и его постоянные контакты

---

[1] Не исключено, что Новосильцев и сам был масоном. В словарь русских масонов Т. А. Бакуниной он включен под вопросительным знаком (см.: Бакунина 1967, 373).

Портрет
Ф. В. Ростопчина.
Гравюра Т. Мейера
с оригинала Э. Гебауэра

с французским послом А. де Коленкуром (см.: Томсинов 1991, 126, 188—189), также не могли успокоить общественное мнение. Когда же стало ясно, что именно Сперанскому назначено быть душой и двигателем глубоких и не вполне понятных большинству преобразований, образ его приобрел в глазах современников отчетливые и знакомые очертания. В декабре 1809 г. Жозеф де Местр, ссылаясь на «хорошо осведомленных людей», докладывал своему королю, что Сперанский «в кабинете Императора исполняет <...> веления той обширной секты, которая стремится погубить монархии [expédier les Souverainetés]» (Местр 1995, 132; Местр XI, 385). Руководителей этой «великой секты» де Местр не назвал, да в этом и не было нужды. При всех дворах Европы хорошо понимали, о ком идет речь.

В 1812 г. подчиненный Сперанского по Комиссии составления законов барон Г. А. Розенкампф обвинял Сперанского в «измене государству и иллюминатизме» (Корф II, 31). Тогда же в направленном Александру доносе, подписанном «граф Ростопчин и москвичи», но, возможно, принадлежавшем старому вольнодумцу Федору

Каржавину (Там же, 10)[1], говорилось, что Сперанский «под видом патриотизма хотел действовать против особы» императора, «все сословия озлобить и побудить народ произнести великое и страшное требование», а также, что автору письма известно «место, где хранится переписка Наполеона с обнаженными участниками заговора» (Ростопчин 1905, 413).

Приписывая собственные фантазии Ростопчину, чьи воззрения были хорошо известны публике, автор доноса лишь отчасти грешил против истины. К тому времени Ростопчин уже направил Александру через великую княгиню Екатерину Павловну свою «Записку о мартинистах», где перечислил основных, по его мнению, деятелей российских тайных обществ и написал, что «они все более или менее преданы Сперанскому, который, не придерживаясь в душе никакой секты, а может быть, и никакой религии, пользуется их услугами для направления дел и держит их в зависимости от себя». За спиной манипулирующего мартинистами Сперанского проглядывала еще более зловещая фигура.

> Я уверен, что Наполеон, который все направляет к достижению своих целей, покровительствует им, — писал Ростопчин в конце записки, — и когда-нибудь найдет сильную опору в этом обществе, столь же достойном презрения, сколь и опасном. Тогда увидят, но слишком поздно, что замыслы их не химера, а действительность; что они намерены быть не посмешищем дня, но памятными в Истории, и что эта секта не что иное, как потаенный враг правительств и государей.
>
> (Ростопчин 1875, 80—81)

Существование связи между нынешними мартинистами и Наполеоном Ростопчин подкреплял тем, что мартинисты екатерининской эпохи действовали «по указке баварских иллюминатов, чье письмо к Новикову было перехвачено на почте» (Там же, 76—77). Это перехваченное письмо иллюминатов к Новикову, кажется, отозвалось в словах Александра, записанных де Сангленом: «Я думаю, нетрудно будет на почте перехватить переписку иллюминатов с главой их Вейсгауптом, Балашов говорит, что Сперанский регент у иллюминатов». По свидетельству де Санглена, произнося эту тираду, «государь засмеялся» (Санглен 1883, № 1, 33). Тогда же импера-

---

[1] На умершего в марте 1812 г. Каржавина следствию указали лица, у которых были отобраны копии доноса. Разумеется, к доказательствам, полученным таким образом, следует отнестись с большой долей осторожности.

тор сообщил мемуаристу, что у Сперанского есть собственная ложа и, по «мнению Армфельдта, это ложа иллюминатов» (Там же).

Интересно, какое именно место в иллюминатском ордене отвели Сперанскому министр полиции Балашов и император. Регент, по Баррюэлю, это высшая, восьмая, ступень для иллюмината, еще не посвященного в великие таинства. Над регентами находятся Маги, или Люди-короли, а над ними уже Ареопагиты — верховный совет ордена во главе с Вейсгауптом (Баррюэль III, 213—288), который после разгрома ордена безвыездно жил в городе Гота на скромную пенсию от местного курфюрста и занимался сочинением многословных трактатов с оправданием своей предшествующей деятельности[1].

Не была забыта и традиционная польская составляющая. После Тильзита А. Чарторижский, главный агент польского влияния при дворе Александра, уже не играл существенной роли в русской политике, однако его мифологическая функция была передана Сперанскому. В упомянутом доносе 1812 г., приписанном Каржавину, говорилось, что Сперанский добивается у императора введения налогов на содержание польской армии (Ростопчин 1905, 413).

Даже в ближайшем к действующим лицам этой исторической драмы кругу ходили те же слухи. По рассказу А. А. Логинова, «в дом к графу Павлу Александровичу Строганову весть о случившемся принес А. С. Шишков в присутствии подчиненных Сперанского А. Н. Оленина и А. И. Тургенева. "Польстился же на безделицу", — сказал Шишков, выдавая за достоверную истину, что Сперанский был подкуплен Наполеоном предать ему Россию под обещанием учредить ему корону польскую» (Бычков 1902, 32).

Как говорилось в предыдущей главе, Шишков был заметной фигурой в борьбе против Чарторижского (см.: Альтшуллер 1984, 28), который, принадлежа к одной из самых родовитых польских семей, мог бы рассчитывать на корону в восстановленной Польше. Сын провинциального православного священника Сперанский никак не

---

[1] Стоит привести отзыв о личности Вейсгаупта историка иллюминатства Рене ле Форестье: «Вейсгаупт не был ни злым гением, ни благодетелем человечества, он был обыкновенным университетским деканом. <...> Он был типичным педагогом своего времени по книжным знаниям, по горделивой самодостаточности, доктринерскому и педантичному тону, авторитарному духу, полному незнанию реальной жизни. Он видел людей и общество только через книги и был убежден, что человек, прочитавший все самое известное, что написано с античных времен, обладает целостным знанием и может разрешить все проблемы, стоящие перед человеческим родом» (Ле Форестье 1974, 555).

мог рассматриваться в качестве кандидатуры на польский трон, но это обстоятельство нисколько не смущало ни самого Шишкова, всецело захваченного логикой мифа, ни, вероятно, его собеседников. Причем по своим человеческим свойствам Шишков менее всего был склонен к циничной клевете. Безусловно, он всерьез верил в эти обвинения.

По свидетельству одного из современников, слухам этим было суждено дойти и до самого Сперанского. «В Перми как-то заговорили, что он предал отечество не за деньги, а за польскую корону. — Слава Богу! — сказал он, перекрестясь, начинают лучше обо мне думать; за корону все-таки извинительней соблазниться» (Бычков 1902а, 239).

Через восемьдесят лет после описываемых событий П. И. Бартенев опубликовал слышанный им от графа Строганова рассказ польского маршала (уездного предводителя дворянства) Любецкого о том, что Балашов требовал от него записки о состоянии умов в польских губерниях. Тот подал записку, уже подготовленную для Наполеона, «под которой якобы значилось *преданный вам Сперанский*». «Увидав подпись эту, Балашов не скрыл своего удовольствия», и через несколько дней последовала ссылка Сперанского в Нижний Новгород. «Конечно, записка, доставленная Любецким, была подложная», — добавлял Бартенев (1892, 79). Разумеется, вся эта история настолько абсурдна, что даже подложной записки подобного содержания не могло существовать. Однако в ней слышен живой отголосок слухов, ходивших вокруг опалы Сперанского.

Деньги, впрочем, также фигурировали. В доносе, приписывавшемся Каржавину, говорилось, что Сперанского «удалили от верности к отечеству» «злато и бриллианты, доставленные ему через французского посла» (Ростопчин 1905, 414). В первые недели ссылки, когда Сперанский особенно остро страдал от безденежья, тщетно ожидая выплаты причитавшегося ему жалованья, его близкий друг и доверенное лицо П. Г. Масальский с досадой писал ему о фантастических слухах о его невиданных богатствах: «нескольких миллионах, хранящихся в английском банке», «700 тысячах серебром, отправленных в Киев на контракты», десятках домов и т.п. (Сперанский 1862, 17; ср.: Томсинов 1991, 187—198). Сюжет о киевских контрактах, видимо, восходил к Балашову, о чем император говорил де Санглену. Впрочем, там фигурировала сумма в 80 тысяч (Санглен 1883, № 1, 39—41). Особенно расстраивало Масальского участие в этих разговорах людей, считавшихся доброжелателями Сперанского, в частности графа Кочубея, который близко знал опального фаворита и во многом способствовал его карьере (Сперанский 1862, 14).

В «Записках...» Г. Р. Державина есть эпизод, относящийся к более раннему времени, но описанный уже в годы войны. Поэт вспоминал свою борьбу в начале царствования Александра за интересы России с польским и еврейским влиянием при дворе. Проводником первого выступал Чарторижский, второго — Сперанский, «который совсем был предан жидам через известного откупщика Переца» и которого «гласно подозревали в корыстолюбии <...> по связи его с Перцем» (Державин VI, 801, 805). Чарторижский и Сперанский оказывались параллельными и, соответственно, взаимозаменимыми представителями двух враждебных России и опасных наций.

Даже такой, казалось бы, совсем не идущий к делу элемент мифа, как магия и чернокнижие, оказался задействован. Балашов рассказал де Санглену, что, «приехав накануне вечером в семь часов вечера к Сперанскому, был он объят ужасом. В передней тускло горела сальная свеча, во второй большой комнате тоже, отсюда ввели его в кабинет, где догорали два восковые огарка, огонь в камине погасал. При входе в кабинет почувствовал он, что пол под ногами его трясся, как будто на пружинах, а в шкафах вместо книг стояли склянки». Увидя Балашова, Сперанский «немедленно закрыл» старинную книгу, которую он читал (Санглен 1883, № 1, 23—24).

Образ изменника у подножия престола, готовящего своему отечеству неслыханные бедствия, посланника темных сил, чародея, французского шпиона, подкупленного евреями и рассчитывающего на польскую корону, обретал завершенность. «Близ него мне все казалось, что я слышу серный запах и в голубых очах его вижу синеватое пламя подземного мира», — писал Ф. Ф. Вигель (II, 10). Из всех традиционных составляющих образа масона и иллюмината государственному секретарю не инкриминировалась, кажется, только сексуальная и алкогольная распущенность. В «Записке о мартинистах» Ростопчина «пьяницей, преданным разврату и противоестественным порокам», назван И. В. Лопухин (Ростопчин 1875, 80), но Сперанского такого рода обвинения обходили стороной. Ненавидевший Сперанского Вигель писал о «безнравственности его правил (хотя и не поведения)» (Вигель II, 9). Едва ли это связано с вполне аскетическим образом жизни государственного секретаря. Скорее, русское общество начала XIX в. было недостаточно пуританским, чтобы воспринимать подобные прегрешения как существенные атрибуты столь зловещего персонажа.

5

Набор идеологем, сложившихся вокруг Сперанского, сформировался до его возвышения. Новый фаворит лишь заполнил функциональную нишу, возникшую с уходом с государственной арены членов Негласного комитета, и прежде всего Чарторижского. Однако Сперанскому довелось сыграть отведенную ему роль куда сильнее и достовернее, чем кому-либо из его предшественников. Существенным для кристаллизации этих представлений было то, что и государь, вознесший безвестного поповича к вершинам власти, и сам Сперанский во многом находились во власти той же мифологии.

Разительное несоответствие власти и влияния, которыми обладал Сперанский в эти годы, его официальным должностям не представляло собой ничего нового. Любой фаворит всегда, с одной стороны, находится в центре общественного внимания, а с другой — действует как бы из-за кулис. Однако в александровскую эпоху это вполне традиционное для русской политической культуры явление приобретает достаточно своеобразные формы.

Уже «молодые друзья» Александра образовали нечто вроде замкнутого кружка, который был призван стать своего рода теневым кабинетом и решать основные вопросы за спиной официальных сановников. Недаром члены этого Негласного комитета в шутку называли его Комитетом общественного спасения, уподобляя тем самым якобинскому клубу (см.: Лотман и Успенский 1996, 502). В 1808—1811 гг. Сперанский единолично выполнял функции всего Негласного комитета в области внутренней политики, а в сфере международных отношений он стал одним из ведущих участников аналогичной неформальной котерии, подменяющей государственные институты.

Советник русского посольства в Париже Нессельроде пишет, помимо князя Куракина (т.е. минуя посла во Франции. — *А. З.*), государственному секретарю Сперанскому. Р. А. Кошелев находится в непосредственной переписке с русским посланником в Вене, графом Штакельбергом и австрийским поверенным в делах Сен-Жюльеном, опять-таки помимо канцлера [Н. П. Румянцева], и все докладывается Кошелевым непосредственно императору. Способ особый, но он присущ императору Александру, —

писал публикатор многих русских дипломатических документов великий князь Николай Михайлович (I, 83; ср.: Шильдер III, 53—54; Сироткин 1966, 178). Из пермского письма Сперанского мы знаем, что именно он был инициатором начала этой переписки (Шильдер III, 524), которая в деталях, вплоть до упоминания государственных деятелей под вымышленными именами (см.: Николай Михайлович I, 101), напоминала Королевский секрет Людовика XV, имевший в России, как уже говорилось, репутацию центра антироссийского масонского заговора.

Неясно, в какой мере Сперанский и Александр сознательно ориентировались на этот хорошо известный им образец. Исключить случайное совпадение, конечно, невозможно, но вполне вероятно, что они выстраивали свой антифранцузский заговор по технологиям, опробованным в Париже. Стоит отметить, что помимо Сперанского душой «Императорского секрета» Александра I был известный масон Р. А. Кошелев.

Вопреки утверждениям Ростопчина и Вигеля об атеизме Сперанского (см.: Ростопчин 1875, 80; Вигель II, 9), он на протяжении всей своей жизни оставался глубоко религиозным человеком и мыслителем ярко выраженного мистического склада (см.: Катетов 1889; Ельчанинов 1906 и др.). Еще в 1804 г. он пользовался наставлениями такого опытного мистика, как И. В. Лопухин, и, в свою очередь, приучал своего друга архиепископа Феофилакта (Русанова) к чтению мистических сочинений Эккартсгаузена, Фенелона и мадам Гюйон (см.: Лопухин 1870; Сперанский 1870а; Бычков 1872; ср.: Корф 1867, 444—454; Сперанский 1870б).

Позднее Сперанский охотно делился своими исключительными познаниями в этой области с императором. «Когда ваше величество пожелали о предметах сего рода и, в особенности, о мистической их части иметь сведения, я с удовольствием готов был посвятить вам все плоды моих собственных изысканий и размышлений. Беседы сии мне тем более были приятнее, чем более я видел, что предмет их сообразен с вашими чувствиями», — писал он в пермском письме (Шильдер III, 526).

Однако самый пристальный интерес к мистицизму вовсе не означал непременного участия в работе масонских обществ. В нашем распоряжении нет сведений о принадлежности Сперанского к каким-либо ложам вплоть до 1810 г.[1] В 1822 г. после закрытия в Рос-

---

[1] Указания, что Сперанский был посетителем ложи Грабянки (см., напр.: Соколовская 1915, 176 и др.), документируются только доносом Магницкого (см.: Бакунина 1967, 509). Вообще масонские историки и антимасонские публицисты, стремясь, хотя и с противоположными целями, увеличить число знаменитых и влиятельных людей, состоявших в ложах, часто некритически заимствуют друг у друга недостоверные сведения.

сии всех масонских лож Сперанский писал в подписке о неучастии в тайных обществах, что в 1810 г., состоя в правительственном комитете по рассмотрению масонских дел, он был «с ведома правительства принят в ложу Фесслера и посетил ее два раза» (Бакунина 1967, 503; ср.: Серков 2000, 90). Ко времени дачи этих показаний Сперанский лишь полтора года как вернулся в Петербург после ссылки и длительной службы в провинции. Положение его было еще очень непрочным, и он понимал, что каждое его слово, тем более по такому щекотливому вопросу, может вызвать самое пристальное внимание. Все обстоятельства его биографии были хорошо известны императору и легко могли быть проверены. Трудно представить, чтобы в этой ситуации он мог сообщать какие-то ложные сведения. Другое дело, что расставленные им смысловые акценты оказались во многих отношениях смещены.

В воспоминаниях близкого сотрудника Сперанского тех лет барона Ф. Гауеншильда рассказано о «планах преобразования русского духовенства», которыми был в то время одушевлен государственный секретарь и для осуществления которых, по словам мемуариста, им были избраны «весьма странные» средства:

Предполагалось основать масонскую ложу с филиальными ложами во всей Российской империи, в которую были бы обязаны поступать наиболее способные из духовных лиц всех сословий. *Духовные* братья были бы обязаны писать статьи по известным гуманитарным вопросам, говорить проповеди и т.д., каковые бумаги должны были затем препровождаться в главную ложу на рассмотрение первого мастера великой ложи (эта честь была предложена мне), по предложению которого достойнейшие должны были получать повышения в союзе масонских лож и в государстве. Но так как существовавшие уже многочисленные ложи отнюдь не могли согласоваться с этим проектом и преследовали совершенно иные цели (в сущности у них не было никаких целей), то Сперанский представил к подписи императора два указа. Одним из них император повелевал министру народного просвещения графу Алексею Разумовскому закрыть временно при помощи директора полиции все существовавшие в империи ложи и истребовать у мастеров стула различные их ритуалы. Этот указ был подписан императором и был немедленно приведен в исполнение; вторым указом повелевалось начальникам лож либо принять составленный Сперанским (в то время еще не вполне выработанный) новый ритуал масонских лож, либо закрыть их. Император обещал подписать и этот указ, но это не было исполнено.

Хотя мне было в то время всего двадцать пять лет от роду, но я чувствовал, что этот проект был совершенно неудобоисполним и что он должен был произвести тем более неприятное впечатление, что слишком напоминал Вейсгаупта.

(Гауеншильд 1902, 253—254)[1]

В этих написанных много поздней воспоминаниях есть мелкие неточности. Так, в переданном руководителям лож распоряжении министра полиции речь не шла об их временном закрытии, а только о приостановлении приема новых членов (Пыпин 1997, 335—336). Однако в целом Гауеншильд верно излагает ход дела. Для выработки единого ритуала был приглашен известный реформатор масонства И. Фесслер, которому Сперанский, вероятно в связи с ориентацией будущей ложи на духовных лиц, выхлопотал место профессора еврейского языка и философии в Александро-Невской академии.

По свидетельству масона К. П. Реннекампфа, он переводил с немецкого на французский ритуал для принятия Сперанского (Пыпин 1900, 310). Это обстоятельство, кстати, может служить косвенным подтверждением того, что до этого времени Сперанский не участвовал в работе лож. По масонским правилам однажды принятый в какую-либо ложу брат не нуждался в повторном посвящении. Как указывает А. И. Серков, «в июне 1810 года М. М. Сперанский впервые открыл заседания своей Великой ложи, а в начале сентября император повелел собрать для изучения акты всех масонских систем и составить комитет для рассмотрения плана М. М. Сперанского — И. А. Фесслера» (Серков 2000, 74; ср.: Пыпин 1900, 303—310; Соколовская 1915, 174—179). Дальше, однако, дело застопорилось. Придать ложе официальный статус Александр отказался, а потом и вовсе закрыл ее. Фесслер был вынужден выйти в отставку и уехать из Петербурга (Гауеншильд 1902, 255).

Пытаясь реформировать масонство, Фесслер «требовал от братьев принять древнюю английскую систему с некоторыми переменами» (цит. по: Пыпин 1997, 243; о Фесслере см.: Бартон 1969; Гордин 1999, 173—180). Он предлагал упростить ритуал и отказаться от оккультных исследований и высших степеней, которые из практических градусов лож должны были стать предметом исторического

---

[1] Близость мемуариста к Сперанскому делает его написанные много позже и не рассчитанные на публикацию в России воспоминания исключительно надежным источником. О важности воспоминаний Гауеншильда писал Г. Флоровский (1937, 140, 539), но впервые они были проанализированы только в недавних работах Я. А. Гордина (1999) и А. И. Серкова (2000).

изучения. По словам Г. Флоровского, «задачу истинного масона он
полагал в создании новой гражданственности, в перевоспитании
граждан для наступающего века Астреи» (Флоровский 1937, 140).
Несомненно, что именно эти идеи и привлекли Сперанского.

Стратегические цели, которые преследовал Сперанский, плани-
руя такую одновременно тайную и официальную ложу, и связь этих
планов с попытками «преобразовать духовенство» станут понятны,
если поставить их в общий контекст *его реформаторской деятельности*. Именно в это время Сперанский приступал к колоссальной
по своим масштабам реформе государственного управления (см.:
Раев 1957; Чибиряев 1989 и др.). Естественно, он не мог не думать о
людях, которым будет суждено занять места в преобразуемых им
учреждениях. Стремление сформировать слой образованных государственных чиновников всех рангов продиктовало и указ об экза-
менах при производстве в первый дворянский чин, и работу по созданию Царскосельского лицея — элитного учебного заведения, где
дети высшей знати должны были подготавливаться к гражданской
службе. Но главный резерв для пополнения бюрократии Сперанский, естественно, должен был видеть в сословии, откуда вышел сам
(о деятельности Сперанского по организации собственно духовного образования см.: Чистович 1894; в целом о его образовательных
проектах см.: Раев 1957, 57—63; Томсинов 1991, 133—135).

Речь шла о последовательной системе отбора самых талантливых
представителей духовенства, прежде всего студентов духовных учебных заведений. Отобранные лица должны были быть связаны между
собой особыми узами мистического братства, объединенного общим
центром и подчиненного государственному надзору. По словам знаменитого немецкого государственного деятеля барона Г.-Ф. Штейна, Сперанский «верил в обновление мира посредством тайных обществ» (Пертц III, 57). Штейн прибыл в Петербург позднее и знал обо
всей этой истории из вторых рук, но его рассказ о ней в основном
совпадает с тем, что известно из других источников.

Гауеншильду проект Сперанского «слишком напоминал Вейсгаупта». Однако представление о деятельности иллюминатов и Сперанский, и сам мемуарист могли составить прежде всего по книге
Баррюэля или другой литературы подобного рода. Между тем, как
уже говорилось, Баррюэль утверждал, что иллюминаты «восхищались законами и порядками иезуитов <...> и стремились подражать
их средствам, *развивая диаметрально противоположные взгляды*»
(Баррюэль III, 11). Объединение, задуманное Сперанским, с его

официозным характером и ориентацией на духовенство представляло собой нечто среднее между традиционной масонской ложей и иезуитским орденом.

Жозеф де Местр, подозревавший Сперанского в исполнении повелений «обширной секты», писал, что тот публично «хвалил иезуитов и их систему образования» (Местр 1995, 132; Местр XI, 385). Вопреки его предположениям, Сперанский был, вероятно, совершенно искренен. Он мог высоко ценить организационную практику и педагогическую систему иезуитов и рассчитывать использовать какие-то элементы их опыта в своих целях. Аналогичным образом устройство централизованной масонской ложи в России могло бы, по его расчетам, воспрепятствовать распространению иллюминатских тенденций. Похоже, что в намерениях подобного рода Сперанский был не одинок — позднее в дневнике художника В. Л. Боровиковского отразились ходившие в Петербурге слухи, что «князь Голицын с Филаретом хотят составить новое христианское сословие в противность масонам» (Николай Михайлович I, 202).

Как бы то ни было, этот проект, как и другие преобразовательные планы Сперанского, отражал позицию Александра, видевшего в деятельности масонских лож известную опасность и стремившегося то поставить их под безусловный государственный контроль, то противодействовать им с помощью других тайных обществ, реализующих его собственные установки. В 1810—1811 гг. он переписывался на эти темы с Кошелевым, переславшим ему перехваченный символ веры итальянских иллюминатов (Там же II, 55). Тогда же перепуганный государь просил свою сестру, великую княгиню Екатерину Павловну, не писать ему ничего о мартинистах обычной почтой, но посылать письма на эту тему только с фельдъегерем (Николай Михайлович 1910, 60). Де Санглену он говорил, что необходимо, «чтобы тайных лож от правительства не было», и требовал представить все протоколы масонских собраний (Санглен 1883, № 1, 33, 42).

С этими же планами было связано создание в 1810 г. комитета по рассмотрению масонских бумаг, одним из членов которого был Сперанский (см.: Соколовская 1915, 178—179; Серков 2000, 74—75). Кажется, А. Н. Пыпин первым обратил внимание на то, что инициатива, считавшаяся «частным делом Сперанского, Розенкампфа и Фесслера, имела официальную подкладку» (Пыпин 1997, 341). Он же опубликовал записку неизвестного лица к императору, в которой предлагались средства «установить масонство в его первоначальной чистоте». Полное совпадение содержащихся в этой записке предложений с тем, о чем пишет Гауеншильд, заставляет видеть здесь если не непосредственное авторство Сперанского, то, по крайней мере, развитие его идей:

> Я счел долгом представить В. В-ву некоторые мысли относительно тех мудрых мер, которые В. В-во предполагаете употребить для устройства масонства. Они кажутся мне способными обеспечить успех Ваших намерений.
> 1. Оно должно устранить увеличение испорченности нравов, установляя добрую нравственность, утвержденную на прочном основании религии.
> 2. Оно должно воспрепятствовать введению всякого другого общества, основанного на вредных началах, и таким образом образовать род постоянного, но незаметного надзора. <...>
> Когда устройство этого ордена будет раз очищено и утверждено таким образом, было бы необходимо образовать центр соединения, к которому примыкали и где сходились бы все учреждения этого рода, какие могли бы образоваться внутри империи, в каком бы ни было месте. <...> Всякая другая ложа в империи, не учрежденная этой ложей-матерью, не должна бы быть терпима.

(Там же, 333—335)

Насколько бы ни соответствовали проекты Сперанского глубинным устремлениям монарха, они были обречены на провал. Гауеншильд был прав, когда назвал их «неудобоисполнимыми», а также «странными и подозрительными» (Гауеншильд 1902, 254). Не говоря уже о том, что мистическое братство подобного рода было плодом поэтического воображения аббата Баррюэля и его единомышленников и вряд ли могло быть создано на практике, сама попытка его организации неминуемо должна была натолкнуться на сопротивление в различных и весьма влиятельных кругах.

Едва ли не первым забил тревогу Жозеф де Местр. Вся реформаторская деятельность Сперанского вызывала у него глубокое неприятие. Еще в 1809 г. он ответил на слухи о конституционных проектах нового фаворита своим «Опытом о началах, порождающих политические конституции», где резко критиковал саму идею писаной конституции как основы национального законодательства. Однако именно образовательные проекты государственного секретаря наиболее глубоко затрагивали непосредственные интересы иезуитов в России, поскольку в первом десятилетии XIX в. школы для детей высшей российской аристократии находились в значительной степени в их руках (см.: Флинн 1970; Эдвардс 1977). Практически вся публицистическая деятельность де Местра в 1810—1811 гг. прямо направлена против Сперанского.

В июне—июле 1810 г. он пишет «Пять писем о народном образовании», обращенных к только что вступившему в должность министру народного просвещения графу А. К. Разумовскому, в марте 1811 г. — «Наблюдения о плане занятий, предложенных для Невской семинарии профессором Фесслером», в сентябре 1811 г. — «Записку о свободе народного образования» обер-прокурору Синода и ближайшему другу Александра князю Голицыну. В декабре 1811 г. этот цикл был завершен «Четырьмя фрагментами о России», предназначенными непосредственно императору. Четвертый фрагмент, «Об иллюминизме», был посвящен различным тайным обществам и мистическим движениям и мере опасности, которую несет каждое из них (Местр VIII, 157—360; ср.: Триомф 1968; Фатеев 1940).

Не менее резкой была и реакция православных иерархов, которым в качестве наставника будущих пастырей навязывали масона и расстриженного католического монаха, перешедшего в лютеранство. В конфликт со Сперанским по этому поводу вступил даже его друг архиепископ Феофилакт (Русанов), обязанный государственному секретарю своей церковной карьерой (Чистович 1894, 29—62). И в довершение всего возмутились масоны, которым предлагалось или привести работу своих лож в соответствие с преобразовательными планами Фесслера, или прекратить ее (см.: напр.: Пыпин 1997, 339—348). Между тем масонами были, в частности, те государственные сановники, которым предстояло воплощать эти планы в жизнь, — министр просвещения Разумовский и министр полиции Балашов (см.: Бакунина 1967, 42, 435—436; Серков 2000, 74).

Не приведя ни к каким практическим результатам, эта своеобразная инициатива не могла не вызвать соответствующих толков. В начале 1811 г., обращаясь к Александру с просьбой ограничить слишком разросшийся круг его деятельности, Сперанский перечислял слухи, ходившие о нем в обществе: «В течение одного года я попеременно был мартинистом, поборником масонства, защитником вольности, гонителем рабства и сделался, наконец, записным иллюминатом. <...> Я знаю, что большая их (обвинителей. — *А. З.*) часть и сами не верят сим нелепостям; но, скрывая собственные их страсти под личиной общественной пользы, они личную свою вражду стараются украсить именем вражды государственной» (СбРИО XXI, 460).

В «попеременности» здесь не было особой нужды. Перечисленные Сперанским обвинения составляли единый и вполне цельный образ. Но трудно сомневаться, что неудачная инициатива по созданию централизованной масонской ложи сильно помогла представлениям о «записном иллюминате» оформиться в общественном мнении. На фоне нараставшей в преддверии войны антииллюминатской истерии и общей шпиономании миф о заговорщике у трона приобретал необходимую законченность. Первое крупное поражение государственного секретаря стало прологом к его будущему крушению.

6

Свою опалу Сперанский считал результатом интриг некоего «секретного комитета» (Шильдер III, 529), душой которого, по его мнению, была великая княгиня Екатерина Павловна. Подобное понимание механики событий было продиктовано теми же базовыми идеологемами заговора и тайного общества, которыми руководствовались и его политические противники. В то же время великая княгиня действительно не скрывала своей неприязни к государственному секретарю (см.: Лубяновский 1872, 261; Семевский 1911/1912, 224—225). Именно она инициировала создание двух главных публицистических сочинений, направленных против Сперанского, — «Записки о мартинистах» Ростопчина и «Записки о древней и новой России» Н. М. Карамзина — и передала их Александру (см.: Ростопчин 1876; ср.: Семевский 1911/1912, 231; Пайпс 1959, 69—75; Мартин 1997, 93—103)[1].

Российское общество того времени могло не знать о тех или иных высказываниях великой княгини или, тем более, о документах, которые поступали к императору через ее посредство (о допечатной истории записки Карамзина см.: Тартаковский 1997, 181—189). Но, безусловно, твердая оппозиция Екатерины Павловны по

---

[1] Несомненно, Карамзин далеко вышел за рамки критики реформаторских замыслов Сперанского, предложив, по существу, одну из первых целостных концепций русской истории. Тем не менее исходная полемическая направленность «Записки...», выявленная еще ее первыми исследователями (см.: Корф I, 132—144, 161—165; Пыпин 1900, 214—260), представляется достаточно очевидной. Пересмотр этой точки зрения, предпринятый Ю. М. Лотманом (1997), не выглядит, на наш взгляд, достаточно обоснованным.

Портрет великой
княгини Екатерины
Павловны. Гравюра
Ж. Меку с оригинала
Ж.-П. Беннера

отношению как к Тильзитскому курсу, так и к реформаторским планам, связанным с именем Сперанского, была достаточно широко известна и делала ее необыкновенно популярной (см.: Ври де Ганзбург 1941, 26—29). Иностранные дипломаты фиксировали в своих донесениях нередкие разговоры о том, что она может заменить Александра на троне (см.: Мартин 1997, 200).

Особенный патриотический энтузиазм вызвало объявленное в начале 1809 г. обручение Екатерины Павловны с принцем Ольденбургским. На протяжении 1807—1808 гг. Наполеон неофициально поднимал вопрос о своем сватовстве к великой княжне. Ее быстро организованное обручение было не только выражением глубокой антипатии самой Екатерины Павловны и ее матери, вдовствующей императрицы Марии Федоровны, к непорфирородному властителю Франции, но и, по существу, первым вызовом новому союзнику (см.: Ври де Ганзбург 1941, 34—41).

Уже в конце ноября 1808 г. Ж. де Местр сообщал о грядущей свадьбе Екатерины Павловны и герцога Ольденбургского и выражал свое удовлетворение этим решением: «Этот брак, неравный в некоторых отношениях, все же мудр и достоин великой княгини, столь же мудрой, сколь и очаровательной. Прежде всего, любая Принцесса в семье, пользующейся ужасной дружбой Бонапарта, должна поторопиться выйти замуж даже несколько ниже своего уровня, потому что кто знает, какие идеи могут прийти в эту редкую голову. <...> Ничто не может сравниться с добротой и изяществом госпожи Великой княгини. Если бы я был художником, я бы послал вам изображение ее взгляда, и вы бы увидели, сколько добродетели и разума заключила в нее природа» (Местр XI, 163—164; Местр 1995, 111).

В 1807 г. Державин начал писать оставшееся незаконченным «Послание к великой княгине Екатерине Павловне о покровительстве отечественного слова»[1]. Вероятно, послание это должно было стать официальным обращением образовавшегося в тот год литературного кружка, начавшего собрания в доме поэта и потом переросшего в «Беседу любителей русского слова». Поэт назвал молодую великую княжну «народа своего искусницей языка». Эта сильно преувеличенная похвала все же отражала реальный и редкий в придворной среде интерес молодой великой княжны к родному языку, столь значимый для литераторов шишковского круга. Как показывают письма Екатерины Павловны Карамзину, она писала по-русски со значительными трудностями, но демонстрировала горячее стремление освоить эту премудрость (см.: Екатерина Павловна 1888, 43—56). На правах «сотрудника» и «собеседника» великой императрицы, «соименной» адресату послания, Державин призвал Екатерину Павловну внять «гласу лир отчизны твоея» и быть «представительницей <...> пред троном русска слова» (Державин III, 527—528).

Как показал М. Г. Альтшуллер, сватовство Наполеона к Екатерине Павловне стало аллюзионным фоном трагедии Державина «Евпраксия», написанной в 1808—1809 гг. (Альтшуллер 1984, 160—164). Трагедия эта, основанная на «Повести о разорении Батыем Рязани», рассказывает, как татарский хан потребовал к себе в стан жену рязанского князя Федора Евпраксию. Сражение, последовавшее за отказом, кончается гибелью Федора и самоубийством Евпраксии. Для поднятия патриотических чувств зрителей Державин завершил трагедию еще одной битвой, в которой Батый оказывает-

---

[1] Датировка принадлежит впервые опубликовавшему «Послание» Я. К. Гроту (Державин III, 527), который основывался на отзыве Евгения Болховитинова из письма к Державину того же года. Однако, поскольку в заглавии поэт называет Екатерину Павловну «великой княгиней», очевидно, что он возвращался к «Посланию» и после ее свадьбы.

ся побежден войском, пришедшим из Москвы. Смысл этого отступления от источника раскрывается в «Предуведомлении» к трагедии:

Поелику не изменили они (предки россиян. — *А. З.*) ни вере ни отечеству, то сим бедствием своим дали нам образ, достойный подражания, посея в души поздних родов своих то мужество, которым в последствии времен истреблено царство Батыево. <...> Но если б предки наши отступились от веры, охладели в любви к отечеству и верности к государям, тогда уже Россия давно не была бы Россиею. Заключим изречением Соломона: Нет ничего нового под солнцем.

(Державин IV, 298)

Последняя фраза недвусмысленно связывает описанный поэтом исторический эпизод с современными событиями. Бракосочетание Екатерины Павловны и принца Ольденбургского вызвало у Державина взрыв ликования, и он воспел их свадьбу в экстатическом стихотворении «Геба», где, в частности, писал:

О изящна добродетель,
О Великий образ жен,
Кто, быть могши сам владетель,
Но став волей унижен,
Явил выше царской власти
Дух отечеству служить. <...>
Сим одним Екатерина,
Именем своим одним
Ты повергла исполина
Росса ко стопам твоим.

(Там же III, 2—3)

Речь в этих нарочито туманных строках идет о возможности стать супругой самого могущественного из земных монархов, которой новобрачная, по мнению Державина, предпочла долг патриотического служения. В следующем году поэт посвятил той же чете стихотворение «Шествие по Волхову российской Амфитриты», где связывал с ней свои надежды на процветание российских муз.

В упованиях на Екатерину Павловну Державин был не одинок. В общественном сознании тех лет личность великой княгини была подвергнута столь же интенсивной мифологизации, что и фигура государственного секретаря. Красивая и решительная сестра государя, символически носящая имя своей великой бабки и самоотверженно сражающаяся за интересы России, оказывалась противопоставлена опасному интригану и заговорщику, выполняющему близ трона повеления злейшего врага своей родины.

Многие трагедии, написанные в 1808—1809 гг., воспроизводят одну и ту же коллизию. Государство стоит перед лицом столкновения с неизмеримо сильнейшим неприятелем, чей надменный повелитель предлагает постыдный мир. В этой ситуации отрицательные персонажи, исходя из очевидного неравенства сил, предлагают пойти на унижение, а благородные герои требуют принять бой и в конце концов, вопреки вероятности, торжествуют. Помимо уже упомянутой «Евпраксии», эту схему воспроизводят, скажем, «Михаил, князь Черниговский» С. Н. Глинки (1808), «Сульеты, или Спартанцы осьмнадцатого столетия» Л. Н. Неваховича (1809), «Дебора» А. А. Шаховского (1809) и ряд других пьес.

В более ранних трагедиях Глинки и Державина главным злодеем оказывается Батый, а русским князьям, поначалу готовым к позорной капитуляции, в финале открывается путь к раскаянию и искуплению. Напротив, в пьесах Неваховича и Шаховского, написанных уже после возвышения Сперанского, повелитель врагов отодвигается за сцену, а на первый план выходит фигура предателя, из мстительного честолюбия жаждущего погубить родину.

И Хабер в «Деборе», и Паласка в «Сульетах» оказываются не просто малодушными проводниками враждебной воли, но главными двигателями зловещей интриги, затеянной из ненависти к собственной стране и ее царям и имеющей целью достижение личной власти. Когда Хабер восклицает:

> Что можем сделать мы?
> Врагов несметна сила
> Подавит смертью нас и истребит вконец, —

то им движет не заблуждение и даже не трусость, но тайный сговор с неприятелем. И потому, даже не зная еще о его предательстве, Дебора отвечает ему:

> Что можем сделать мы, великий мой отец
> То миру доказал. Иль силою единой
> Сисар мог завладеть обширной Палестиной?
> Иль воины его храбрей израильтян?
> Нет, не оружие, а лесть, раздор, обман,
> Служащие его намереньям жестоким,
> Израиль, поразя унынием глубоким,
> Сисару предали...

(Шаховской 1964, 486)

Оба изменника оказываются волею судьбы в роли главных царских советников. «Да дружество твое поможет мне нести правленья тяжко бремя», — говорит Хаберу молодой царь Израиля Лавидон (Там же, 464). Оба они вступают в тайные переговоры с послами злейшего врага. Естественно, и Хабер, и Паласка в равной мере презирают народ и обычаи родной страны. «Сульеты привыкли при имени *отечества* приходить в какое-то непонятное исступление. Позволь мне назвать сие плодом одних предрассудков, — пересказывает Паласка изложенные Баррюэлем воззрения иллюминатов. — <...> В просвещенных странах Европы терпимы даже такие люди, которые торжественно признаются, что не находят никакого смысла в слове *отечество,* и называют себя гражданами всего мира. Скажи мне, что потеряют сулиоты, когда ими управлять будет Али Паша?» (Невахович 1809, 56). Именно крещеный еврей Невахович склонен объяснять предательство Паласки его этнической чуждостью. «В сем изверге текла кровь не сульетская, отец его был пришелец», — говорит народу жена предводителя сулиотов Амасека (Там же, 93).

В обеих трагедиях решающую роль в конечной победе над страшным противником играет женщина, не только вдыхающая решимость в храброго, но сомневающегося супруга, но и сама в критический момент появляющаяся на поле боя. Трудно не усмотреть в выдвижении фигур Деборы и Амасеки на первый план отражение той провиденциальной роли, которую придавали литераторы этого круга Екатерине Павловне. Точно так же прототипическая основа образов обоих злодеев выглядит в достаточной степени очевидной. И все же было бы опрометчиво утверждать, что авторы трагедий прямо выдвигают в адрес нового фаворита обвинения в измене. Время таких обвинений было еще впереди. Суть дела в другом.

Трагедии 1808—1809 гг. стали одной из фундаментальных манифестаций идеологемы заговора, примененной к конкретным политическим обстоятельствам и государственным деятелям того времени. При этом бытовавшие в общественном сознании метафорические соотнесения не только своеобразно отражали исторические коллизии, но и предсказывали, а возможно, и формировали их. Так, образ женщины-воительницы, наследницы Екатерины Великой, скорее всего стимулировал ту неистовую активность, которую развила великая княгиня в 1812 г. по формированию ополчения.

«Государь еще ничего не знает, но <...> мысль об образовании особых полков принадлежит графу [Ростопчину] и мне, — писала Екатерина в начале войны В. П. Оболенскому, — а возникла она потому, что в Москве граф Ростопчин» (Екатерина Павловна 1888, 22). Как показало развитие событий, Ростопчин вовсе не был столь уж безоговорочным сторонником этой идеи. «Великий проект осуществляется несмотря на сопротивление графа, — говорится в письме тому же адресату от 7 июня. — <...> Не пройдет и двух недель, как Москва докажет своему градоначальнику, что он не знает ее. Пусть все это будет между нами. Я счастлива, что доброе дело совершается, а через кого — не все ли равно» (Там же, 24).

Давление своего мифологического амплуа ощущал и Сперанский. В своем оправдательном письме, говоря о непричастности к тайным ложам и зловещим замыслам, он восклицал: «Всемилостивейший Государь! В невидимом присутствии Бога Сердцеведа смею здесь вопросить: так ли поступает, советует, действует и говорит мрачный честолюбец, ненавидящий своего государя и желающий привести его в ненависть» (Шильдер III, 526).

В трагедиях злодеям жанровым каноном предопределено самоубийство. «Отсюду я внемлю проклятие народа», — восклицает Хабер и закалывается (Шаховской 1964, 511). Однако затем под ним разверзается бездна и он проваливается в ад. У Неваховича Паласка бросается вниз с обрыва. Земля не принимает предателя, и он в буквальном смысле исчезает с ее лица, прежде чем торжествующий народ может объединиться, празднуя победу. Именно в этом ключе и было воспринято большинством современников изгнание Сперанского.

В эсхатологических терминах описывала произошедшее В. И. Бакунина:

> Бог ознаменовал милость свою на нас, паки к нам обратился и враги наши пали. Открыто преступление в России необычайное, измена и предательство. <...> Должно просто полагать, что Сперанский намерен был предать отечество и государя врагу нашему. Уверяют, что в то же время хотел возжечь бунт вдруг во всех пределах России и, дав вольность крестьянам, вручить им оружие на истребление дворян. Изверг, не по доблести возвышенный, хотел доверенность государя обратить ему на погибель. <...> 19-го сделалось то совершенно гласно, и принята была весть с восторгом; посещали друг друга для поздравления, воздали славу и благодарение Спасителю Господу и хвалу сыну отечества, открывшему измену, но нам неизвестному. <...> Никого, однако же, измена не удивила, давно ее угадывали из всех новых постановлений.

(Бакунина 1885, 393)

В этом отзыве очень много показательного. И общее согласие относительно характера преступления Сперанского, хотя никакого официального объявления по этому поводу сделано не было, и убежденность в его небывалом тайном могуществе и способности «возжечь бунт вдруг во всех пределах России», и благодарственные молитвы, и ощущение невиданности на Руси подобной измены, и само слово «изверг», указывающее на отпадение от народного тела. «Извергом» назвал Сперанского и А. Я. Булгаков, записавший в своем дневнике, «что открыт в Петербурге заговор, состоявший в том, чтоб Россию французам отдать» (Булгаков 1867, 1367—1368).

Как впоследствии вспоминал Вигель, опалу Сперанского «торжествовали как первую победу над французами» (Вигель IV, 33). Расчеты инициаторов опалы полностью оправдались. Изгнание, «извержение» ненавистного государственного секретаря действительно вызвало незаурядный патриотический подъем.

7

Жалобы Александра на то, что у него «отняли» правую руку, на «жертву», которую он должен был принести «общественному мнению», вероятно, следует понимать с максимально возможной буквальностью. Недаром историческим прототипом войны, ожидавшей Россию, должно было служить ополчение Минина и Пожарского, один из инициаторов которого призывал заложить жен и детей во имя освобождения отечества. Таким образом, ссылка Сперанского могла интерпретироваться как жертва одновременно в двух перспективах. С одной стороны, государь как первый из сынов отечества клал на его алтарь самое дорогое, что у него было, — свои преобразовательные планы, с другой — ритуал заклания изменника становился символическим залогом народного единства[1]. Неудивительно, что в то время как самому императору жертва, им принесенная, казалась едва ли не чрезмерной, большинство его подданных сочло ее недостаточной.

По воспоминаниям Вигеля, все «дивились <...> и роптали. Как можно было не казнить преступника, государственного изменника, предателя и довольствоваться удалением его от столицы и устранением от дел!» (Вигель IV, 33). Варвара Бакунина замечала в дневнике, что «в обществе все благомыслящие люди <...> не радовались милосердию, называя оное попущением» (Бакунина 1885,

---

[1] Мы не рассматриваем здесь архаические корни ритуала жертвоприношения, хотя не исключено, что применительно к данной теме такой подход мог бы принести интересные результаты (см.: Жирар 2000).

395). Даже столь далекий от кровожадности человек, как Карамзин, по свидетельству одного из современников, говорил, что «думает, что это должно кончиться эшафотом» (Бычков 1902, 34). Что бы ни выражали слова «должно кончиться [doit finir]» — точку ли зрения историка или его предсказание на будущее, — это суждение более чем многозначительно.

Однако «эшафот» был «должным» и неизбежным исходом дела только для небольшой и сильно европеизированной верхушки. Чуть ниже по социальной лестнице речь велась о совсем других мерах. В своем памфлете на Сперанского Г. П. Ермолов, дальний родственник знаменитого генерала, писал, якобы обращаясь к ссыльному: «Презренный повсюду и всеми сословиями, готовыми растерзать тебя на части, истребить с лица земли своей прах твой, вот тебе награда за твои беззакония, злодеяния, которые уготовлял ты России, а еще большее наказание впереди ожидает тебя, яко изверга, посягнувшего на все Ему угодное» (Ермолов 1895, 24).

Формулы типа «растерзать на части» и «истребить с лица земли прах» вовсе не были лишь риторическими клише. Сперанского повезли в ссылку в Нижний в обход Москвы, где ходили слухи, что как только он и высланный с ним Магницкий «въедут в Москву, то будут растерзаны народом» (Бестужев-Рюмин 1859, 72). До Вигеля дошли разговоры, что и в Нижнем Сперанский «едва не был умерщвлен разъяренной чернью» (Вигель IV, 34). Трудно сказать, в какой мере подобные агрессивные намерения в адрес павшего фаворита действительно были распространены среди низших сословий. Известно, что в ссылке Сперанский проводил много времени в прогулках и общении с простонародьем и, по-видимому, не находил это занятие особенно опасным (см.: Бычков 1902а). Все без исключения свидетельства о всеобщей ненависти, которыми мы располагаем, исходят из дворянской среды, артикулировавшей подобным образом свои представления о народе и формах проявления народного единства.

Позже в «Записках о 1812 годе» Ростопчин с каким-то простодушным цинизмом назвал кампанию против Сперанского «темной интригой» и утверждал, «что был одним из наиболее изумленных, когда <...> узнал о его высылке» (Ростопчин 1992, 245—246). «К несчастью, — писал он <...> — Сперанский прослыл за преступника, за предателя своего царя и отечества, и люди простого сословия заменяли его именем имя Мазепы, которое есть эпитет изменника» (Там же, 246). Представления, в создании и распространении кото-

Изгнание из Москвы французских актрис.
Карикатура А. Г. Венецианова. 1812

рых Ростопчин принял самое деятельное участие, были им вновь приписаны невежеству «людей простого сословия».

Подобный прием был достаточно характерен для Ростопчина. Во второй половине августа 1812 г., незадолго до Бородинского сражения, он арестовал в Москве более сорока живших там французских обывателей (см.: Попов 1875, № 10, 132—133), посадил их на барку и при огромном скоплении народа отправил вниз по реке, сопроводив эти действия в высшей степени выразительным напутствием:

> Французы! Россия дала вам убежище, а вы не переставали злоумышлять против нее. Чтобы избежать кровопролития, не зачернить страницы нашей истории, не подражать сатанинским бешенствам ваших революционеров, правительство вынуждено вас удалить отсюда. Вы будете жить на берегу Волги посреди народа мирного и верного своей присяге, который слишком презирает вас, чтобы делать вам вред. Вы на некоторое время оставите Европу и удалитесь в Азию. Перестаньте быть негодяями [mauvais sujets] и сделайтесь хорошими людьми, превратитесь в добрых русских граждан из Французских, какими вы до сих пор были; будьте спокойны и покорны или ждите еще большего наказания.

(Там же, 130—131)

В воспоминаниях Ростопчин писал, что сделал это, «получив доказательство тому, до какой степени народ был взволнован, <...> для того, чтобы успокоить его и усыпить его ярость» (Ростопчин 1992, 290). Однако даже такой его безусловный единомышленник и почитатель, как Сергей Глинка, утверждал, что опасности народного самосуда не существовало: «Я жил с народом на улицах, на площадях, на рынках, везде в Москве и в окрестностях Москвы, и живым Богом свидетельствую, что никакая неистовая ненависть не волновала сынов России» (Глинка 1836, 42; ср.: Попов 1875, № 10, 130—133). Вне зависимости от того, кто из мемуаристов правильней оценил настроения москвичей, несомненно, что Ростопчин исполнял свою давнюю программу. Напомним, что еще в 1806 г. во время сбора ополчения он требовал от Александра выслать из Москвы всех французов, не делая никаких исключений (Ростопчин 1892, 419).

Точно так же на протяжении всего пребывания в должности московского генерал-губернатора Ростопчин с неослабевающей энергией преследовал мартинистов. Об интригах мартинистов и иллюминатов он писал императору на второй день после своего назначения, и чем ближе подходила к Москве наполеоновская армия, тем больше сил и времени уделял он внутреннему врагу (см.: Попов 1875, № 8, 277; Кизеветтер 1915, 158, 160—170). Самовольно выслав почт-директора Ф. П. Ключарева в Воронеж, Ростопчин писал Александру, что это было с его стороны «единственным средством предупредить замыслы мартинистов, которые доведены уже до того, что угрожали несчастьем России, а вам — участью Людовика XVI. Со временем вы увидите, государь, что эта ужасная секта благорасположила вас к ней посредством тех, кои сами к ней принадлежали» (Кизеветтер 1915, 166)[1]. В контексте ранее переданной императору «Записки о мартинистах» последняя фраза этой тирады отчетливо метила в Сперанского.

---

[1] А. Н. Попов и С. П. Мельгунов склонны отчасти объяснять столь истерическую ненависть Ростопчина к масонам и мартинистам его связями с иезуитами, которые он поддерживал через свою жену, принявшую католичество (см.: Попов 1875, № 8, 275—278; Мельгунов 1923, 134). Представляется, что такой подход слишком близок к интерпретативным практикам, описанным в настоящей работе. Вместе с тем очень вероятно, что обращение жены в католичество, сделавшее статус и положение Ростопчина достаточно неустойчивым, могло стимулировать его интерес к распространенной мифологии заговоров и тайных обществ, а также до некоторой степени способствовать его резкому превращению из сторонника профранцузской политики в воинствующего франкофоба.

Опальный фаворит и в ссылке не давал покоя Ростопчину, писавшему Александру, что от «первого до последнего и по всей России его считают изменником», и предупреждавшему о смертельной опасности, исходившей от изгнанника (Ростопчин 1892, 428—435). В августе 1812 г. он вновь без всякой санкции императора послал нижегородскому генерал-губернатору предписание отправить Сперанского в Москву (Бычков 1902а, 233—234). Требование доставить государственного преступника в город, к которому подходят неприятельские войска, выглядит по меньшей мере загадочно. Единственно, на наш взгляд, возможное объяснение этому странному поступку Ростопчина дал М. А. Корф: «Но здесь рождается вопрос, и в этом мы и полагаем важность факта, с какой же целью Ростопчин отважился на такой самовластный поступок? Без сомнения, с одною только <...> чтобы ненавидимого народом предать на жертву возбужденным страстям, подобно несчастному Верещагину» (Там же, 234; ср.: Кизеветтер 1915, 184).

Верещагинская история, многократно из первых, вторых и третьих уст описанная потрясенными современниками и подробно освещенная в исторической литературе (сводку источников см.: Дмитриев 1998, 546, 556—559; ср.: Попов 1875, № 8, 287—291; Кизеветтер 1915, 115—121), получила после «Войны и мира» широчайшую известность. Для темы настоящей работы интерес представляют объяснения этого страшного происшествия, исходящие от самого Ростопчина. В сохраненном М. А. Дмитриевым отношении Ростопчина к дяде мемуариста министру юстиции И. И. Дмитриеву от 13 октября 1812 г. говорится: «Что же касается Верещагина, то изменник сей и государственный преступник был пред самым вшествием злодеев наших в Москву предан мною столпившемуся перед ним народу, который, видя в нем глас Наполеона и предсказателя своих несчастий, сделал из него жертву справедливой своей ярости» (Дмитриев 1998, 99).

Десятью годами позже в воспоминаниях Ростопчин изложил другую версию событий:

> Я приказал вывести из тюрьмы и привести ко мне купеческого сына Верещагина, автора наполеоновских прокламаций, и еще одного французского фехтовального учителя по фамилии Мутона. <...> Обратившись к первому из них, я стал укорять его за преступление тем более гнусное, что он один из всего московского населения захотел предать свое отечество; я объявил ему, что он приговорен Сенатом к смертной казни и должен понести ее — и приказал двум унтер-офицерам моего конвоя рубить его саблями. Он упал, не произнеся ни одного слова.

Тогда, обратившись к Мутону, который, ожидая той же участи, читал молитвы, я сказал ему: «Дарую вам жизнь; ступайте к своим и скажите им, что негодяй, которого я только что наказал, был единственным русским, изменившим отечеству».

(Ростопчин 1992, 313)

Обратим внимание на основное противоречие в этих двух показаниях. По горячим следам события еще до окончания войны Ростопчин представляет себя орудием народного гнева, а по прошествии десяти лет — исполнителем законного приговора. (В действительности Верещагин был приговорен Сенатом не к смерти, а к каторжным работам.) Однако символическое измерение происходящего очевидно в обоих описаниях. Из огромной народной массы выделяется единственный предатель, на которого и возлагается вина за национальную катастрофу. Сугубо метафорический и театрализованный характер этой фиксации на одном преступнике становится особенно нагляден, если принять во внимание, что во время следствия по верещагинскому делу Ростопчин как раз пытался обнаружить за спиной злополучного купеческого сына разветвленный масонский заговор (см.: Щукин VIII, 44—77).

Исторжение изменника из народного тела становится грозной вестью врагу об обретенном единстве — необходимость донести до него эту весть спасла жизнь учителя фехтования Мутона. Напомним, что перед домом Ростопчина собралась толпа людей, которых он в своих афишах призывал составить грозное ополчение для отпора врагу. В свидетельствах о происшедшем Ростопчин расщепил историю осуществленной им расправы на две части. В одной в качестве палача выступал народ, в другой — унтер-офицеры его конвоя. По словам М. А. Дмитриева, Ростопчин указал на Верещагина «народу, которого собралось множество, и, сказав, что он изменник, велел полицейскому драгуну рубить его; драгун не вдруг повиновался, но по второму приказанию вынул саблю и нанес ему удар. Фамилия этого драгуна была Бурдаев. Потом Верещагина бросили с крыльца народу, который растерзал его на части и поволок по улицам» (Дмитриев 1998, 98—99).

Все мемуаристы рисуют здесь примерно совпадающую картину, только балетмейстер А. П. Глушковский утверждал, что «первый удар Верещагину нанес по голове палашом ординарец графа Ростопчина Пожарский, а не Бурдаев» (Глушковский 1940, 96). Это разночтение косвенно верифицируется поздним свидетельством Ростопчина, что приказ рубить жертву он отдал «*двум* (курсив мой. — *А. З.*) унтер-офицерам».

Если сообщаемые Глушковским сведения верны[1], то неминуемо возникающая историческая аналогия почти наверняка не была случайной. Генерал-губернатор, занятый формированием московского ополчения, которое и он и все окружающие постоянно и последовательно проецировали на нижегородское ополчение 1611—1612 гг., не мог не обратить внимания на прославленную фамилию своего ординарца. Вытолкнув его в столь драматический момент на подмостки истории, Ростопчин, сознательно или нет, возводил свое самоуправство к великим образцам национально-государственного творчества.

Л. Н. Толстой изобразил убийство Верещагина как отчаянно-трусливый шаг, предпринятый Ростопчиным, чтобы отвлечь от себя внимание разъяренной толпы и незаметно ускользнуть. Эта версия вызвала решительный протест П. А. Вяземского. Присоединяясь к мнению знавшего Ростопчина Варнгагена фон Энзе, он написал, что «Ростопчин принес Верещагина в жертву для *усиления народного негодования*, а вместе с тем он давал Наполеону и французам как будто предчувствие того ожесточения, с которым будут встречены они в *гостеприимной* Москве» (Вяземский VII, 212; ср.: Варнгаген фон Энзе 1859). О том, что Ростопчин «мог быть и <...> был преступным убийцею Верещагина, но он не мог быть и не был убийцею из трусости», писал и Д. Н. Свербеев (1871, 520).

Однако критиковавший Толстого Вяземский также полагал, что московский главнокомандующий «предал Верещагина на жертву народу» «в минуту великой скорби, великого раздражения», что в его поступке «ничего не было преднамеренного, обдуманного» (Вяземский VII, 212). Между тем весь сценарий трагедии был готов у Ростопчина заранее. Разумеется, не случайно именно Верещагина и Мутона оставили в тюрьме, когда все остальные заключенные были вывезены оттуда за три дня до роковых событий. По позднейшему утверждению Ростопчина, «их забыли отправить с 730 преступниками» (Ростопчин 1992, 312).

В известной степени случайной была здесь только личность Верещагина, волею судьбы оказавшегося в центре событий и заменившего собой куда более масштабную фигуру, уже давно назначенную общественным мнением на роль главного изменника и заговорщика. Но именно принципиальная заменяемость жертвы служит, пожалуй, самым отчетливым доказательством того, что на москов-

---

[1] И. Ф. Жуков пишет, что вторым исполнителем казни был А. Г. Гаврилов (Жуков 1866, 255).

ских улицах был разыгран монументальный идеологический ритуал: инкарнация мифа о едином народном теле.

8

Верещагинская история вызвала высочайшее неудовольствие. «Его
казнь была не нужна, особенно ее отнюдь не следовало производить
подобным образом», — писал Александр Ростопчину 6 ноября 1812 г.
«Повесить или расстрелять было бы лучше», — добавил император со
свойственным ему человеколюбием (Шильдер 1893, 184). По мнению многих современников, именно эта расправа стала причиной
немилости государя к Ростопчину (Дмитриев 1998, 99).

Нам не суждено узнать, почувствовал ли Александр, что крова-
вый балаган, разыгравшийся перед домом московского генерал-губернатора, был зловещей пародией на изысканную жертву во имя
единения сословий вокруг трона, которую он принес в своем кабинете почти полугодом раньше. Во всяком случае, вернувшись в Россию из покоренного Парижа, он поспешил отправить Ростопчина
в отставку. Указ о его отстранении от должности московского глав-
нокомандующего был подписан 30 августа 1814 г. На следующий
день, 31 августа, государь разрешил Сперанскому покинуть место
ссылки. Народная война окончилась.

Глава VII

ВОЙНА И ПОЛМИРА

ХАРАКТЕР И ЦЕЛИ ВОЙНЫ
1812—1814 ГОДОВ
В ИНТЕРПРЕТАЦИИ А. С. ШИШКОВА
И АРХИМАНДРИТА ФИЛАРЕТА

1

Отправив в отставку М. М. Сперанского, Александр привлек к должности государственного секретаря огромное общественное внимание. Следующим важным символическим шагом должно было стать назначение преемника опальному фавориту. 22 марта 1812 г. император вызвал к себе адмирала А. С. Шишкова. Устрашенный «высылкой Сперанского, отставкой Мордвинова <...> и, наконец, явным неблаговолением государя императора», Шишков готовился к худшему, однако дело повернулось иначе (Шишков 1870, 120). «Я читал рассуждение ваше о любви к отечеству, — сказал Александр. — Имея таковые чувства, вы можете быть ему полезны. Кажется, у нас не обойдется без войны с французами; нужно сделать рекрутский набор; я бы желал, чтобы вы написали о том манифест» (Там же, 121).

В апокрифической редакции, в которой эти слова зафиксированы в дневнике Варвары Бакуниной, император сказал Шишкову: «Я не много читал русского, а иностранного довольно, но ничего не читал такого прекрасного, как ваша речь о любви к отечеству» (Бакунина 1885, 404). Вероятно, высочайшая реплика дошла до автора дневника через несколько посредующих звеньев, и характер ее трансформации наглядно показывает как сложившийся в общественном сознании образ государя, так и реакцию петербургской публики на происходящие перемены.

Мы никогда не узнаем, действительно ли император прочитал шишковское «Рассуждение...», которое автор несколькими месяцами раньше решился огласить на заседании «Беседы любителей русского слова», преодолев опасения, что его выступление будет сочтено «смелым покушением без воли правительства возбуждать гордость народную» (Шишков 1870, 117—118). Однако высказанных в «Рассуждении...» мыслей Шишкова о том, что любовь к отечеству основана на употреблении родного языка, Александр не воспринял.

Еще Н. С. Киселев и Ю. Ф. Самарин, публикуя шишковские «Записки...», обратили внимание на разночтение между рукописью и вариантом, напечатанным адмиралом в 1831 г. По замечанию издателей, «в печатном тексте император Александр говорит Шишкову "ты"». (Там же, 121; ср.: Шишков 1831, 1—2). Самодержец и должен был обращаться к подданному на «ты», и другие места «Записок...» сохранили именно такое обращение (Шишков 1870, 249, 259, 262 и др.). В то же время трудно заподозрить Шишкова в том, что он запамятовал столь существенную деталь беседы, которую сам назвал «важнейшим случаем в моей жизни» (Там же, 118), — тем более что рукописный вариант был создан задолго до печатного (Тартаковский 1980, 49—50). Очевидно, аудиенция проходила на французском языке, в котором речевой этикет в употреблении местоимений второго лица существенно отличался от русского.

Тем более маловероятно, что император выбрал Шишкова, а не Карамзина, чью кандидатуру он также рассматривал (Грот 1867, 42), по соображениям стилистического характера, поскольку, как полагали Н. С. Киселев и Ю. Ф. Самарин, оценил «простое, правдивое, искреннее, вместе с тем сильное и воодушевляющее к подвигу слово» (Шишков 1870, 124; ср.: Лотман и Успенский 1996, 420—424 и др.) идейного лидера «Беседы...». Скорее, накануне неизбежной войны Александр стремился указать русскому обществу на смену идеологических ориентиров, продемонстрировать, что готов теперь опереться на общественные группы и круг идей, которые уже на протяжении целого десятилетия представлял Шишков. По утверждению С. Т. Аксакова, впрочем, чрезвычайно апологетически настроенного по отношению к новому государственному секретарю, «в Москве, и в других внутренних губерниях России <...> все были обрадованы назначением Шишкова» (Аксаков II, 305; ср.: Жаринов 1912).

Первый, пробный манифест был написан Шишковым за один вечер (см.: Шишков 1870, 121). «Слог его важен, красноречив и силен, — писала в дневнике В. Бакунина, — но дик для многих: не привыкли к изречениям и оборотам совершенно русским» (Бакунина 1885, 394). Невзирая на беспокоивший его недостаток опыта в составлении подобных документов, Шишков сумел успешно справиться с новой задачей, поскольку в его распоряжении были идеологические и риторические модели, разрабатывавшиеся им и его единомышленниками с 1806 г. «Настоящее состояние дел в Европе, — говорилось в начале манифеста, — требует решительных и твердых мер, неусыпного бодрствования и сильного ополчения, которое могло бы верным и надежным образом оградить Великую

На всеобщее ополчение.
Медальон А. Н. Оленина

Империю Нашу от всех могущих против нее быть неприязненных покушений» (Шишков 1870, 423).

Отметим употребленное автором манифеста слово «ополчение». На самом деле речь шла о внеочередном рекрутском наборе. Меньше чем через четыре месяца, когда было необходимо объявить уже о созыве настоящего ополчения, Шишков отчетливо сформулировал различие: «Вся составляемая ныне внутренняя сила не есть милиция или рекрутский набор, но временное верных сынов России ополчение, устрояемое из предосторожности в подкрепление войскам и для надежнейшего охранения Отечества» (Там же, 428). Шишков отделил здесь ополчение не только от рекрутского набора, но и от милиции, в то время как манифест 30 ноября 1806 г., на который он очевидным образом ориентировался, назывался «О составлении и образовании повсеместных временных ополчений, или милиции» (ПСЗ № 22374). По всей видимости, автора или смущал неудачный опыт милиции 1806—1807 гг., или ему просто не нравилось иностранное слово «милиция».

Шишков в первом манифесте выбрал пусть не совсем точный, но зато более эмоционально нагруженный термин «ополчение», поскольку этот риторический ход позволил ему подчеркнуть общенародный характер осуществляемой мобилизации и вывести российское общество на необходимые исторические ассоциации. В манифесте об ополчении этот ассоциативный механизм был запущен на полную мощность:

> Да встретит он (неприятель. — *А. З.*) в каждом Дворянине Пожарского, в каждом духовном Палицына, в каждом гражданине Минина. Благородное дворянское Сословие! ты во все времена было спасителем Отечества; Святейший Синод и духовенство! вы всегда теплыми молитвами своими призывали благодать на главу России; народ Русской! храброе потомство храбрых Славян! ты неоднократно сокрушал зубы устремлявшихся на тебя львов и тигров; соединитесь все: с крестом в сердце и оружием в руках, никакие силы человеческие вас не одолеют.

> (Шишков 1870, 427)

Отработанная пятью годами ранее параллель между антинаполеоновским ополчением и войском Минина и Пожарского естественным образом выдвигала на первый план в патриотической риторике тему Москвы.

Манифесты «Первопрестольной Столице Нашей Москве» и «О созыве земского ополчения» были подписаны императором в один

На всеобщее ополчение.
Медальон А. Н. Оленина
(вариант)

день — 6 июля. Однако в текстах манифестов Шишков четко определил их последовательность: «Мы уже воззвали к первопрестольному Граду Нашему Москве, ныне взываем ко всем Нашим верноподданным, ко всем состояниям, духовным и мирским» (Там же, 427). Такой порядок обращения, при котором «древняя Столица Предков Наших» предпочиталась не только Петербургу, но и всей стране, мотивировался тем, что Москва «всегда была главою прочих городов Российских; <...> по примеру ее, из всех прочих окрестностей текли к ней, наподобие крови к сердцу, сыны Отечества для защиты оного» (Там же, 425).

Переизбыток органицистской метафорики, вытекавший из представлений Шишкова о том, что государство должно составлять «единые тело и душу» (Шишков IV, 184), по умолчанию указывал и на отказ от петровской государственности. В одной из бесед с императором Шишков позволил себе заметить, что подорвавшее силы России зло началось с «великого в прочем, но в сем случае не предусмотревшего последствий императора Петра Первого. Он, вместе с полезными искусствами, науками, допустил войти мелочным подражаниям, поколебавшим коренные обычаи и нравы» (Шишков 1870, 160). За Петербургом не признавалось право быть не только «сердцем», но и «главой» России. Болезнь, угрожавшая национальному телу, требовала консолидации вокруг исторических святынь. «Мы не умедлим Сами стать посреди народа своего в сей Столице и других Государства нашего местах для совещания и руководствования всеми нашими ополчениями», — говорилось в обращенном к Москве манифесте (Там же, 425).

Искусством подчинять свои действия «общей воле», как он ее понимал, Александр овладевал постепенно. Первые симптомы этого нового настроя проявились в назначении глубоко несимпатичных ему Шишкова и Ф. В. Ростопчина на ответственные должности. Затем под давлением Шишкова и министра полиции А. Д. Балашова он, вопреки собственной воле, согласился оставить армию и направиться в Москву. Это решение, как показал Р. Вортман, свидетельствовало о том, что самодержец, вопреки своим «самым глубинным склонностям», принял на себя «роль национального лидера, мобилизующего все сословия державы на защиту империи» (Вортман 1994, 217). Кульминацией этого державного самоотречения было назначение главнокомандующим ненавистного Александру М. И. Кутузова.

«Когда Ростопчин письмом от 5 сентября сообщил мне, что вся Москва желает, чтобы Кутузов командовал армией, <...> я должен был остановить свой выбор на том, на кого указывал общий глас», —

писал император своей сестре Екатерине Павловне (Николай Михайлович 1910, 87—88). Воля «всей Москвы» и «общий глас» оказывались, в сущности, идентичны, а первопрестольная столица становилась символом идеи народного единства. Недаром Сергей Глинка сравнил приезд государя в Москву с избранием на царство Михаила Романова (Глинка 1814; ср.: Вортман 1994, 219).

В официальных извещениях о сдаче Москвы и об уходе из нее неприятеля прямых аналогий с событиями 1612 г. не проводится (Шишков 1870, 157—159, 438—442), хотя эта параллель отчетливо присутствовала в сознании современников. Она прозвучала уже в «Солдатской песне» Ивана Кованько, напечатанной в первом номере журнала «Сын отечества» и приобретшей чрезвычайную популярность:

> Хоть Москва в руках французов,
> Это, право, не беда —
> Наш фельдмаршал князь Кутузов
> Их на смерть привел туда.
>
> Вспомним, братцы, что поляки
> Встарь бывали тоже в ней,
> Но не жирны кулебяки —
> Ели кошек да мышей.
>
> Напоследок мертвечину
> Земляков пришлось им жрать,
> А потом пред русским спину
> В крюк по-польски изгибать. <...>
>
> Побывать в столице слава,
> Но умеем мы отмщать,
> Знает крепко то Варшава,
> И Париж то будет знать.

(Кованько 1812; ср.: Греч 1930, 304—305)

В конце 1812 г. Д. П. Трощинский утешал Кутузова в том, что ему пришлось все-таки сдать столицу: «Конечно, жалеете вы, что не могли отстоять первопрестольного города нашего. Но кто может бороться против судьбы? <...> Пожарский не мог защитить матери русских городов: он изгнал из нее врага, слабейшего стократ того, который бежит теперь от лица вашего. Судьба сравнила вас с сим великим мужем; оба вы в памяти потомства останетесь благодетелями отечества. Пала Москва, но, опершись на нее, устояла Россия» (СбРИО III, 14—15). Поблагодарив своего корреспондента, Кутузов отвечал: «Утешительно мне было читать в дружеском письме вашем, что Пожарский выгнал врагов из Москвы, а не отстаивал ее» (Там же, 16). Эта фраза была вписана Кутузовым собственноручно в конце писарской копии письма.

Вместе с тем описание неистовств французской армии в занятом городе совершенно отчетливо соотносилось в манифестах с формулами, созданными в свое время для рассказов об ужасах польской оккупации. В знаменитом «Известии из Москвы от 17 октября», которое современники считали лучшим публицистическим произведением Шишкова[1], он подчеркнул, что, «обозревая в совокупности все ужасы» французского пребывания в Москве, «мы не можем сказать, что ведем войну с неприятелем» (Шишков 1870, 438). Поведение французской армии противопоставлялось «образу войны между Державами, наблюдающими честь имени своего» (Там же, 439), в качестве примера которых назывались Англия, Швеция и, естественно, Россия.

Точно так же в 1807 г. В. М. Севергин, перечислив насилия, которые творили в России шведы, замечал: «Но сии неправды я назвал бы добродетелями, в сравнении с неизреченными ужасами польских войск» (Севергин 1807, 9). Не исключено, что эта историческая параллель побудила Шишкова настаивать на том, что московский пожар, как и за двести лет до этого, был делом рук неприятеля (о взглядах современников на причины московского пожара см.: Тартаковский 1973; ср.: Жаринов 1912а). Нравственная отверженность польских и французских интервентов предопределяла их кощунственную ненависть к столице старинного русского благочестия.

2

Битва с таким врагом требовала полного напряжения всех национальных сил. В первом же манифесте о рекрутском наборе Шишков писал о необходимости «оградить Великую Империю Нашу от всех могущих против нея быть неприязненных покушений» (Шишков 1870, 423). Затем в манифесте об ополчении он провозгласил, что «новые силы, <...> нанося новый ужас врагу, составят вторую ограду в подкрепление первой и в защиту домов, жен и детей каждого и всех» (Там же, 426—427).

---

[1] По словам Д. Н. Блудова, недоброжелательно относившегося к Шишкову, «для возбуждения в нем красноречия должно было сгореть Москве» (Греч 1930, 351).

Эта достаточно элементарная метафора, вероятно, не заслуживала бы специального упоминания, если бы мотив разделения противоборствующих сторон непреодолимым барьером не приобрел в написанных Шишковым документах особой значимости. В «Известии из Москвы...» речь идет о выборе, который стоит перед Россией после бесчинств оккупантов в первопрестольной столице: «...мы одно из двух непременно избрать долженствуем: или, продолжая питать склонность нашу к злочестивому народу, быть злочестивыми его рабами; или, прервав с ним все нравственные связи, возвратиться к чистоте и непорочности наших нравов, и быть именем и душою храбрыми и православными Россиянами. Должно единожды решиться между злом и добром поставить стену, дабы зло не прикоснулось к нам» (Там же, 442).

Переводя на русский язык «Краткую и справедливую повесть о пагубных Наполеона Бонапарта промыслах» немецкого публициста Э.-М. Арндта, Шишков в одном из примечаний переводчика писал, что надежду на успех Наполеону дали «французский язык, книги, театр, учители, воспитатели, торговки и всякого рода *милые* соблазнители и предатели, толь давно в ней (России. — *А. З.*) поселившиеся и почти все русские нравы и обычаи искоренившие», а также «развращенные Сарматы, желавшие лучше быть полными рабами адского изверга, нежели братьями своих единоплеменников и прилежащие к ним Российские пределы, не могшие отчасти не быть от них зараженными сею язвою». Однако «как скоро *революционное чудовище* приближилось» к «сердцу России» «и взволновало в нем кровь, тогда потекла из него такая огненная лава, пред которою ничто не могло устоять: <...> сгорели и силы, и оружия, и хитрости, и соблазны. Таковою показала себя благословенная Россия! пребуди всегда таковым дражайшее мое Отечество! поставь между Французским развратом и твоею добродетелью необоримую стену» (Арндт 1814, 46, примеч.).

Для Шишкова речь здесь шла отнюдь не о риторических эффектах. Образ стены, которую необходимо выстроить между добром и злом, определял и его политические представления. В «Записках...» он выразил свои сомнения относительно необходимости европейского похода. «Зачем продолжать ее (войну. — *А. З.*), когда она кончена?» — спросил он в декабре 1812 г. у Кутузова (Шишков 1870, 167). В манифесте на вторжение французов 13 июня он вложил в уста Александра слова: «Я не положу оружия, доколе ни единого неприятеля не останется в царстве моем» (Там же, 425). Теперь эта задача была выполнена, а другие цели войны были Шишкову глубоко чужды.

Однако, если свои сомнения по поводу европейского похода русской армии Шишков решился изложить лишь в беседе с отчасти сочувствующим ему Кутузовым[1], то мысль о переносе войны непосредственно на территорию врага вызвала у него столь резкое неприятие, что он решился обратиться непосредственно к императору. 6 ноября 1813 г. Шишков написал Александру почти истерическое письмо, умоляя его не переходить Рейн и не продолжать войну во Франции. По его словам, «самой безопаснейшей и нужнейшей оградой» для России было «исцеление внутренних ран и восстановление расстроенных сил своих» (Шишков 1870, 239). В то же время война за освобождение Германии еще могла быть полезна, поскольку «первое, неукротимый и дерзкий враг уменьшался в силах своих, второе, восстановлялся оплот между им и нами; третье, великодушно и достойно всякой чести и славы — исторгнуть невинную жертву из когтей лютого хищника» (Там же, 239—240). Однако посылать армию во Францию было, с его точки зрения, бессмысленно и рискованно. Месяцем раньше Шишков закончил свой лейпцигский манифест словами: «Мы на берегу Рейна, и Европа освобождена» (Там же, 234). Проклятая богом Франция не входила для него в состав Европы и не нуждалась в освобождении. Ее вполне можно было и оставить под владычеством Наполеона.

Получив шишковский меморандум, Александр поначалу решил несколько приободрить своего сильно хворавшего в ту пору государственного секретаря. «Я очень доволен твоею бумагою и прочитал ее не один раз; в ней много правды и, хотя я не то буду делать, однакож во многом согласен с тобою», — сказал он Шишкову (Там же, 245). Однако месяцем позже он во время одной из «милостивых» бесед предположил, что Шишков «не столько болен телом, сколько мыслями» (Там же, 249). Такое заявление было очевидным симптомом предстоящего удаления государственного секретаря от дел.

Давно отмеченной особенностью публицистики и словесности военных лет был неистовый накал антинаполеоновской риторики. По словам А. В. Предтеченского,

> не было, кажется, ни одной поэмы, ни одной оды, ни одного прозаического произведения, в котором был забыт Наполеон, и, уж конечно,

---

[1] По устойчивому преданию, Кутузов якобы сказал императору: «Ваш обет исполнен; ни одного вооруженного неприятеля не осталось на русской земле; теперь осталось исполнить и вторую половину обета — положить оружие» (Шильдер III, 137). Однако, советские историки неизменно оспаривали достоверность этих сведений (см., напр.: Окунь 1947, 282—286).

в них его вспоминали недобрым словом. Такие эпитеты, как «Аттила девятогонадесять века», «хищник», «изверг», «чудовище», «гнуснейший лицемер и обманщик», «мстительный и кровожадный», «Кащей бессмертный», «Змей Горыныч», «наивеличайший убийца», «всемирный бич», «ужас вочеловеченный», «ад во плоти», «людоед», и множество других в таком же роде обильно уснащали произведения поэтов и прозаиков, откликавшихся на события 1812—1814 годов.

(Предтеченский 1950, 224; ср.: Казаков 1970)

На этом фоне особенно примечательна сдержанность, с которой говорит о французском императоре Шишков. В манифестах 1812 г. он крайне редко упоминает собственно Наполеона, предпочитая собирательные формулы «враг», «неприятель», обозначающие столько же главу Франции, сколь и его войско, и державу вообще. Нет ни малейших оснований полагать, что Шишков относился к Бонапарту хоть сколько-нибудь снисходительней большинства своих соотечественников. Однако его интересовал не столько Наполеон, сколько французы в целом.

Мог ли бы он (Наполеон. — *А. З.*) дух ярости и злочестия своего вдохнуть в миллионы сердец, если бы сердца сии сами собою не были развращены и не дышали злонравием? — восклицал он в «Известии из Москвы...». — Хотя, конечно, во всяком и благочестивом народе могут быть изверги; однако же когда сих извергов, грабителей, зажигателей, убийц невинности, оскорбителей человечества, поругателей самой святыни появится в целом воинстве почти всяк и каждый, то невозможно, чтобы в народе такой державы были добрые нравы.

(Шишков 1870, 441)

Уже в 1814 г., когда русские войска находились во Франции, Шишков, крайне раздраженный снисходительным тоном обращения командующего союзными войсками К.-Ф. Шварценберга к французам, написал собственный проект обращения, не предназначенный для обнародования и показа императору и потому выражавший мысли автора с особой отчетливостью.

Истребление всех вас с лица земли не удовлетворит достаточно правосудию, — утверждал он. — Тщетно во всех сих лютостях станете вы обвинять одного Наполеона. Нет! вы прежде его показали, до какой степени разврата и свирепства безверие довело нравы ваши; оно издавна между вами посеянное росло, распространялось и созревало; оно, одержав над вами силу, из глубины ада изрыгало к вам воспитанников и любимцев своих Маратов, Робеспьеров и наконец послало Наполеона. Вы для того избирали их владыками над собою, что видели в них ум самый зловреднейший, сердце самое жестокое.

(Там же, 271)

Сформулированная здесь мысль об избрании французами революционных вождей, и прежде всего Наполеона, исключительно важна. Она повторяется у Шишкова несколько раз, в том числе и в опубликованном манифесте: «Народ, <...> поправ веру, престол, законы и человечество, впадает в раздор, в безначалие, в неистовство, грабит, казнит, терзает самого себя и <...> избирает себе в начальники, потом в Царя, простолюдина, чужеземца» (Там же, 472).

В этой перспективе излюбленная значительной частью российских и европейских публицистов идея об узурпации Наполеоном французского престола отпадала сама собой. Французский император оказывается столь же несомненно избран своим народом, как некогда русский народ призвал на трон благословенную династию Романовых. Нация, принадлежащая божественному порядку, единой волей избирает на престол помазанника, полагая начало великой династии, нация, живущая по законам дьявола, ставит «над собой царем, или, справедливее, сказать атаманом, рожденного в Корсике простолюдина, превосходящего всех <...> бесчестием, коварством и злобою» (Там же, 270).

Поэтому русской армии ни в коем случае не следовало, по мнению Шишкова, вступать во Францию. Войну с Наполеоном можно было и прекратить, но метафизическая «вражда между безбожием и благочестием, между пороком и добродетелью» все равно не должна была и не могла быть прекращена (Там же, 441—442). Но борьбу эту необходимо было вести прежде всего внутри России, искореняя оттуда глубоко проникшую французскую заразу.

В 1813 г. Шишков имел яростный спор с Кутузовым («Я из уважения не хочу называть его по имени», — написал он в своих воспоминаниях: Там же, 177), который полагал, что ради усовершенствования нравов российского общества необходимо сохранить в Петербурге французский театр и традиции светского воспитания дворянских детей. «Для чего уже и не на пепле сожженной Москвы, — написал взбешенный Шишков. — <...> Душа моя отвращалась от подобных мыслей, и мне казалось, что если бы она заражена была ими, я бы вырвал ее из самого себя» (Там же, 177—178). Самый языковой строй этого высказывания в высшей степени симптоматичен. Проникновение чужеродного влияния внутрь народного тела, «тайное покушение прельстить умы, очаровать сердца» было для Шишкова «сред-

Портрет А. С. Шишкова.
Литография П. Бореля
с оригинала Д. Доу

ством надежнейшим мечей и пушек» (Шишков IV, 171). Он с огромным сочувствием приводит фрагмент из «Писем русского офицера» Ф. Н. Глинки, где говорится об опасности, которую представляют для российских нравов французские пленные (см.: Там же, 177).

Впрочем, предельно воинственная риторика сочеталась у Шишкова с природным добродушием. Менее всего он был склонен кого бы то ни было преследовать. Эта миссия выпала на долю Ростопчина. Если в 1806 г. он требовал от Александра «исцелить Россию от заразы», выслав из нее всех французов без исключения, то, став в 1812-м московским главнокомандующим, он немедленно принялся за составление списков подлежащих депортации иностранцев (Щукин II, 67—68; ср.: Оглоблин 1901; Мельгунов 1923, 140—146). После освобождения Москвы его главной заботой стала та незначительная часть населения, которая оставалась в городе при французах и могла быть подвержена иноземной заразе. Как пишет А. Г. Тартаковский, «под надзор полиции попали <...> все находившиеся в Москве в период оккупации жители, каждый из них был признан политически неблагонадежным и подвергся неустанной полицейской слежке» (Тартаковский 1973, 261).

В декабрьском письме к Александру Ростопчин делился с императором своими традиционными беспокойствами относительно настроений в Москве: «Всякий малодушный дворянин, всякий бежавший из столицы купец и беглый поп считает себя, не шутя, Пожарским, Мининым и Палицыным, потому что один дал несколько крестьян, а другой несколько грошей, чтоб спасти все свое имущество. В массе русский народ [la masse des Russes] грозен и непобедим, но отдельные личности весьма ничтожны» (Шильдер 1893, 187). Полемически переиначивая строки из манифеста Шишкова о создании ополчения, Ростопчин сохраняет характерное противопоставление объединенного и мобилизованного народа его отдельным представителям. Тогда же Ростопчин писал государю, что, поскольку «Бонапарт, видимо, ускользнул от нас, было бы недурно, приготовляясь к борьбе с ним, в то же время подумать о мерах борьбы внутри государства с врагами Вашими» (Там же).

Характеристика этих врагов дана в письмах от 24 сентября 1813 г. и 19 января 1814 г.:

> Необходимо сей же час принять меры к искоренению нового зла, каким является пребывание пленных французов — генералов и офицеров в наших внутренних губерниях. Они проникли в частные дома и проводят весьма опасные взгляды. <...> Мания к французам не прошла в России, а их настоящее положение внушает к ним еще более участия со стороны глупцов и дворян. <...> Так как 1812 год не мог излечить их от нелепого пристрастия к этому проклятому отродью, то надо будет серьезно приняться за уничтожение этих восторженных поклонников, а их много во всех классах общества, особенно среди учащейся молодежи.
>
> (Там же, 200, 204)

Меры, предлагавшиеся Ростопчиным, должны были продлить на неограниченное время выработанный для войны режим национальной мобилизации. Народное тело следовало окончательно очистить от внутренней заразы и надежно изолировать от проникновения чуждых элементов.

3

Понятно, что подобная изоляционистская идеология была приемлема далеко не для всего русского общества. Для самого Александра освобождение России от захватчиков было, по существу, лишь необходимым этапом реализации куда более масштабного замысла. Уже 12 декабря 1812 г., отмечая в Вильно свой день рождения, он сказал собравшимся генералам и офицерам: «Господа, вы спасли не одну Россию, вы спасли Европу» (Шильдер III, 134). Менее всего он готов был удовольствоваться национальной войной в пределах государственных границ. Речь шла о всемирно-исторической и даже эсхатологической схватке, которая должна была полностью изменить все устройство мира.

Еще Н. К. Шильдер отмечал, что приближение Шишкова и Ростопчина «было вызвано чрезвычайными обстоятельствами 1812 г. и вовсе не соответствовало личным планам государя, составляя как бы уступку общественному мнению; неудивительно, что после заключения мира они получили одновременно новое назначение» (Там же, 259—260). В «Записках...» Шишкова рассказано, что, когда один из его друзей предложил в 1810 г. адмирала в члены Государственного совета, Александр ответил, что «лучше согласится не царствовать» (Шишков 1870, 115).

Отстранение обоих ведущих идеологов произошло 30 августа 1814 г., но попытки вырвать из их рук монополию на официальное освещение хода, причин и задач войны начались гораздо раньше — в последние месяцы 1812 г. Первоначально усилия этого рода были связаны с переносом войны за пределы России и необходимостью организовать антинаполеоновскую пропаганду, рассчитанную на европейских, и прежде всего немецких, читателей (см.: Сироткин 1981а; Штейн 1905, 886). Одновременно исподволь менялся и идеологический продукт, предназначенный для внутреннего употребления. Существенной вехой в этих изменениях стала параллельная публикация в «Сыне отечества» (1813. Ч. VII. № 32) и «Чтениях в Беседе любителей русского слова» (1813. Вып. 13) «Рассуждения о нравственных причинах неимоверных успехов наших в войне с Французами 1812 года», принадлежавшего перу архимандрита Филарета.

Публикации «Рассуждения...» в обоих изданиях предшествовало «Письмо архимандриту Филарету» А. Н. Оленина, который побуждал своего адресата взяться за написание этого сочинения.

Простите меня, что я вам докучаю письменно о том же предмете, о котором я беспокоил вас изустно, — писал Филарету Оленин. — Но что мне делать? Я день и ночь об нем мечтаю, и беспрерывно в ухе моем отдаются звуки прекрасных выражений из сочиненных будто вами речи или рассуждения: *о нравственных причинах неимоверного нашего успеха в нынешней войне,* <...> подъятой на нас целою почти Европою под предводительством искони наглых, жестоких и безбожных французов.

По моему мнению, не было еще доселе удобнейшего случая красноречивому перу духовной особы смело вступить в поприще светской словесности. И в самом деле, кому же, если не служителю Святого Олтаря, приличествует доказать происшествиями нынешней войны, что неимоверные подвиги народа Русского начало и основание свое имеют в беспредельной вере к Богу, в природной простой нравственности, суемудрием неискаженной, в верности Царю, не по умствованию, но закону Божию, и в любви к Отечеству.

(Оленин 1813, 219—220)

Письмо это было написано 5 января 1813 г., через пять дней после того, как русские войска пересекли Неман, начав европейскую кампанию. А. Н. Оленин на правах старшего статс-секретаря замещал в эту пору в Петербурге находившегося при государе Шишкова. В краткий срок между отставкой Сперанского и назначением Шишкова Оленин уже исполнял обязанности государственного секретаря. Когда Александр назначил на эту должность Шишкова, Варвара Бакунина записала в своем дневнике: «Оленин, добивавшийся смены Госуд. Секретаря всякими исканиями и разгласивший, что оный получит, написал к Шишкову, что обиделся бы всяким иным выбором, но его признает достойнейшим себя и прибавил: не примите сие за лобзание Иуды» (Бакунина 1885, 405).

Таким образом, кампания по подрыву позиций Шишкова была инициирована его фактическим заместителем, что вполне соответствовало сложившейся бюрократической традиции. Однако в данном случае речь шла и о глубоких идейных расхождениях. Менее всего Оленин был рядовым бюрократом. На протяжении почти десятилетия он был идеологом и вдохновителем литературно-художественного салона, программа которого в значительной мере состояла в придании культурного измерения «греческому проекту» Екатерины II.

Почитатель Винкельмана и Гердера, выходец из львовско-державинского кружка, Оленин сходился с шишковистами в интересе к проблеме народности, стремлении противопоставить национальную самобытность идеалу универсалистской культуры, ориентированной на французские образцы. Однако корни русской народности виделись ему не в церковнославянской языковой стихии, фольклоре, национальных традициях и обрядах (см.: Альтшуллер 1984), но в исторической связи России и Древней Греции, непосредственной преемственности русской культуры по отношению к греческой античности.

Идея построения русской национальной культуры с опорой на греческое наследие была с большой энергией выдвинута в «Начальном управлении Олега» Екатерины II, предисловии Н. А. Львова к «Собранию русских народных песен» И. И. Прача, она одушевляла державинскую анакреонтику и в особенности иллюстрации к ней, создававшиеся под руководством Оленина, она же определяла творчество близких к Оленину писателей уже в александровское царствование[1]. В круге этих представлений находилось и драматургическое творчество В. А. Озерова, и гекзаметрический перевод «Илиады», над которым работал Н. И. Гнедич, и «Письма из Москвы в Нижний Новгород» И. М. Муравьва-Апостола, публиковавшиеся в «Сыне отечества» в военные и первые послевоенные годы.

Оленинский и шишковский кружки пережили во второй половине 1800-х гг. несколько довольно острых литературных столкновений. Шишков и близкий к нему в ту пору Державин были в 1807 г. инициаторами нападок на «Димитрия Донского» В. А. Озерова, драматурга, выдвинутого оленинским кругом, а ответственность за провал в 1809 г. озеровской «Поликсены» молва возлагала на А. А. Шаховского, отошедшего от оленинского салона и сблизившегося с шишковцами (см.: Медведева 1960; Альтшуллер 1984, 147—157; Гордин 1991). Тогда же члены Российской академии отвергли кандидатуру Крылова, пользовавшегося в оленинском кружке непререкаемым авторитетом, и, как пишет М. Г. Альтшуллер, «демонстративно предпочли и противопоставили отвергнутому баснописцу» избранного в академики С. А. Ширинского-Шихматова (Альтшуллер 1975, 163)[2]. Поздней, уже в 1815 г., часто посещавший Оленина В. А. Жуковский писал: «Дом его есть место собрания авто-

---

[1] О политической и культурной ориентации оленинского кружка см.: Майофис 1998; об эстетической программе кружка см.: Томашевский 1948, VIII, XXIV—XXVII, Кукулевич 1939 (с. 312: «Формулируемая в кружке А. Н. Оленина концепция античного стиля (античной топики) для произведений с национальным содержанием <...> возникла в результате взаимодействия винкельмановского неоклассицизма и понятой в духе Гердера народности»); Гиллельсон 1974, 4—37 и др.

[2] Отождествление позиций Оленина и Шишкова, на котором настаивает М. Г. Альтшуллер (Там же, 173—183; ср.: Альтшуллер 1984, 98—103 и др.), на наш взгляд, не может быть принято и противоречит фактам, приводимым самим исследователем. Более точно, на наш взгляд, рассматривает историю этих литературных отношений О. А. Проскурин (1987, 72—76), однако без достаточных оснований отрицающий существование «оленинского кружка» как особой «литературной группировки, выработавшей свою эстетическую программу, занимавшей свою особую позицию» (Там же, 65).

ров, которых он хочет быть диктатором. <...> Здесь бранят Шишкова, и если не бранят Карамзина, то, по крайней мере, спорят с теми, кто его хвалит» (Жуковский 1904, 13).

Напряженному соперничеству Оленина и Шишкова отнюдь не противоречило членство самого Оленина, Крылова и частично Гнедича в «Беседе...». Задачей Шишкова при создании «Беседы...» было привлечение максимально широкого круга сколько-нибудь заметных литературных и государственных деятелей, недаром в списке ее почетных членов оказались Карамзин, Озеров, Уваров и даже Сперанский. С другой стороны, позиция Оленина в «Беседе...» была достаточно двусмысленной. У нас нет никаких данных о его участии в ее работе на протяжении первых двух лет существования общества, до весны 1813 г., когда он обратился к находившемуся при государе Шишкову с письмом, фрагменты которого были впервые опубликованы М. Г. Альтшуллером.

> Судьбе угодно было опять мне назначить место, где я должен лице ваше представлять. Отгадайте милостивый государь, какое место? — Беседа любителей русского слова! Ведь первый ее разряд (Шишков был его председателем, а Оленин — членом. — *А. З.*) по отсутствии вашем сиротеет. Очередь до него доходит, и меня назначили к нему опекуном. Вот что меня побуждает потревожить вас вопросом, <...> не угодно ли будет что-нибудь показать в «Беседу» по вашему первому разряду и нет ли сочинений у вас, которые бы могли быть прочтены в публике.

> (Альтшуллер 1975, 173—174)[1]

Заседание, о котором писал Оленин, состоялось 20 мая. Шишковские произведения на нем не читались, но зато собравшаяся публика услышала письмо Оленина к Филарету и подготовленный последним «Ответ на письмо, которым предложено было написать рассуждение о нравственных причинах неимоверных успехов наших в настоящей войне». Кроме того, прочитаны были программное для оленинского кружка «Письмо к Н. И. Гнедичу о греческом экзаметре» С. С. Уварова, ответ Гнедича и его гекзаметрический перевод IV песни «Илиады», иллюстрировавший основные положения уваровского письма. Если добавить сюда басни И. А. Крылова и отрывок из перевода «Ифигении» Расина, с которым выступил «один из завсегдатаев оленинского дома» М. Е. Лобанов (см.: Тимофеев 1983,

---

[1] Исследователь датирует письмо более широко — 1813 г., но, учитывая дату заседания, о котором идет речь, это предположение может быть конкретизировано.

99), то можно сказать, что заседание I разряда «Беседы...», прошедшее в отсутствии председателя, превратилось в своеобразный бенефис Оленина и его единомышленников.

4

Выражая пожелание, чтобы «красноречивое перо духовной особы смело вступило в поприще светской словесности», Оленин делал исключительно тонкий ход. Провиденциалистские трактовки происходивших событий были в ту пору общим местом и отражали позицию самого императора. «Итак да познаем в великом деле сем промысел Божий», — писал в манифесте 25 декабря 1812 г. Шишков (1870, 172), занимавшийся на протяжении всего заграничного похода поиском в священных книгах «разных описаний и выражений, весьма сходных с нынешнюю нашею войной» (Там же, 252; эти выписки см.: Там же, 252—257). Однако толковать божий замысел и его воплощение естественней всего было авторитетному деятелю государственной церкви. Со своей просьбой Оленин обратился к самому яркому и популярному из них.

По воспоминаниям одного из тогдашних семинаристов, Филарет, «всесильный архимандрит, прославленное чудо ума и учености», стоял тогда «на высоте тем более недосягаемой, чем менее иерархическая степень его соответствовала его действительной силе» (Гиляров-Платонов II, 74). Молодой ректор Санкт-Петербургской Духовной академии был восходящим светилом русской церкви. Еще на заре его карьеры ему покровительствовал самый знаменитый русский церковный проповедник московский митрополит Платон, сказавший о начинающем пастыре: «Я пишу по-человечески, а он пишет по-ангельски» — и предрекший, что Филарет со временем займет его кафедру (Пономарев 1867/1868, № 12, 518).

Вызванный в Петербург, Филарет привлек всеобщее внимание своими проповедями в Александро-Невской лавре, регулярными слушателями которых были, в частности, А. Н. Голицын, А. Н. Оленин, А. С. Стурдза и А. И. Тургенев (Чистович 1897, 54). В сентябре 1811 г. по личному указанию Александра Филарету было поручено служить при освящении Казанского собора. В конце года его отец, коломенский священник Михаил Дроздов, был, по представлению обер-прокурора Святейшего синода князя А. Н. Голицына, удостоен камилавки и наперсного креста «в знак особого Монар-

Портрет
архимандрита
Филарета (Дроздова).
Гравюра Й. Брайна

шьего благоволения к сыну, который толико ознаменовал себя на поприще проповеди слова Божьего» (Сухомлинов 1868, 17).

В том же в 1811 г. Филарет сблизился с А. Н. Голицыным, которого он назвал «истинным ревнителем веры и церкви» и который подарил ему «духовные творения Фенелона» (Стеллецкий 1901, 55). В сентябре 1812 г., когда французская армия находилась в Москве, Филарет писал родным: «Среди общего беспокойства один человек удивил меня своим великодушием. Тогда как многие оставляли свои дома, князь Александр Николаевич устроил в своем доме церковь» (Филарет 1882, 166—167).

Голицынская церковь, построенная в самые тяжелые месяцы войны, была призвана как бы воскресить дух первоначального христианства. С «сенью Фавора» и тайным храмом «первых христиан» сравнил службы в голицынской церкви Г. Р. Державин (Державин III, 170). Одним из постоянных посетителей этой церкви, устроенной для крайне узкого круга лиц, был Александр I, для которого Голицын в те годы был одним из главных духовных наставников.

В этой избранной аудитории осенью 1812 г. Филарет начал читать свои проповеди, вызывавшие огромный интерес у высшего петербургского общества (см.: Корсунский 1885; ср.: Флоровский 1937, 166—184). В первой проповеди на освящение церкви он связал происходящее событие с внутренним освящением молящихся, которое, по словам биографа Филарета И. Н. Корсунского, было «одним из важнейших вопросов мистицизма» (Корсунский 1885, 398; сопоставление проповедей Филарета этого времени и проповедей французского мистика Дю-Туа см.: Галахов 1875, 165—175).

«Христиане! *Вы есть церковь Бога жива!* — проповедовал Филарет. — <...> Суетно было бы любопытство видеть освящение видимого храма, если бы мы в сие время не помышляли *об освящении нашего храма невидимого.* <...> Образ освящения внутреннего нам представлен в образе освящения внешнего» (Филарет 1812, 2—3). Среди прихожан голицынской домовой церкви проповедь Филарета имела такой успех, что его просили в нарушение церковных традиций повторить ее (см.: Корсунский 1885, 398). Позднее он не включал эту проповедь в собрания своих трудов, говоря, что «пояснял значения различных предметов и обрядов, усвоенных чину освящения храмов, <...> по собственным соображениям, произвольно, пожалуй — гадательно» (см.: Пономарев 1867/1868, № 4, 135).

Взгляд на идеальную церковь, выразившийся в проповеди Филарета, противоречил всему строю мыслей Шишкова, который считал веру предков важнейшей составляющей любви к отечеству, выдвигая тем самым на первый план историческую, обрядовую сторону православия. Это было тем естественней для Шишкова и его последователей, что сама по себе любовь к отечеству принимала у них характер религиозного культа.

> Ограда царств необорима,
> О ты, к Отечеству любовь,
> Достойна быть боготворима, —

начиналась поэма С. Ширинского-Шихматова «Пожарский, Минин, Гермоген, или Спасенная Россия». Как обнаружил С. Гардзонио, готовя в 1834 г. свои стихотворные сочинения к несостоявшемуся переизданию, Шихматов, уже принявший монашеский постриг, заменил чрезмерно рискованное слово «боготворима» на более осторожное «священно-чтима» (Гардзонио 1994, 73).

Шишковское «Рассуждение о любви к отечеству», где этот культ достиг своей кульминации, было с громовым успехом прочитано в

«Беседе...» 15 декабря 1811 г. Десятью днями позже в «Слове на Рождество Христово» Филарет, развивая тезис о том, что Царство Христово не от мира сего, вольно или невольно, но совершенно недвусмысленно возразил Шишкову: «Беспокровные только странники находят Вефил и Вифлеем — дом Божий и дом Хлеба животного. Только произвольные изгнанники земли приемлются в граждан неба. Кто желает быть селением Сына Божия, тот должен иметь отечество в едином Боге и, при всей привязанности к отечеству земному, впрочем весьма естественной и праведной, почитать его только предградием небесного» (Филарет 1994, 43).

Д. И. Хвостов, присутствовавший на заседании «Беседы...», где читалась шишковская речь, подверг ее критике, отчасти предвосхищающей филаретовскую: «16 декабря было чтение Шишкова "Речь о любви к отечеству", — записал он в дневнике. — Публика ею довольна, члены Беседы были без памяти, но право речь худа. Примеры ребяческие, доказательства плохи, как то вера, воспитание и язык. Вера есть любовь к Горним, и внушает ли она патриотизм не знаю. История часто доказывает противное». Позднее Хвостов сделал к этой записи саркастическую приписку: «Как бы то ни было, сия любовь к отечеству пожаловала автора в государственные секретари» (Хвостов 1938, 378).

Шишкову даже приходилось отвечать на упреки в нехристианском характере его патриотических чувств. «Многие возражают против сей пословицы («Велик русский Бог». — *А. З.*), видя в ней нечто языческое, говоря, Бог един у всех народов, как же можно сказать *Русский Бог*? — писал он в примечаниях к «Краткой и справедливой повести...» Э.-М. Арндта. — Но сии возражения несправедливы. Здесь русский Бог не означает особливого у русских божества, но одного и того же Бога, милостью своей к Русским великого» (Арндт 1814, 51, примеч.).

В «Рассуждении о нравственных причинах неимоверных успехов наших в войне с Французами 1812 года», прочитанном в заседании «Беседы...», Филарет повторил немало риторических ходов, опробованных в шишковских манифестах. Так, он полностью воспроизвел характерную метафорику литераторов шишковского круга относительно нравственной заразы, которую несли с собой прибывавшие в Россию французы: «Не старался ли он (Наполеон. — *А. З.*) устроять себе в собственных наших пределах невидимое передовое ополчение, посылая следами сиротствующих сынов царства французского, которые бегут к нам от пожравшей их отечество заразы — толпы извергов мятежа, которые несут свою язву с собою; и сынами Севера, столь же чуждыми низости подозрения, как и слабости ухищрения, приемлются иногда в их безопасные жилища, как змия в недро» (Филарет 1822, 172). Столь же знакомо слушателям речи было и провиденциалистское истолкование происходивших событий, убежденность в том, что европейская катастрофа была лишь исполнением неисповедимого божьего замысла, первоначально скрытого от взоров смертных (Там же, 183—185).

В то же время целый ряд мыслей, высказанных Филаретом, решительно отделяли его позицию от официоза шишковского толка. И наиболее глубоко это различие проявляется там, где речь идет о месте, которое занимает Россия в мире и Европе, и о ее провиденциальном предназначении. «Что есть государство? — спрашивал Филарет. — Некоторый участок во всеобщем владычестве Вседержителя, отделенный по наружности, но невидимою властию сопряженный с единством всецелого» (Там же, 177). Тем самым отвергалось, пожалуй, центральное для миропонимания, выраженного в манифестах Шишкова, представление о принципиальной обособленности национального тела, которое необходимо подкрепить стеной, разделяющей свой и чужие народы. У Филарета «отделенность» любого государства оказывается внешним атрибутом политической реальности, лишь слегка драпирующим внутреннее единство господнего миропорядка.

Своим вторым определением Филарет подчеркнул это внутреннее единство, отмечая функциональный характер разделения человеческого рода по государственным образованиям: «Что есть государство? — Великое семейство человеков, которое по умножении своих членов и разделении родов, не могли быть управляемо, как в начале, единым и естественным отцом, признает над собою в сем качестве избранного Богом и законом Государя» (Там же, 178). Перенося свою аргументацию из метафизической сферы в историософскую, Филарет снова постулирует исходное единство человечества, в котором различные народы уподобляются различным семьям в пределах единого государства.

Метафора государства-семьи хотя и отличается от метафоры государства-организма, но, в сущности, ей не противостоит — саму семью также вполне можно понимать как органическое целое. Так и Шишков, постоянно прибегавший к персонализирующим формулам («Государь и отечество есть глава и тело», «Войско, вельможи, дворянство, духовенство, купечество, народ <...> составили единую душу...»: Шишков 1870, 142, 171), порою использовал и семейные («С одной стороны, помещики отеческою о них (крестьянах. — *А. З.*), яко о чадах своих, заботой, а с другой, они, яко усердные домочадцы, исполнением сыновних обязанностей и долга, приведут себя в то счастливое состояние, в каком процветают добронравные и благополучные семейства»: Там же, 307).

В этом свете особенно важно, что третье и последнее определение, которое дает государству Филарет, подчеркивает сознательный моральный выбор подданных, принимающих на себя соответствующие гражданские обязательства: «Что есть государство? — Союз свободных нравственных существ, соединившихся между собою с пожертвованием частию своей свободы для охранения и утверждения общими силами закона нравственности, который составляет необходимость их бытия» (Филарет 1822, 179).

Истолкование государства и здесь носит универсалистский характер. Нравственный закон един для всех народов и монархов, только одни «благочестием и добродетелью <...> входят во всеобщий порядок Его правления», а другие, напротив, «связуются токмо страхом и одушевляются токмо корыстью собственной», «приближают общество к падению» и в конце концов «поражаются правосудием как возмутительная область Божией державы» (Там же, 177—179).

Именно нравственное участие подданных Александра в «союзе любви» с государем, их приверженность единому нравственному закону позволили им сохранить народное единство и тогда, «когда глас законов уже почти не слышен был посреди шума бранного» (Там же, 182). Это единство обеспечивалось не столько органической крепостью народного тела, сколько свободным моральным выбором жителей России, включая и крепостных крестьян: «...множество свободных рук оставляли весы, перо и другие мирные орудия и простирались к мечу; свободные пожертвования на потребности брани приносимы были не только свободными щедро, но и теми свободно, которые сами могли быть представлены другими в пожертвование» (Там же, 181). Вообще слова «свобода» и «свободный» встречаются на полулисте филаретовского «Рассуждения...» девять раз. Для сравнения укажем, что во всем корпусе манифестов Шишкова, примерно всемеро большем по объему, эти же слова встречаются одиннадцать раз, причем восемь из них применительно к народам покоренной Наполеоном Европы. «Мы уже спасли, прославили отечество свое, возвратили Европе свободу ея и независимость» (Шишков 1870, 258) — этот оборот весьма характерен для риторики шишковских манифестов.

Как государственный секретарь, Шишков должен был прославлять европейский поход русской армии, и не приходится сомневаться в его искренней гордости за успехи русского оружия. Однако для него освободительная кампания в Европе лишь дополняла и оттеняла главную задачу войны — избавление России от врага и утверждение ее безопасности. В концепции Филарета эти две задачи меняются местами. Изгнание французов из России служит лишь первым шагом к реализации ее всемирно-исторической миссии — утверждению христианского порядка во всей Европе.

> Ныне заблуждающие народы, — завершает он свое «Рассуждение...», — познайте пути к потерянному вами и тщетно в суетных мечтаниях искомому благоденствию! Бич Божий поражает Европу так, что его удары раздаются во всех концах вселенныя. Услышьте глас Наказующего и обратитеся к нему, дабы Он был и вашим Спасителем.
>
> Ныне, благословенная Богом Россия, познай твое величие и не воздремли, сохраняя основания, на которых оно воздвигнуто!
>
> А Ты, <...> Который твердостию в правде спас Твою державу и благостью в могуществе спасаешь царства других? *возвеселися Его силою и о спасении Его возрадуйся!*
>
> (Филарет 1822, 184—185)

В первой половине 1813 г. доктрина национального мессианизма могла быть только намечена. Через год в «Слове на день торжественного венчания на царство и священного миропомазания Благочести-

На изгнание врагов.
Медальон А. Н. Оленина

вейшего Государя Императора Александра Павловича» Филарет сформулировал ее с исчерпывающей отчетливостью и полнотой:

> Одно только есть истинное, так как и естественное направление народного могущества, направление ко благу общественному и спасению бедствующего человечества. Если Царь и народ имеют то благословение Провидения, что их сила, открываясь в собственном их спасении от опасности, простирается и на спасение других народов, страждущих под тяжким и несправедливым игом, тогда счастие оных не обманчиво и радость их исполнена. Если Бог не только нам, но и чрез нас являет спасение Свое, то мы есми не только предмет, но и действующее орудие промысла Его. <...> *Силою Твоей веселится* российский *Царь* и о Твоем токмо *спасении*, прежде над нами, потом чрез нас и над всем родом христианским совершающемся, *радуется*.

> (Филарет 1873, 195, 197)

Этот христианский универсализм, основанный на ощущении особой провиденциальной миссии России и ее императора, призван был заменить шишковский изоляционизм в качестве государственной идеологии империи. Особенно интенсивный характер такого рода риторика приобретала в рамках популярного в то время апокалиптического истолкования происходящих событий. В одной из самых своих прославленных проповедей — «Слове о гласе вопиющего в пустыне», произнесенном в домовой церкви князя Голицына, Филарет говорил:

> Не конец ли уже великой всемирной проповеди мы слышим, проповется Евангелие сие всей твари и тогда приидет кончина. Ты един зришь в сей мрачной полунощи не время ли уже быти воплю: *се жених грядет, исходите во сретенье его!* <...>
>
> Но если кто еще не слышит, или не узнает такого гласа Божия в приключениях собственной жизни; да не затворит, по крайней мере слуха и сердца от тех всемирных гласов судеб, которые вдруг поражают племена и народы, наполняют веки, потрясают небом и землею. <...> Не будем говорить об ударах, которыми *сострясает* Он всю великую *пустыню* западного христианства. Слышите ли вы *глас*, недавно возгремевший и едва ли еще утихающий в пределах собственной земли нашей, в развалинах, в пустыне града великого.

> (Филарет 1814, 14—17)

16 июня 1813 г. Филарет отправил С. П. Потемкину корректуру «Чтений в Беседе любителей русского слова» с текстом своего «Рас-

суждения...». «Прочитав тетрадь и нашед исправною, возвращаю Вашему сиятельству, — писал он в сопроводительном письме. — Сомневаюсь только о двух последних словах, т.е. об имени сочинителя, но если "Беседа..." хочет, чтобы оно было, не хочу удержать воду в решете» (Филарет 1883, 45). «Удержать воду в решете» было совершенно невозможно. Влияние и слава Филарета продолжали расти.

29 июня 1813 г., после проповеди, произнесенной при гробе М. И. Кутузова в Казанском соборе, он удостаивается ордена равноапостольного князя Владимира второй степени. «Награда беспримерная и в наше время, тем более в те годы», — писал в 1867 г. С. Пономарев (1867/1868, № 12, 528). Впрочем, Д. И. Хвостов, критиковавший «Речь о любви к отечеству» Шишкова, остался недоволен и этой проповедью:

> Сказывают, что Филарету, известному проповеднику, прислан орден Владимира второй степени. Большое отличие. Неужели за надгробное слово кн. Кутузову-Смоленскому. Витийственное произведение есть творение очень второстепенное в своем роде, так что сотня попов в России в состоянии подобное написать. Оно ниже содержания своего и недостойно вождя, о коем проповедует. К чему уподобление с Маккавеем? Уж непристойно и потому, что по смерти Маккавея царство Иудейское пало.
>
> (Хвостов 1938, 392)

Брюзжание Хвостова, однако, не могло остановить идеологических перемен ни в 1811-м, ни в 1813 г. Именно Филарету было поручено сочинить торжественный молебен для праздника «избавления Церкви и державы Российской от нашествия Галлов и с ними двунадесяти языков», который указом от 25 декабря 1812 г. было повелено отмечать в день Рождества Христова (ПСЗ № 25669). В чин молебна вошли стихи из четвертой Книги Царств о данном Езекии знамении (XIX, 20—22, 27—28), знаменитый отрывок из Апокалипсиса о всаднике на белом коне (XIX, 11—16), видения о царе Вавилонском из Книги пророка Исайи, гимны «Слава в вышних Богу», «Тебя Бога хвалим», «Иже во яслях Вифлеемских» (см.: Добронравов 1913). Как отметил Г. Флоровский, «это было молебствие о спасении всего мира» (Флоровский 1937, 583). Новый политический курс Александра I получил выразительное идеологическое и ритуальное оформление. Ему также требовались новые барды.

Глава VIII

СВЯЩЕННЫЕ СОЮЗЫ

ПОСЛАНИЕ «ИМПЕРАТОРУ АЛЕКСАНДРУ»
В. А. ЖУКОВСКОГО И ИДЕОЛОГИЯ
ХРИСТИАНСКОГО УНИВЕРСАЛИЗМА

В ремя войны с Наполеоном и первые послевоенные годы стали временем появления в России нового государственного
поэта, пожалуй, последнего в истории империи и, безусловно, последнего, принятого в равной мере и властью, и образован-
ным обществом.

С публикацией в декабрьском номере «Вестника Европы» за
1812 г. «Певца во стане русских воинов» известность В. А. Жуковского в литературных кругах превращается в национальную славу,
вслед за которой приходит и официальное признание. Успех «Певца...» оказывается особенно наглядным на фоне отчетливой неудачи державинского опыта осмысления великих событий 1812 г. —
«Гимна лиро-эпического на прогнание французов из отечества»
(см.: Державин III, 137). Мы не знаем точно, когда именно был сделан черновой набросок, в котором Державин выразил намерение
передать «в наследие Жуковскому» «ветху лиру» (Там же, 449), но,
во всяком случае, на рубеже 1812—1813 гг. намерение это оказывается фактически реализованным.

Уже в феврале 1813 г. «Певец...» получает одобрение при дворе
вдовствующей императрицы Марии Федоровны, откуда, в отсут-
ствие находившегося при армии да и вообще мало интересовавше-
гося отечественной словесностью Александра I, осуществлялось
идеологическое руководство литературным процессом. 8 мая императрица жалует поэта перстнем и повелевает напечатать на ее счет
отдельное издание стихотворения (Дмитриев 1871, 417—421).

Сам Жуковский, несмотря на устойчивые формулы авторской
скромности («мой слабый дар», «безвестный певец», «робкие стру-
ны» и др.), довольно быстро проникся сознанием своей провиденциальной миссии. «Пришли мне этот экземпляр и все, что есть хо-
рошего, на случай нынешних побед, — пишет он А. И. Тургеневу
9 апреля 1813 г., после выхода в свет отдельного издания «Певца...». —
И мне хочется кое-что написать, тем более, что имею на это право,

ибо я был их предсказателем: многие места из моей песни точно пророческие и сбылись à la lettre [буквально] » (Жуковский 1895, 98—99).

Однако победы русского оружия остались им не воспетыми. В мае 1814 г. после получения известий о взятии Парижа он сокрушался о своем творческом бесплодии, вызванном тяжелыми личными обстоятельствами:

> Ты велишь мне писать. Друг бесценный, душа воспламеняется при всем великом, что происходит у нас перед глазами. Сердце жмется от восторга при воспоминании о нашем Государе и той божественной роли, которую он играет теперь в виду целого света. Никогда Россия не была столь высоко возведена. Какое восхитительное величие! Но как нарочно теперь и засуха в воображении. Мысли пробуждаются в голове, но, взявшись за перо, чувствую, что в нем паралич и остается только жалеть о самом себе. Не умею тебе описать своего положения. Это не горе — нет! и горе есть жизнь; — а какая-то мертвая сухость. Все кажется пустым, а жизнь всего пустее. Такое состояние хуже смерти, и разве одно Наполеоново может быть еще хуже.

(Там же, 119)

Неспособность писать Жуковский переживал тем тяжелее, что он ощущал себя и готовым, и обязанным дать поэтическое осмысление величайшей победы России. Причем литературная форма для поэтического подвига определилась почти сразу. «Я, однако, несмотря на свой паралич, подумываю иногда о послании к нашему Марку-Аврелию. Какой прелестный характер. И какие страницы для истории 1814 год приготовил! Брат, брат! Если бы счастие, что бы я написал!» — сетовал он в том же письме (Там же, 120). Работа над посланием к Александру составляла для него основное творческое содержание осени 1814 г. «*Между нами*: я хочу писать Послание к Государю. Принято ли это будет и не поздно ли?» — спрашивал поэт того же Тургенева в октябре (Там же, 125). Тогда же, перечисляя в прощальном письме к Маше Протасовой свои будущие занятия, он упомянул единственный оригинальный поэтический замысел — «Послание к Государю» (Жуковский 1907, 46).

В октябре Жуковский наконец испытал долгожданный творческий подъем. 20-го он сообщил Тургеневу, что завершил план послания: «План сделан, кажется, хорошо, а это для меня всего важнее. Он *написан,* следовательно не могу бояться, чтобы мысли, записанные в минуту горячую, вылетели из головы в минуту холодную» (Жуковский 1895, 126; различные фрагменты этого плана опубликованы и проанализированы: Поплавская 1983, 105—115; Янушке-

вич 1985, 104—108; Иезуитова 1989, 153—154). 8 ноября поэт извес-
тил своего корреспондента, что «еще не написал ни одного стиха»
из своего послания, поскольку хотел «кончить многое мелкое, чтобы приняться без всякой заботы за одно большое». Теперь, когда
этот предварительный этап работы был завершен, Жуковский собирался начать «прибивать свое имя к памятнику Александра».
Работа над посланием пошла быстро. Как указывает И. А. Поплавская, основная часть текста была написана между 13 и 23 ноября
(Жуковский I, 722). «Ты ждешь от меня плана моего Послания к
Государю, — писал поэт Тургеневу уже 1 декабря, — а я посылаю
тебе его совсем написанное» (Жуковский 1895, 130).

Жуковский просил Тургенева прежде, чем представлять послание императрице, прочитать его с К. Н. Батюшковым, Д. Н. Блудовым, С. С. Уваровым и Д. В. Дашковым. Просьба эта была выполнена. Друзья поэта восторженно встретили его новое творение.

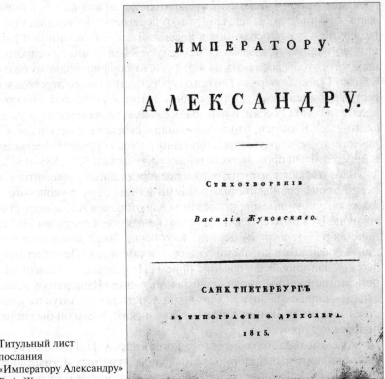

Титульный лист
послания
«Императору Александру»
В. А. Жуковского

«Твое произведение прелестно, в нем все благородно, и мысли, и чувства. Оно исполнено жизни и поэзии, одним словом: ты наравне с предметом, и с каким предметом», — восхищался Батюшков, сделавший вместе с Блудовым, Н. И. Гнедичем и А. Ф. Войейковым ряд частных замечаний, в основном учтенных Жуковским при доработке послания (Батюшков II, 1989, 317—318). «Прекрасно! Прекрасно! Чувства возвышенные, мысли глубокие и сильные, похвала благородная и смелая, язык поэта. <...> Мы с Тургеневым подумаем о лучшем способе представить ваше прекрасное произведение Государыне императрице», — писал Жуковскому Уваров 20 декабря (Уваров 1871, 0163).

Это представление состоялось уже 30 числа в присутствии великих князей и княжон и секретаря Марии Федоровны поэта Ю. А. Нелединского-Мелецкого. Послание читал Тургенев, императрица следила за текстом по копии, которую держала в руках. Как сообщал Жуковскому Тургенев, великие князья прерывали чтение восклицаниями: «прекрасно! превосходно! c'est sublime» — и выражали желание, чтобы послание было переведено на английский и немецкий — языки союзников России. Язык побежденной Франции, по-видимому, казался членам августейшей фамилии недостойным того, чтобы воспевать на нем хвалу их порфирородному брату. Однако Тургенев выражал по поводу перспектив такого перевода известные сомнения: «Для того надобно другого Жуковского, а он принадлежит одной России, и только Россия имеет Александра и Жуковского. <...> Я уверен, что и Александр с своею неприступною для почестей душою почувствует силу гения и отдаст справедливость себе и веку, который произвел сего гения» (Жуковский 1864, 885—887).

Вдовствующая императрица изъявила желание знакомиться со всеми произведениями, выходящими из-под пера Жуковского, а также получить экземпляр послания для отправки Александру, находившемуся в это время на Венском конгрессе. 4 сентября 1815 г., приехав в Петербург из Дерпта, Жуковский был принят императрицей и великими князьями во дворце и сам читал «Певца во стане русских воинов». В заключение приема Нелединский-Мелецкий в присутствии автора вновь прочитал послание «Императору Александру», ставшее визитной карточкой Жуковского. Статус государственного поэта был закреплен за Жуковским, и сам он был вполне готов его принять.

Годом позже, в октябре 1816 г., когда князь А. Н. Голицын взялся представить императору экземпляр новоизданных «Стихотворений» Жуковского, поэт писал Тургеневу: «Внимание Государя есть святое дело, иметь на него право могу и я, если буду русским поэтом в благородном смысле сего имени. А я буду! Поэзия <...> должна иметь влияние на душу всего народа, и она будет иметь это благотворное влияние, если поэт обратит свой дар к этой цели. Поэзия принадлежит к народному воспитанию» (Жуковский 1895, 163).

Император вполне оценил и творчество Жуковского, и его намерения. Поэту был пожалован пенсион в 4000 рублей, а чуть позже он получил место учителя русского языка при великой княгине Александре Федоровне, жене будущего императора Николая I. Официализация Жуковского достигла своего логического предела.

2

Признание пришло к Жуковскому на фоне полного крушения его надежд на личное счастье. Его вступление в Московское ополчение 12 августа 1812 г. произошло через несколько дней после того, как Е. А. Протасова отказала поэту от дома за неуместные, с ее точки зрения, намеки на его чувства к ее дочери. Указ о пожаловании Жуковскому пенсиона в декабре 1816 г. ненамного опередил состоявшуюся 14 января 1817 г. свадьбу Маши Протасовой и доктора Мойера. На протяжении четырех с половиной лет Жуковский то обретал, то вновь утрачивал надежду на счастливое устройство своей судьбы. Политические бури и личная драма сливаются в эти годы в его творчестве, взаимно окрашивая друг друга. По-видимому, именно немыслимая для традиционной государственно-батальной поэзии персональность тона и обеспечила «Певцу...» его оглушительный успех.

> А мы?.. Доверенность к Творцу!
> Что б ни было — Незримой
> Ведет нас к лучшему концу
> Стезей непостижимой.
>
> (Жуковский I, 242)

Эти провиденциалистские формулы легко укладывались в общую концепцию происходивших военных действий, выдвигавшихся официальной публицистикой: бедствия и военные неудачи, включая сдачу Москвы, суть лишь часть неисповедимого божьего замысла, на время сокрытого от глаз смертных, но в конечном счете направленного к вящей славе Российской империи. «Певец...»

писался, когда эти пророчества были еще поэтическими упованиями, а печатался, когда они начали сбываться. В 1815 г., когда им было суждено исполниться окончательно, все формулы Жуковского еще раз повторил Батюшков:

> Мой дух! доверенность к Творцу!
> Мужайся; будь в терпеньи камень.
> Не он ли к лучшему концу
> Меня провел сквозь бранный пламень?

(Батюшков I, 165)

Словосочетание «доверенность к Творцу» (вернее, его прозаический эквивалент: «доверенность к Провидению») имело в устах Жуковского давнюю историю. Еще в 1803 г. после смерти своего старшего друга и духовного наставника Андрея Тургенева он пытался утешить его отца: «Как бы то ни было, доверенность к Провидению! как говорит Карамзин, и как должен говорить всякий добрый человек» (Жуковский 1895, 10). Жуковский совершенно определенно указывает на источник своего умонастроения, но, заимствуя карамзинские слова, он, возможно не вполне осознанно, осуществляет тонкие и в высшей степени показательные смысловые смещения.

Жуковский цитирует опубликованную в 1795 г. карамзинскую переписку Мелодора и Филалета, в переводе с греческого, «дарителя песен» и «любителя истины», т.е. поэта и философа. Утешая своего друга, разуверившегося после кровавых потрясений Французской революции в будущем человечества и осмысленности бытия, философ Филалет пишет:

> Для чего к провидению не иметь нам той доверенности, которую два человека могут иметь один к другому? <...> имею доверенность ко благости всевышнего и спокоен. Нет! Светильник наук не угаснет на земном шаре. <...> Просвещение всегда благотворно; просвещение ведет к добродетели, доказывая нам тесный союз частного блага с общим и открывая неиссякаемый источник блаженства в собственной груди нашей; <...> в одном просвещении найдем мы спасительный антидот для всех бедствий человеческих.

(Карамзин II, 186, 188)

Доверенность к провидению по Карамзину — это, при всех возможных оговорках, убежденность в том, что высшая сила устраивает земной мир к лучшему для человека и человечества, по Жуковскому — это упование на бессмертие души. И у Жуковского, и у Батюшкова творец ведет доверившихся ему «к лучшему концу» —

победе и чудесному спасению на поле брани. Но в более широком контексте обоих стихотворений «лучший конец» синонимичен «лучшему миру», куда «на молнийных крылах» улетает «сын брани» у Жуковского, и «лучшей жизни», где сбросивший «земную ризу» поэт «струей небесных благ» «утоляет любви желанье» у Батюшкова.

Переписка Жуковского с Машей Протасовой 1814—1815 гг. буквально пестрит подобным словоупотреблением. «Мне представляется как будто сквозь какой туман: спокойствие, душевная тишина, доверенность к Провидению», — описывает поэт посетившее его видение грядущего счастья (Жуковский 1883, 207). «Во мне возбудилась доверенность к промыслу», — заносит он в дневник для возлюбленной свои впечатления от чтения «Отче наш». «Ты и провидение — в вас мое верное счастье. Тебя отдаю под его защиту, а сам даю слово предаться ему с совершенным спокойствием», — пишет он Маше, а та в ответ все же пеняет на его «малую доверенность к Промыслу» и желает ему и себе «большей доверенности на Бога и беспечности младенца» (Жуковский 1907, 32—37). Этот перечень можно продолжать.

Безусловная передача себя в руки провидения предусматривала и неизбежный отказ от личной воли и собственных желаний. Единственным делом, достойным человека, было отрешиться от представлений, что он способен и обязан как-то влиять на свою жизнь и происходящие события, и с изначальным приятием встретить любое проявление высшей воли. Еще одной постоянной формулой в письмах Жуковского и Маши становится строчка из написанного в эти же годы «Теона и Эсхина» «все в жизни к великому средству», которую они порой цитируют, заменяя эпитет «великое» на «прекрасное» (Там же, 59, 65, 70; ср.: Жуковский 1895, 156). «Со стоицизмом недалеко уйдешь! Горе тому, кто на себя в чем-нибудь полагается, <...> а здесь одна добродетель может ne pas avoir d'excés: résignation parfaite à la volonté de Dieu [не стать чрезмерной: совершенное предание себя в волю Божью]», — писала Маша А. П. Елагиной 23 апреля 1815 г. (Жуковский 1904, 144).

Именно «это совершенное предание себя в волю Божью» становится центральной чертой в том изображении, которое получает в послании «Императору Александру» его адресат. Все появления государя в тексте послания отмечены описаниями молебнов и соответствующими риторическими формулами, выражающими высочайшую степень смирения героя перед промыслом, заслуживающего особого восхищения в носителе столь необъятной власти:

Смиренно приступив к сосуду примиренья,
В себе весь свой народ Ты в руку Провиденья
С спокойной на Него надеждой положил...

[коронация Александра]

И в грозный между тем полки слиянный строй,
На все готовые с покорной тишиной,
На твой смотрели взор и ждали мановенья.
А Ты?.. Ты от небес молил благословенья,
И ангел их, гремя, на щит Твой низлетел <...>
И Ты средь плесков сих — не гордый победитель,
Но воли Промысла смиренный исполнитель...

[начало европейского похода]

На страшном месте том смиренный вождь царей
Пред миротворною святыней алтарей
Велит своим полкам склонить знамена мщенья...

[молебен в Париже на месте казни Людовика XVI]

И се!.. приникнувший к престола ступеням
Во прах пред божеством свою бросает славу!..
О Вечный, осени смиреннаго державу;

[возвращение Александра в Петербург]

Склоняю, Царь земли, колена пред тобой,
Бесстрашный под твоей незримою рукой,
Твоих намерений над ними (поданными. — *А. З.*) совершитель...

[молитва Александра]

(Жуковский I, 367—376; о тех же мотивах в написанной в
1815 г. «Молитве русского народа», прообразе будущего
русского гимна, см.: Киселева 1998)

Надо сказать, что акцент на смирении и покорности провидению, достигший в послании Жуковского своего апофеоза, вполне
соответствовал всей линии официальной апологетической публицистики. Так, архимандрит Филарет, чье духовное красноречие ока-
зало на Жуковского огромное влияние, прочитал в сентябре 1814 г.,
когда Жуковский начинал обдумывать свое послание императору,
«Слово на день торжественного венчания на царство и священного
миропомазания Благочестивейшего Государя Императора Александра Павловича», где, в частности, говорилось:

Благочестивейший Самодержец в то самое время, когда желает воздать
достойную хвалу победоносному воинству своему, воспевает Давидс-
кую песнь: не нам Господи, *но имени Твоему даждь славу.* Или <...> уже
не токмо исповедует сущее, но и предощущает и предрекает грядущее
действие Промысла над своими деяниями. Един Бог, говорит, всем

Молебствие
в Париже
в 1814 году.
Гравюра
И. В. Ческого

управляет, Он же и совершит сие дело, и великое дело спасения сокру-
шенных царств и стенящих народов и умирения мира совершается.

(Филарет 1873, 195—196)

В своей проповеди Филарет ссылался на всем известные манифесты и указы Александра, содержавшие обильные формулы риту-
ального самоумаления. 30 июня 1814 г. император отклонил ходатай-
ство Синода, Сената и Государственного совета о воздвижении ему
памятника и принятии наименования «Благословенный». Оговорив-
шись, что все «старания и помышления» его души состоят в сниска-
нии божьего и человеческого благословения, Александр все же подчеркнул, что «не позволяет Себе, яко человек, дерзновение мыслить,

что я уже достиг до того и могу смело звание сие принять и носить. Тем паче <...> что всегда и везде преклонял верноподданных Моих к чувствам скромности и смирения духа...» (ПСЗ № 25629).

В исследовании Р. Вортмана собран обширный материал, свидетельствующий, что весь этот риторический арсенал вовсе не носил формального характера, но отражал глубинные психоидеологические установки императора (Вортман 1994, 221—231). Александр стремился не только «продемонстрировать самоотречение в деле исполнения божественного замысла» (Там же, 224), но и беспрестанно пытался освоить «технологию» этого самоотречения. По свидетельству А. Н. Голицына, на одном из заседаний военного совета в 1814 г. во Франции Александр, по его собственному рассказу, почувствовал «непреоборимое желание передать это дело в полную волю Божию».

> «Мне сильно захотелось молиться, — продолжал император, — и излить пред Господом тяжкие обуревания и колебания моего духа. Совет продолжал заниматься, а я на время оставил его и поспешил в собственную мою комнату; там колени мои подогнулись сами собою, и я излил перед господом все мое сердце». После бурной и продолжительной молитвы Александр, наконец, услышал божье слово. «Сладостный мир в мыслях, проникновение спокойствия, твердая решимость воли и какая-то лучезарная ясность назначения, — все мне было тогда даровано в этом отрадном и несумнительном повелении».
>
> (Бартенев 1886, 95)

Так, вопреки мнению большинства генералов, было принято решение наступать на Париж.

В этих же воспоминаниях рассказано, как после изгнания французов из России Александр оборвал генералов, приписывавших честь победы «несравненному мужеству славного воинства русского и столь же непреклонной воле мощного их владыки и повелителя». По словам императора, «Господь Иисус есть только истинный Победитель и Освободитель родины от лютого врагов нашествия» (Там же, 91).

Тяжкий труд по распознаванию предначертаний провидения требовал сотрудников. На протяжении всей жизни Александр искал духовных наставников, окружал себя мистиками и визионерами, помогавшими императору достигать необходимого состояния духа[1]. Вскоре после взятия Парижа, 10 июля 1814 г., состоялась его

---

[1] Восходившая к самому Александру легенда о том, что его религиозное пробуждение было связано с событиями 1812 г., была убедительно оспорена еще Г. Флоровским (1937, 130).

встреча со знаменитейшим европейским мистиком Г. Юнгом-Штиллингом. Александру были уже более или менее известны труды Штиллинга, о которых он писал Екатерине Павловне в записке «О мистической словесности» (Николай Михайлович 1910, 288). В начале XIX в. всеевропейской известностью пользовалась автобиография Штиллинга, представлявшая собой историю бесконечных и благотворных вторжений промысла в судьбу автора. Одна из частей книги завершалась утверждением, что она описывает не «всю жизнь Штиллингову вообще (автобиография написана в третьем лице. — *А. З.*), а только историю ведения его промыслом» (Юнг-Штиллинг II, 175).

Александр обсудил с Юнгом-Штиллингом религиозную ситуацию в России, положение христиан в Оттоманской империи, а также вопрос о том, какая из конфессий более всего соответствует духу истинного христианства. Однако более всего император стремился узнать у своего собеседника, в чем это истинное христианство состоит. По словам Юнга-Штиллинга, он сказал Александру, что главное это «совершенная отрешенность [abandon parfait], постоянная сосредоточенность [recueillement continuel] и сердечная молитва [oraison de cœur]. — Да, — ответил император, — именно этому я и следую. — Но как Вашему Величеству удается сохранять это состояние посреди стольких дел? — Мне иногда удается его достигнуть, — сказал император, — но я должен признаться, что это становится все труднее» (Лей 1975, 88).

Набор христианских добродетелей, описанный Штиллингом, уже был, вероятно, знаком Александру. 22 декабря 1814 г., в те дни, когда послание Жуковского читалось в Петербурге его друзьями, М. М. Сперанский в письме Ф. И. Цейеру называл «молитву, смирение и отрешение» чувствами, «наиболее существенными для благочестия» (Сперанский 1870б, 175). Живший в деревне вдали от придворных новостей Сперанский едва ли мог что-нибудь знать о содержании последних мистических бесед Александра, но зато он неоднократно имел с ним подобные беседы тремя-четырьма годами раньше. Точно так же и Жуковский, работая над посланием, почти наверняка не был осведомлен о поучении, полученном императором от прославленного мистика[1]. Однако ему удалось точно

---

[1] Теоретически сведения о содержании столь важной беседы могли дойти до поэта, если принимать во внимание его близость с А. И. Тургеневым, Тургенева с Голицыным, а Голицына с Александром. Однако во второй половине 1814 г. Жуковский был вдали от Петербурга, а доверить подобные рассказы письму едва ли бы кто-нибудь решился.

воплотить христианский идеал Александра. Государь предстал под пером поэта именно таким, каким рисовал идеального христианина Юнг-Штиллинг и каким сам он хотел себя видеть: совершенно отрешившимся от мирских устремлений, постоянно сосредоточенным на постижении божественного предначертания и обращающимся к создателю со словами сердечной молитвы.

3

В послании Жуковского Александр изображен беседующим с богом помимо духовенства. Даже в неоднократных описаниях церковных церемоний поэт ни разу не упомянул ни одного духовного лица, каждый раз выбирая, возможно не вполне осознанно, такие грамматические конструкции, чтобы создать ощущение, что священный ритуал исполняется сам собой:

> Когда ж священный храм при громах растворился —
> О! сколь пленителен Ты нам тогда явился...
>
> И погрузился крест при громах в древни воды!
>
> И се!.. подъемлется спасения сосуд...
> И звучно грянуло: воскреснул Искупитель!
>
> Россия, Он грядет; уже алтарь горит,
> Уже Его принять отверзлись двери храма,
> Уж благодарное куренье фимиама
> С сердцами за него взлетело к небесам!

> (Жуковский I, 367; 373—375)

Эта однотипная схема описания церковной службы порождена художественной концепцией послания — царь у Жуковского общается с богом напрямую, и здесь нет места для посредников. Однако и сама эта концепция основывалась на целом ряде биографических, идеологических и исторических предпосылок.

«Почему человек, одетый в рясу и имеющий имя протопопа, может иметь на вас большее влияние, нежели наша общая польза, нежели вид ваших детей, нежели собственный рассудок?» — с мало мотивированным раздражением писал Жуковский летом 1813 г.

Портрет
В. А. Жуковского.
Гравюра А. А. Флорова
с оригинала
П. Ф. Соколова

А. П. Киреевской, намеревавшейся пригласить священника, чтобы искать утешения в горести после смерти мужа (Жуковский 1883, 202).

И без того не слишком трепетное отношение поэта к церковной иерархии в эти годы дополнительно осложнялось тем, что, по его мнению, именно ложно понимаемые церковные установления стояли на пути его счастья. Исходя из своих религиозных убеждений, Е. А. Протасова не давала согласия на брак Жуковского, приходившегося ей единокровным братом, со своей дочерью.

Саркастическими замечаниями по поводу ряс и тех, кто их носит, пестрят и письма к Тургеневу за эти годы. В одном из них Жуковский пишет о том, что «Натура и Бог» не противятся его браку с Машей, а Екатерина Афанасьевна «действует по какому-то жестокому побуждению фанатизма» (Жуковский 1895, 139). Побороть эти побуждения и предрассудки Жуковский надеялся, привлекая на свою сторону авторитетных людей, а также ссылаясь на то, что фор-

мально по метрическим записям он не был родственником Прота-
совых: «Закон письменный противится бракам между родными, но
родства в натуре нет. <...> Закон не назвал меня ее братом, следовательно нахожу один закон натуры, а он не против меня. Лютеран-
ская же религия и Римско-католическая разрешают браки и между
родными» (Там же)[1].

Церковному формализму Жуковский противопоставлял опыт
живого и личного переживания веры, подсказывавший ему, что их
взаимные чувства с Машей предначертаны промыслом. В феврале
1813 или 1814 г. он, оставив ополчение, ехал в деревню к И. В. Лопухину, чтобы исповедаться ему в своих чувствах и намерениях.
Поэт рассчитывал на то, что поддержка пользовавшегося огромным
моральным авторитетом Лопухина позволит ему преодолеть сопротивление Екатерины Афанасьевны.

> Я не молился, но чувствовал, что Бог, скрытый за этим ясным небом,
> меня видел, и это чувство было сильнее всякой молитвы. <...> Как
> мысль о Боге сладостна и ободрительна, когда представить себя в Его
> присутствии вместе с нею. <...> До сих пор я часто замечал в себе ка-
> кое-то отдаление от религии — я ее никогда не отвергал, но она каза-
> лась мне причиною всех утрат моей жизни, и я не отделял ее от того
> предрассудка, который лишал меня всего! Но суеверие не религия! И
> теперь в каком свете ее вижу, как почитаю ее необходимой для истин-
> ного счастья! И это будет дар моей Маши. <...> Могу ли не почитать ее
> средством, избранным от промысла, дабы дать мне способ удостоить-
> ся гражданства в Божьем граде!

К этому переживанию, испытанному по дороге к Лопухину,
Жуковский возвращается и на обратном пути: «Это живое чувство

---

[1] Сама Е. А. Протасова говорила, что Жуковскому «в законе христианском
все, что против его выгоды, все кажется предрассудком» (Жуковский 1904, 289).
С другой стороны, Жуковский отказывал сестре в истинности ее христианских
чувств: «Христианство (по ее словам) заставляет ее отказать нам в нашем сча-
стии, а того, что составляет характер христианки, она не имеет» (Жуковский
1895, 137). К его оценке присоединились и большинство позднейших био-
графов. «Взглядами внешнего формализма» назвал позицию Протасовой
К. К. Зейдлиц (1883, 60), а по мнению П. А. Висковатова, «она держалась разных предрассудков, а религиозность видела во внешней обрядности» (Висковатов 1883, 187). Однако вполне резонной выглядит и точка зрения А. Е. Грузинского, писавшего, что «в этом вопросе трудно считать Е. А. формалисткой.
Гораздо формальнее ставили дело все сторонники брака, <...> когда основы-
вались на том, что *по книгам* нет родства между Жуковским и Машей» (Жуковский 1904, III).

не обмануло меня; я уверен, что оно есть голос Божий, Иван Владимирович одобрил меня» (Жуковский 1883, 209)[1].

Невозможность осуществить брак с Машей Протасовой ни в коей мере не делала существование их небесного союза менее реальным. В начале 1814 г. Жуковский обменялся с Машей кольцами и записал в предназначенном для нее дневнике: «Обручимся во имя Бога на добродетель, на хорошую жизнь, которая пройдет если не вместе, то, по крайней мере, *одинаково* и для *одного*. Мы не можем быть вместе, <...> но одна кровля, одно небо разве не одно и то же» (Жуковский 1907, 6). В конце 1815 г., когда невозможность соединения с Машей становится окончательно очевидной, он писал ей в том же дневнике: «Забудем о том промежутке, который отделяет нас от той границы, за которой начнется наша родина, от того будущего, в котором мы будем вместе и неразлучно. <...> Одинакая здешняя жизнь — приготовление к вечности» (Там же, 70).

Сходство жизней обоих возлюбленных, обрученных провидением, должно было обеспечиваться чтением одних и тех же мест из Священного писания, религиозных мыслителей и моралистов, прежде всего любимого обоими Фенелона («У тебя есть твой Фенелон, которого ты понимать можешь», — пишет Маше Жуковский весной 1815 г.: Жуковский 1883а, 671; ср. с. 668), а также опытами параллельного ведения дневников, предназначенных друг для друга. Этот духовный союз не должно было разрушить одобренное в конце концов Жуковским замужество Маши. Поэт намеревался составить с Машей и ее мужем «тесный триумвират, которого цель есть общее счастье» (Веселовский 1904, 206). Даже смерть Маши мало что изменила в этом особом психологическом состоянии, обогатив Жуковского «товариществом с существом небесным», когда самая мысль о потерянной возлюбленной стала для поэта «религией» (Там же, 237; ср.: Виницкий 1998, 55—91).

По словам автора одной из лучших книг о мистических корнях Священного союза Э. Мюленбека, «в среде немецких сектантов существовало обыкновение <...> заключать мистические браки, изобретенные Сведенборгом и вошедшие в моду после романа Юнга-Штиллинга. Два человека духовно соединялись для совместных

---

[1] Биографы по-разному датируют эту поездку, относя ее то к 1813-му, то к 1814 г. (см., напр.: Веселовский 1904, 152—156). О своей встрече с Лопухиным в 1813 г. Жуковский упоминает в письме к Тургеневу от 9 апреля (Жуковский 1895, 97), однако не исключено, что в феврале 1814 г. Жуковский вновь ездил к Лопухину и цитированные записи сделаны именно тогда.

молитв. <...> Порою в такой союз могли вступать люди, уже состоящие в браке, или лица одного пола. У некоторых было по нескольку духовных мужей или жен. Другие придавали этим земным обручениям особое значение, рассматривая их как преддверие брака в ином мире» (Мюленбек 1887, 157).

Близость душевной драмы русского поэта к этому типу психологического и мистического опыта совершенно очевидна и не может вызвать удивления — о немецко-пиетистских корнях религиозности Жуковского говорил еще Г. Флоровский (1937, 129). Показательно, что духовное озарение произошло с поэтом по дороге к крупнейшему русскому мистику И. В. Лопухину, автору популярного трактата «Некоторые черты о внутренней церкви» (1789—1791).

По Лопухину, внутренняя церковь представляла собой союз избранных, просвещенных светом божественной премудрости. Разная мера приобщенности к этому свету определяла и положение каждого члена сообщества. Что до обрядов традиционной церкви, то им отводилась вполне вспомогательная, хотя и важная роль, — они должны были «приготовлять к правильнейшему и действительнейшему устроению духовных упражнений внутреннего Богослужения» (Лопухин 1997, 89).

«Внутренняя церковь», по Лопухину, представляла собой некий идеальный масонский орден. Принадлежность к масонству Жуковского остается сегодня достаточно спорным вопросом (см.: Лотман 1960), но идеал тесного союза понимающих друг друга душ неизменно оставался ему близок. Уже в «Певце во стане русских воинов» сам выбор словесных формул для здравицы в честь воинского товарищества, кажется, отсылает к иному типу человеческих взаимоотношений:

> Святому братству сей фиал
> От верных братий круга!
> Блажен, кому Создатель дал
> Усладу жизни, друга;
> С ним счастье вдвое; в скорбный час
> Он сердцу утешенье,
> Он наша совесть; он для нас
> Второе Провиденье.

> (Жуковский I, 237)

Прообраз этого братского сообщества Жуковский видел то в идиллическом провинциальном существовании в кругу родных и друзей, то в обстановке павловского двора, к которому он обращался со своими сборниками «Für Wenige [Для немногих]», то в союзе поэтов. Тот же идеал Жуковский внушил и Маше, чьим девизом было

«Activité dans un petit cercle [Деятельность в узком кругу]» (см.: Петухов 1903, 98).

«Ты, я да Батюшков — должны составить союз на жизнь и смерть. Поэзия — цель и средство; славе — почтение; похвалу болтунов к черту, дружбе — все!» — писал он Вяземскому 10 ноября 1814 г., в день начала работы над посланием «Императору Александру» (Арзамас I, 228). По сообщению опубликовавшего это письмо О. А. Проскурина, под текстом нарисовано «изображение факела с тремя языками пламени» (Там же, 527). А в феврале того же года, возможно, под свежим впечатлением от поездки к Лопухину, он пишет Воейкову:

> Не заводя партий, мы должны быть стеснены в маленький кружок: Вяземский, Батюшков, я, ты, Уваров, Плещеев, Тургенев должны быть под одним знаменем: простоты и здравого вкуса. Забыл важного и весьма важного человека: Дашкова. Обними его за меня по-братски. Министрами просвещения в нашей республике пусть будут Карамзин и Дмитриев, а папою нашим Филарет. <...> Брат, брат! вообрази нашу Суринамскую жизнь, вообрази наш тесный союз, наше спокойствие, основанное на душевной тишине и озаренное душевными радостями...

> (Там же, 220)

Упоминание в этом контексте имени православного иерарха, да еще в качестве «папы» то ли республики словесности, то ли квазимасонского ордена, может показаться неожиданным, если не учитывать того совершенно особого места, которое занимал Филарет в жизни Жуковского и его ближайшего окружения. Прежде всего Филарет в ответ на вопрос А. И. Тургенева заявил, что не видит препятствий к браку Жуковского и Маши (см.: Зейдлиц 1883, 60). Но еще существенней, что Филарет, восходящее светило православной церкви, был в те годы не только близок к господствующим мистическим настроениям, но во многом и определял их.

Как пишет И. Н. Корсунский, к 1814 г. «Филарет достиг вершины своей проповеднической славы в Петербурге» (Корсунский 1885, 460). 18 мая 1814 г., когда в Париже был обнародован манифест о мире с Францией, он произнес в домовой церкви А. Н. Голицына «Слово на день сошествие Святого Духа», где говорил о том, что «Бог *дает* Своего Духа каждому, кто расположен *принять* Его», а также подверг действующую иерархию критике, почти немыслимой в устах духовного лица:

> Итак, поверьте не нам, которых, конечно, в наказание за недостойное служение слова, Господь не поставляет более водителями веры вашей и питателями любви, но предает только на позор и суд пред вами, так

что на сем священном месте уже не столько Слово Божие, живое и дей-ственное, судит помышлениям и мыслям сердечным слышащих, сколь-ко хладное внимание слышащих судит и осуждает мертвые слова человеческие, поверьте избранным орудиям, посланникам и благове-стникам Духа Божия.

(Филарет 1814а)[1]

Весь этот фрагмент, до слов «мертвые слова человеческие» включительно, Филарет исключил из проповеди при последующих ее перепечатках. Вероятно, противопоставление избранных ору-дий святого духа и проповедников, недостойно несущих служение слову, показалось ему недопустимым. Тесно общавшийся с Фила-ретом Александр Стурдза полагал даже, что будущий митрополит был тогда «колеблем внушением духов многообразных, посягав-ших на древнее православие» (Неводчиков 1868, 6). Однако подоб-ные воззрения были вполне в духе религиозных идеалов Александ-ра и А. Н. Голицына.

Как писал Г. Флоровский, «второе десятилетие нового века в России все проходит под знаком Библейского общества» (Флоров-ский 1937, 147), основанного по инициативе императора в декабре 1812 г. одновременно с окончательным изгнанием французов из России. В Отчете Библейского общества за 1815 г., его президент, А. Н. Голицын, писал, что император «одушевляет деятельность Об-щества *внушениями собственного сердца. Он сам снимает печать не-вразумительного наречия,* заграждавшую доныне от многих из Рос-сиян евангелие Иисусово, и открывает сию книгу от самых младен-цев народа, от которых не ее назначение, но единственно *мрак времен* закрыл оную» (Пыпин 2000, 56). Под *«печатью невразумительного наречия»* и *«мраком времен»* и Голицын, и Александр понимали цер-ковнославянский язык, на котором традиционно печаталась Биб-лия, и который, по их мнению, был уже непонятен большинству жи-телей империи.

Одним из нескольких директоров Библейского общества был С. С. Уваров, а одним из двух секретарей — А. И. Тургенев. Фила-рет принимал участие в работе общества с момента его создания, в 1814 г. вошел в число его директоров. Став в 1816 г. одним из вице-президентов, он возглавил начавшуюся работу по переводу Библии на русский язык и на долгие годы стал одним из самых горячих сто-ронников этой идеи, приведшей его к многочисленным конфлик-

---

[1] В 1815 г. в этой церкви нередко бывал и Жуковский (см.: Жуковский 1904, 14), но, доводилось ли ему слушать там проповеди Филарета, неизвестно.

там с более консервативно настроенной частью иерархии, а также с А. С. Шишковым и его последователями (см.: Чистович 1899; Пыпин 2000, 20—303; о языковом и культурном смысле полемики вокруг перевода Библии см.: Проскурин 1996).

Возможно, еще за два года до начала работы общества над русским переводом Библии сходный замысел посетил Жуковского. Отчитываясь Маше в 1814 г. в главных делах, которые он собирается совершить, он в одном пункте с «Посланием к Государю» написал о намерении «перевести Библию» (Жуковский 1907, 46). Может быть, речь здесь шла о стихотворении «Библия» французского поэта Л. де Фонтана, переведенном им в том же году (Жуковский I, 331—333). Однако сама формулировка в контексте всей деятельности Библейского общества указывает на куда более амбициозный замысел, частично осуществленный Жуковским в 1840—1850 гг., когда им был переведен весь Новый Завет (Янушкевич 1992, 287).

В общем экзальтированном тоне дружеских излияний поэта тех лет особенно выделяются горячие признания, которые он делает Александру Тургеневу. «Будь ты мне гением-вождем», — обращается к нему Жуковский в стихотворении «В день счастья вспомнить о тебе...» (Жуковский 1895, 110; в печатном варианте, правда, эта строчка звучит чуть умереннее: «Будь ты мне спутником-вождем»). В другом письме к нему он называет его «другом-хранителем» (Там же, 111). Столь пылкие чувства были вызваны многими обстоятельствами: и попытками Тургенева помочь Жуковскому в его любовной драме, и памятью о рано умершем брате Александра, Андрее Тургеневе, старшем друге и наставнике Жуковского. Однако немалую роль играло, думается, и то, что Тургенев в этом дружеском кругу как бы представлял Библейское общество, князя Голицына, а в некотором смысле — и самого императора[1].

4

Духовный опыт Александра тех лет — это прежде всего постоянный поиск мистических партнеров, выстраивание сложной системы

---

[1] На том же листе, что и Жуковский, Тургеневу писал Воейков, патетически восклицавший: «Неужели в XIX веке и в царствование Александра, и тогда как благодетельный князь Голицын, как ты держите в ножнах священные ножи и не позволяете фанатикам лить кровь братий, должны литься слезы невинных страдальцев и два ангела (Жуковский и Маша. — *А. З.*) принесены быть на жертву дьяволу суеверия» (Там же).

духовных союзов. По свидетельству близкой к императору княгини С. С. Мещерской, они с Александром «дали друг другу слово начать в один день чтение Библии и читать каждое утро по одной главе из Ветхого Завета, и, таким образом, всегда читать одни и те же главы, какие бы расстояния их ни разделяли». Император часто писал княгине о том, «какие впечатления производит в нем чтение того или другого места Священного Писания» (Грелле де Мобилье 1874, 3—4). Княгиня, возможно, не знала, что император дал сходный обет вместе с А. Н. Голицыным и известным масоном Р. А. Кошелевым. О «союзе, который они заключили все трое перед лицом Бога живого» и о том, что Александр сам поместил Кошелева в «вершину этого треугольника», напоминал императору Голицын в 1821 г. (Николай Михайлович I, 553). Еще один треугольник такого же рода возникает в 1814 г., и вновь, как и в первом случае, Александр втискивается в уже сложившуюся мистическую пару.

В ходе разговора императора с Юнгом-Штиллингом речь зашла о фрейлине императрицы Елизаветы Алексеевны Роксандре Стурдзе, с которой у обоих собеседников установились чрезвычайно доверительные отношения. Штиллинг признался Александру, что «заключил с ней вечный союз [alliance éternelle], чтобы жить для Господа. Мы тоже заключим такой союз, — сказал император и обнял Юнга» (Лей 1975, 88). В тот же день Александр заговорил об этом и с самой Стурдзой, оставившей свои воспоминания об их беседе: «Сегодня утром я видел Юнга-Штиллинга, — сказал император. — Мы объяснились с ним, как могли, по-немецки и по-французски, однако я понял, у вас с ним заключен неразрывный союз во имя любви и милосердия. Я просил его принять меня третьим, и мы ударили с ним по рукам. Вы тоже согласны? — Но ведь этот союз уже существовал, Государь! — Не правда ли? — при этом он с нежностью взял меня за руку, и я почувствовала, что слезы полились у меня из глаз» (Эдлинг 1999, 198). Швейцарский исследователь Ф. Лей, автор монографии «Александр I и его Священный союз», называл возникшее объединение философа, фрейлины и императора «мистическим тринитарным пактом» (Лей 1975, 89). Это определение, без сомнения, полностью подходит и к самому акту Священного союза.

Государи, подписавшие этот акт, обязались руководствоваться в своей политике заповедями христианства, «которые, отнюдь не ограничиваясь приложением их единственно к частной жизни, долженствуют, напротив того, управлять волей царей и водительствовать всеми их деяниями». Себя и своих подданных они объявили

На заключение
тройственного союза.
Медальон А. Н. Оленина

«членами единого народа христианского [nation chrétienne]», само-
держцем которого «не иной подлинно есть как <...> Иисус Христос»,
«поелику в нем обретаются сокровища любви, ведения и премудрости» (ВПР VIII, 518). И лексика, и аргументация этого междунаро-
дного договора вполне соответствуют тем, которые использовали при
создании своего мистического ménage à trois Александр, Р. Стурдза
и Юнг-Штиллинг[1].

Юнг-Штиллинг еще годом раньше в основном предсказал основные параметры Священного союза, написав о символическом
значении победы союзников над Наполеоном:

> Напрасно будете вы искать в истории трех монархов, до такой степени
> исполненных страхом Господним, всех трех истинных христиан, объе-
> диненных между собой братской любовью. <...> То, что меня больше
> всего поражает, это то, что наши освободители представляют три ос-

---

[1] Чрезвычайно соблазнительно попытаться, в соответствии со словоупотреблением Голицына, представить себе три описанных выше мистических союза,
объединенных присутствием во всех русского императора, как три треугольника, сходящихся в одной вершине. Возникающая при этом геометрическая фигура — пирамида — была одним из главных масонских символов.

новные конфессии, на которые разделен христианский мир. Император Франц самый великий из римских католиков, император Александр — первый среди христиан греческого исповедания, король
Фридрих-Вильгельм — самый выдающийся из протестантов. Как будто
бы Господь пожелал, чтобы весь христианский мир и его самые почи-
таемые вожди победили конституционного идола.

(Лей 1975, 90)

Такого рода экуменическая программа была основой деятельности Библейского общества. В его отчетах Голицын выражал гордость, что в «нем соединяются все исповедания христианские воедино» (Пыпин 2000, 79), и надежду, что его «деятельность открывает
прекрасную зарю брачного дня христиан, и то время, когда будет
един пастырь и едино стадо, то есть когда будет одна божественная
христианская религия во всех различного образования христианского вероисповеданиях» (Стеллецкий 1901, 163)[1].

Известно, что Александр не любил вспоминать Отечественную
войну, не посещал ее памятных мест, не отмечал ее великих событий,
хотя, как отмечает его биограф великий князь Николай Михайлович,
«ездил и в Ваграм, и в Ватерлоо» (Николай Михайлович I, 212; ср.:
Шильдер IV, 50; Вортман 1994, 231). Конечно, здесь играли свою роль
и мотивы биографического свойства — роль императора в событиях
1812 г. была скорее страдательной, в то время как европейская кампания во многом была его личным триумфом. И все же в значительной степени эти предпочтения определялись соображениями идеологического порядка. Война за освобождение отечества от нашествия
куда меньше соответствовала представлениям императора о собственном предназначении и предназначении своей страны, чем война за
спасение человечества и установление всемирного Царства Христа.
Когда русский монарх писал австрийскому коллеге, что договор, который они собираются подписать, «венчает спасительное дело нашего
союза» (ВПР VIII, 516), то слово «спасительное» следовало понимать
вполне буквально. Союз царей под предводительством Александра
должен был взять на себя функции Христа.

---

[1] В этой связи не выглядят убедительными ни гипотеза о том, что Александр
и Голицын планировали евангелизацию России (см., напр.: Эткинд 1996), ни
предположения о предсмертных намерениях Александра обратить свою империю в католичество (Дмитриева 1996, 94—95), основанные на иезуитской ле-
генде, опровергнутой еще С. П. Мельгуновым (1923, 105—109). «Обращения»,
о которых пишут А. М. Эткинд и Е. Е. Дмитриева, были бы очень скромной задачей сравнительно с тем мессиански-эсхатологическим синтезом, о котором
думал император.

Послание Жуковского написано более чем за девять месяцев до заключения Священного союза. Впереди были еще бесплодные переговоры на Венском конгрессе, бегство Наполеона с Эльбы, Сто дней, Ватерлоо, заключение французского императора на остров Святой Елены, подписание мира и пребывание дворов союзников в Париже. Однако общие концептуальные и метафорические схемы, реализованные в этом акте и последующей политике Александра, здесь уже вполне намечены.

Прежде всего обращают на себя внимание внутренние пропорции текста. Из 486 строк послания менее 10%, 40 с небольшим строк, посвящены 1812 г., и лишь одна из них — Бородинскому сражению. При этом пожар Москвы трактован здесь провиденциалистски — это «костер свободы», в котором сгорают цепи, наложенные Наполеоном на Европу.

> Пылает!.. цепи в прах! воскресните народы!
> Ваш стыд и плен Москва, обрушась, погребла,
> И в пепле мщения свобода ожила!

> (Жуковский I, 370)

Политический провиденциализм трактовки Жуковского соответствовал личному провиденциализму взгляда на московский пожар Александра, позднее сказавшего пастору Эйлерту: «Пожар Москвы осветил мою душу и наполнил сердце теплотою веры, какой я не ощущал до тех пор. Тогда я познал Бога» (Шильдер III, 117).

Кульминационным в описании военной кампании становится в послании переход русских войск через Неман. Только принятию Александром решения продолжать войну в Европе Жуковский посвящает около тридцати строк. Именно в этот момент русский император приобретает и право на имя Благословенного, и божественную природу:

> И руку Ты простер, и двинулися рати!
> Как к возвестителю небесной благодати,
> Во сретенье Тебе народы потекли,
> И вайями Твой путь смиренный облекли.

> (Жуковский I, 371)

Вайи — пальмовые ветви, которыми народ встретил Христа при входе в Иерусалим. Вступивший в Европу русский император прямо уподоблен Спасителю.

Как некогда в Русско-турецкую войну 1768—1774 гг. с севера к спартанцам прибывал Леонид, заново делавший греков греками, теперь так же российский Герман возвращает покоренных тевтонов к бытию.

> Как всколебалися тевтонов племена,
> К ним Герман с норда нес свободы знамена —
> И все помчалось в бой под знамена свободы,
> В одну слиялись грудь воскресшие народы
> И всех царей рука, наш царь, в руке твоей.

(Там же, 372)

Этот всевропейский, а исходя из политической карты мира того времени, и всемирный характер предназначения России и ее императора становится лейтмотивом послания. Изобразив трогательное прощание императора с умирающим «старцем-вождем» — Кутузовым, Жуковский сразу же дополняет эту картину столь же трогательным описанием гибели Ж.-В. Моро, французского генерала, павшего в рядах союзной армии. Значительное место, которое уделяется Моро в тексте послания, символизирует искупление грехов Франции, принесшей свое покаяние на месте казни Людовика XVI и прощенной великодушным победителем:

> И чуждый вождь — увы! — судьба его щадила,
> Чтоб первой жертвой он на битве правды пал —
> Наш Царь, узнав Тебя, на смерть он не роптал;
> Ты руку падшему, как брат, простер средь боя;
> И сердцу верному венчанного героя,
> Смягчившего слезой его с концом борьбу,
> Он смело завещал отечества судьбу.

(Там же)

Высокие почести, оказанные Моро союзными монархами, вызвали глубокое возмущение Шишкова, который писал в своих «Записках...»:

Моро, конечно, был искусный и храбрый полководец. Он с Наполеоном разделял народное о них мнение и славу, домогаясь, вероятно, также получить верховную власть; и, может быть, будучи лучшей нравственности, получа оную, не был бы таким кровожаждущим для возвышения своего извергом; однако ж он вместе с ним предводительствовал революционными войсками, и если теперь против него, то это не по намерению видеть отечество свое управляемое по-прежнему наследием законных государей (ибо прежде не имел сего намерения), но единственно по оскорблению от него и личной с ним вражде. Итак, мне кажется, не было приличия двум самодержавным главам тотчас поскакать к нему, как бы к некоему превышающему всех или с небес ниспосланному существу. Полководцам нашим, несравненно славнейшим его, Румянцеву, Суворову, Кутузову, никогда не было оказано подобной чести. Если не своя, то народная гордость не долженствовала бы до сего допустить.

(Шишков 1870, 210).

Ни Шишков, ни Жуковский не могли, конечно, знать, что для самого Александра и торжественная встреча Моро, и патетическое прощание с ним были глубоко формальными жестами. По части рекомендованной Юнгом-Штиллингом «совершенной отрешенности» император уже превзошел все, что могли представить себе и скептический мемуарист, и восторженный поэт. «Зря думали, что если Моро с нами, то все решено, — писал Александр Голицыну из Теплица после гибели генерала. — Только Бог, а не Моро или кто другой, может довести дело до доброго конца. <...> Я верю в Него сильней, чем во всех Моро на земле» (Николай Михайлович I, 144).

Более 20 строк посвящено в поэме также «битве народов» — Лейпцигскому сражению. В первоначальном плане послания Жуковский писал: «Здесь должен решиться спор за свободу, все народы земли в присутствии. Праотцы всех народов смотрят — Гермес (вероятно, имеется в виду Герман. — *А. З.*), Петр, Густав» (Янушкевич 1985, 105). В окончательном тексте, однако, праотцев, вдохновляющих свои народы, сменяют «тени всех веков <...> над светозарною вождя царей главою». Александр, «союза мстителей младой Агамемнон», предстательствует здесь перед богом за все человечество:

> Я зрю Тебя, племен несметных повелитель,
> Сей окруженного всемирной тишиной,
> Над полвселенною парящего душой,
> Где все Твое, где Ты над всех судьбою властен,
> Где Ты один всех благ, один всех бед причастен.

(Жуковский I, 376)

Как явствует из опубликованных фрагментов плана, Жуковский собирался ввести в послание упоминание «Совета Царей» — Венского конгресса (см.: Иезуитова 1989, 153—154)[1]. Однако ко времени завершения работы над посланием конгресс еще не был закончен, а его результаты оставались неясными. Поэтому хронологическим и смыс-

---

[1] Трудно согласиться с исследовательницей, полагающей, что первоначальный план был изменен, поскольку Жуковского не устраивало выдвижение «на первый план <...> личности царя, сыгравшего далеко не первую роль в разгроме Наполеона» (Там же). Едва ли возможно было выдвинуть императора на первый план сильней, чем это сделал Жуковский в итоговом тексте.

ловым итогом становится для поэта пребывание Александра в Петербурге осенью 1814 г. до отъезда в Вену. Послание венчается огромным, занимающим более четверти текста описанием мистического обручения царя и народа перед лицом вседержителя. Владыка мира, Александр, клянется поставить «свой трон» «алтарем любви» к своему народу. В свою очередь, народ «подъемлет руку» к «священной руке» монарха.

> Как пред ужасною святыней алтаря,
> Обет наш перед ней: все в жертву за Царя!
>
> (Там же, 378)

Только правление божества может быть святым «зерцалом» правления Александра, всецело устремленного к иному миру и вечному блаженству. «Все здесь для блага будь, как все для блага там», — молится русский царь в послании «Императору Александру» (Там же, 376). Написанное в то же время стихотворение «Молитва русского народа», прообраз будущего государственного гимна, венчается строками:

> Жизнь наднебесная,
> Сердцу известная,
> Сердцу сияй![1]

Брак идеального царя с идеальным народом может вполне осуществиться там же, где и брак Жуковского и Маши Протасовой, — на небесах.

5

Успех Жуковского недолго был всеобщим и безоговорочным. Уже 23 сентября 1815 г. состоялась премьера «Липецких вод» А. А. Шаховского, где автор послания «Императору Александру» стал объектом жестоких насмешек[2]. А уже в следующем году Жуковский под-

---

[1] О смысле этих строк см.: Киселева 1998.

[2] В работе А. С. Немзера указано, что Жуковский первым задел своего оппонента в послании П. А. Вяземскому и В. Л. Пушкину (см.: Немзер 1987, 168–176). Тем не менее опытный полемист Шаховской был движим отнюдь не только личной обидой. Он не признавал за автором чувствительных баллад право на положение государственного поэта.

вергается нападкам с другого общественного фланга — от П. А. Катенина и А. С. Грибоедова. Эта историко-литературная коллизия была впервые осмыслена и проанализирована в классической работе Ю. Н. Тынянова «Архаисты и Пушкин». Как писал Тынянов, «в 1815/1816 гг. ведется жестокая борьба против Жуковского, причем застрельщиком выступает старший архаист Шаховской, <...> но истинный смысл борьбы, ее глубокие основы выясняют младшие архаисты, Катенин и Грибоедов» (Тынянов 1968, 36). Наряду с этими открытыми «антижуковскими» выступлениями Тынянов рассматривает и подспудную критику поэта в переписке самих арзамасцев. «Порою кажется, — замечает он, — что "своих" он не удовлетворяет даже больше, чем врагов» (Там же, 38). По наблюдению А. С. Немзера, к концу 1810-х гг. Жуковский «был одинок в литературе и это понимал» (Немзер 1987, 191).

В интерпретации Тынянова, совпадение позиции литераторов, далеких по своим политическим позициям, связано с автономностью литературного и языкового развития по отношению к идеологическим и социальным факторам. Механизмы литературных схождений и идейных расхождений лежат в разных плоскостях, и зоны их действия не перекрывают друг друга. Между тем, по крайней мере в данном случае, прибегать к теории «имманентности литературного ряда» нет никакой необходимости.

Популярность Александра I, достигшая во второй половине 1814 г. заоблачных высот, пошла на спад очень быстро и резко. Недовольство в равной мере исходило из круга Шишкова, оттесненного от идейного руководства страной, к которому его призвали в самую трудную для России минуту, и из среды молодых вольнодумцев, привезших из Германии не видения будущего христианского царства, но модные идеи национального возрождения. Для тех и других космополитический мистицизм и сентиментальное визионерство как самого Александра, так и самого прославленного певца его царствования все больше выглядели прямым отказом от защиты национальных интересов и достоинства России.

Глава IX

«ЗВЕЗДА ВОСТОКА»

СВЯЩЕННЫЙ СОЮЗ
И ЕВРОПЕЙСКИЙ МИСТИЦИЗМ

1

Петербургские зрители, аплодировавшие и шикавшие на премьере «Липецких вод» 23 сентября 1815 г., еще не знали, что девятью днями ранее в Париже был подписан документ, которому было суждено почти десятилетие определять судьбу России, а во многом и всей Европы. Акт о создании Священного союза, названный французским публицистом аббатом Прадтом «апокалипсисом дипломатии» (Эдлинг 1999, 223), представляет собой один из самых загадочных договоров в истории международных отношений. Неудивительно, что история его подготовки и заключения неоднократно становилась предметом самого пристального внимания исследователей (см.: Мюленбек 1887; Надлер I—V; Пресняков 1923; Шебунин 1925; Бюлер 1929; Дорланд 1939; Гейгер 1954, 333—434; Лей 1975; Мартин 1997; компактную подборку документов см.: Бертье де Совиньи 1972)[1].

Фактическую канву происходивших событий уже давно можно считать в основном выясненной: воспоминания участников и свидетелей, опубликованные еще в прошлом веке (см.: Эмпейтаз 1828, 36—38; СбРИО III, 201; Эдлинг 1999, 221—224; Меттерних 1880, 209—212), рисуют достаточно полную и непротиворечивую картину. Последний штрих в нее был внесен в 1928 г., когда В. Неф опубликовал и проанализировал текст первоначального проекта договора, составленного Александром, с пометками австрийского императора Франца (Неф 1928, 34—39; ср.: Лей 1975, 149—155; рус. пер. см.: ВПР VIII, 504—505, 518).

Первый набросок проекта был собственноручно написан российским императором, отредактирован статс-секретарем И. Каподистриа и его помощником А. С. Стурдзой (см.: Стурдза 1864, 69;

---

[1] Большую ценность имеет также неопубликованная монография А. Н. Шебунина «Вокруг Священного союза» (ОР РНБ. Ф. 849. № 110—111), основанная на широком массиве архивных документов (ср.: Сироткин 1975, 118).

СбРИО III, 201; Лямина 1999), обсужден в мистическом кружке баронессы Крюденер, в котором летом и осенью 1815 г. Александр проводил значительное время, и передан союзникам — австрийскому императору и прусскому королю. Апокалиптически-мессианская риторика договора изрядно обеспокоила обоих государей, которых вовсе не увлекала предначертанная Александром перспектива объединения своих народов и армий в единую христианскую державу. Наиболее скептически отнесся к этому проекту Меттерних, фактически руководивший австрийской внешней политикой. Однако, учитывая исключительный военный и дипломатический авторитет России после победы над Наполеоном, монархи Австрии и Пруссии не решились отказать августейшему союзнику в исполнении его заветных чаяний. После того как Александр согласился изъять из текста наиболее радикальные формулировки, 14/26 сентября 1815 г., в праздник Воздвижения Креста и накануне очередной годовщины коронации российского императора, договор был подписан. При этом оба союзника Александра исходили из того, что речь идет о своего рода декларации о намерениях, носящей конфиденциальный характер. Тем не менее уже через три месяца договор о Священном союзе был обнародован Александром в Петербурге вместе с соответствующим манифестом.

Если ход и последовательность основных событий в истории договора известны достаточно хорошо и не вызывают особых дискуссий, то вопросы о смысле и назначении этого своеобразного дипломатического памятника, о его политических, философских и идеологических источниках выглядят куда менее очевидными. Какие цели преследовал русский император, буквально вынуждая своих союзников пойти на подписание акта, столь вызывающе противоречившего всем их представлениям об устройстве межгосударственных отношений, а потом, в нарушение всех достигнутых договоренностей, предавая его гласности? Вопрос этот беспокоил дипломатов 1810-х гг. и продолжает волновать историков по сей день.

Почти все авторы, воссоздающие историю этих драматических месяцев, так или иначе касаются общения Александра и баронессы Крюденер. Их знакомство состоялось 4/16 июня 1815 г. в немецком городе Гейльбронне. Затем баронесса по высочайшему приглашению последовала за государем в Париж, где почти ежедневные встречи императора и пророчицы продолжались вплоть до подписания договора и отъезда Александра на родину. Как правило, этот яркий и хорошо документированный эпизод упоминается, чтобы подтвердить или опровергнуть версию о глубоком влиянии баронес-

Портрет баронессы Крюденер.
Гравюра И. Пфеннингера

сы на замысел Священного союза. Версия эта разделялась многими современниками и восходила, вероятно, к утверждениям самой Крюденер.

Посетивший баронессу в 1818 г. лейпцигский пастор Круг писал, что спросил ее «о священном союзе, действительной вдохновительницей которого называли именно ее, госпожу фон Крюденер. Она согласилась с этим только наполовину и сказала: "Священный союз это непосредственная работа Господа. Он меня выбрал своим орудием. Благодаря ему я совершила это великое дело"» (Круг 1818, 6—7). В то же время хорошо знавшая Александра графиня С. Шуазель-Гуфье утверждала: «Я не знаю, на каком основании авторы двух историй об императоре Александре приписали возбужденному воображению г-жи Крюденер идею священного союза и всеобщего мира: этот благородный проект мог зародиться лишь в сердце императора Александра» (Шуазель-Гуфье 1999, 302). Столь же противоположны и взгляды историков. Скажем, из перечисленных нами авторов Э. Мюленбек и Ф. Лей считают роль

Крюденер очень значительной, а В. Надлер и А. Дорланд категорически ее отрицают.

В такой постановке вопрос этот, скорее всего, не имеет определенного ответа. Едва ли возможно четко отделить в общем спектре мистических умонастроений Александра импульсы, полученные от общения с баронессой, от впечатлений, вынесенных из других источников. В то же время некоторые обстоятельства прославленной встречи императора и пророчицы еще не получили полного освещения. Между тем в них с исключительной отчетливостью проявился целый комплекс важных для Александра идеологем, реализовавшихся в тексте договора о Священном союзе и во многих принимавшихся императором политических решениях.

2

Одно из первых свидетельств о свидании 4 июня 1815 г. принадлежит фрейлине императрицы Елизаветы Алексеевны Роксандре Стурдзе, близкой в ту пору к обоим его участникам. Она уже некоторое время находилась в регулярной переписке с баронессой Крюденер и в то же время, как уже говорилось в предыдущей главе, была связана с государем узами особого мистического союза. Именно Стурдза показала Александру письмо Крюденер, которое можно было истолковать как туманное предсказание бегства Наполеона с острова Эльба (Эдлинг 1999, 217). Письмо это вызвало у императора желание познакомиться с баронессой, особенно усилившееся после исполнения пророчества.

Как пишет в своих воспоминаниях Р. Стурдза, в этот день Александр

был удручен скукою, усталостью и печалью. Душа его предалась самоуглублению. «Наконец я вздохнул свободнее, — рассказывал он <...>, — и первым моим движением было раскрыть книгу, которая всегда со мною; но затуманенное внимание мое не проникало в смысл читаемого. Мысли мои были бессвязны, сердце стеснено. Я оставил книгу и думал, каким бы утешением было бы для меня в подобную минуту побеседовать с существом сочувственным. Я вспомнил про вас, про то, что вы мне говорили о г-же Крюденер, и про желание, которое я вам выразил, познакомиться с нею. Где она теперь может быть, спросил я себя, и где мне ее встретить? Только что я подумал про это, слышу, стучатся ко мне в дверь. То был князь Волконский. На лице его выражалось нетерпение. Он сказал мне, что никак не хотел меня беспокоить в такой час, но не может никак отделаться от женщины, непременно желающей меня видеть. Тут он назвал г-жу Крюденер. Можете судить о моем удивлении? Мне подумалось, не в бреду ли я. Такой внезапный ответ на мое помышление не мог же быть случайностью. Я увидал ее, и она, словно читая в душе моей, обратилась ко мне с сильными и утешительными словами, успокоившими тревожные мысли, которыми так давно я мучился. Ее появление было мне благодетельно, и я дал себе слово продолжать столь дорогое для меня знакомство.

(Там же, 221)

Разумеется, для настоящего мистика, каким был император, случайных совпадений не бывает. Впрочем, появление в его кабинете в этот час госпожи Крюденер с дочерью действительно было случайным лишь отчасти. Зная через Р. Стурдзу о проявленном к ней Александром интересе, баронесса в эти недели упорно пыталась столкнуться с императором и прибыла в Гейльбронн в расчете его там найти (Лей 1994, 281—299; о Крюденер см.: Кнаптон 1939; Пыпин 2000, 304—397). Описанный эпизод, как мало какой другой, может служить подтверждением той необычайной силы убеждения, которую отмечали в Крюденер все мемуаристы. Добиться от генерал-адъютанта, чтобы он среди ночи доложил императору о желании двух незнакомых женщин его видеть, значило совершить подвиг красноречия, во многих отношениях куда более поразительный, чем те, о которых рассказывали ее многочисленные почитатели и последователи.

Согласно мистическим практикам того времени, ведя своих избранников по жизни, провидение не только посылало им в нужные моменты необходимых собеседников и духовных учителей. Оно с еще большей частотой и неизменностью распахивало перед ними на нужных страницах священные книги, как бы само указывая на необходимые пророчества. По рассказу князя А. Н. Голицына, однажды в сентябре 1812 г., в самый тяжелый период войны, поданная им императору Библия упала и случайно раскрылась на 90-м псалме.

...Падет от страны твоея тысяща, и тма одесную тебе, к тебе же не приближится. Обаче очима твоима смотриши, и воздаяние грешников узриши. Яко ты Господи упование мое, Вышняго положил еси прибежище твое. Не приидет к тебе зло, и рана не приближится телеси твоему: яко Ангелом Своим заповесть о тебе, сохранити тя во всех путях твоих. На руках возмут тя, да не когда преткнеши о камень ногу твою: на аспида и василиска наступиши, и попериши льва и змия, —

прочитал Александр, глубоко потрясенный тем, насколько слова псалма соответствовали его мыслям и положению. Через несколько дней император присутствовал на торжественном молебне и неожиданно услышал, что священник читает тот же псалом. После этого его смятение сменилось глубокой убежденностью в провиденциальной природе произошедшего (Грелле де Мобилье 1874, 22—24).

Невозможно сказать, насколько буквально этот позднейший рассказ соответствовал действительному ходу событий. Важнее, что в нем отразился определенный тип мистической рефлексии над путями провидения и способами, которыми оно открывает себя смертному взору. Спутник и последователь баронессы Крюденер пастор Эмпейтаз зафиксировал в своих воспоминаниях, как Александр применял к текущим событиям прочитанные им строки 35-го и 37-го псалмов (Эмпейтаз 1828, 22—24). Подобными же толкованиями и применениями буквально пестрят письма Александра к Голицыну (см.: Николай Михайлович I, 548—559 и др.).

В воспоминаниях Юнга-Штиллинга такого рода техника распознавания божественных предначертаний упоминается столь часто, что автор оказывается вынужден специально оговориться, чтобы не вводить в соблазн читателей: «Раскрывание Библии для узнания воли Божией или будущего есть злоупотребление Священного писания. Это род ворожбы, которая христианину не позволена. Если и сделать это для успокоения себя Божиим словом, то должно делать сие с совершенным спокойствием и преданием себя в Божию волю» (Юнг-Штиллинг II, 238)[1]. Смысл этого не вполне прозрачного пассажа состоит в том, что подобное занятие вполне допустимо для наделенного непосредственной мистической интуицией автора, который способен «сличать события настоящего времени с библейскими пророчествами» (Юнг-Штиллинг II, 232), но не может быть дозволено обычному человеку.

Точно так же в рассказе о встрече императора с баронессой Крюденер ее появлению в его доме предшествует упоминание о книге, которую он раскрыл, но не был в состоянии понять. Вложенная Р. Стурдзой в уста императора формула: «книга, которая всегда со мною», заставляет предположить, что в данном случае речь идет о Библии, которую Александр читал ежедневно по заранее составленному графику. Так, Э. Мюленбек утверждает, что в этот день император читал 20-й псалом, и приводит из него обширную цитату (Мюленбек 1887, 223). С другой стороны, Н. А. Троицкий в недавно

_____

[1] Искусству раскрывания Библии на «случайной странице» для поиска там предначертаний провидения обучал, в частности, знаменитый мистик аббат Фурнье основателя мартинизма Мартинеса де Паскуале (см.: Виатт I, 45).

вышедшей книге пишет, что баронесса вошла, когда Александр прочел апокалиптическое пророчество о «жене, облеченной в солнце» (Троицкий 1994, 284). Тем не менее книгой, занимавшей императора в ту ночь, была не Библия.

В записанных Ю. Н. Бартеневым воспоминаниях об Александре А. Н. Голицын рассказывал о его отношениях с баронессой:

> Без сомнения, что живущая верою Криднерша подкрепляла эту развивающуюся веру в Государе своими бескорыстными и опытными советами: она решительно направляла волю Александрову к еще большему самопреданию и молитве; она, может быть, в то же время раскрывала ему и тайну той молитвы духом, которая, быв от Бога назначена достоянием всех земнородных, по несчастью, однако, есть удел только немногих избранных.
>
> Доказательством тому, что Криднерша имела духовные беседы с Александром служит и вот какое обстоятельство. В это самое время Государь получил от Р. А. Кошелева известную тогда книжку под названием: «Облако над святилищем, или Нечто такое, о чем гордая философия и грезить не смеет», перевод с немецкого покойного Александра Федоровича Лабзина, которую Государь хотя и читал, но никак не понимал содержания книги; призванная Криднерша, по точным уверениям Александра, умела растолковать и объяснить ему трудные и непонятные доселе места этого сочинения.
>
> (Бартенев 1886, 93—94)

Это утверждение Голицына не дает достаточных оснований, чтобы судить, идет ли здесь речь именно об интересующем нас свидании государя и баронессы или о какой-то из их более поздних бесед. Однако этот вопрос решается дневниковой записью дочери Крюденер Жюльетты, впервые опубликованной швейцарским историком Ф. Леем, дальним потомком семьи Крюденер и владельцем их семейного архива.

Свидетельства Ж. Крюденер в основном подтверждают показания других источников, отличаясь от них только в некоторых мелочах. Так, она пишет, что баронесса передала Волконскому письмо для императора, по получении которого Александр приказал немедленно послать за ночными гостьями.

> Мы застали Александра одного, — вспоминает Ж. Крюденер. — Он был немного смущен, увидев нас. Я почувствовала себя совершенно спокойной. Мне бы хотелось передать весь разговор. Нас поразило то, что сказал дорогой Александр: когда он вступил в Гейльбронн, то вспомнил о своей беседе с мадемуазель Стурдзой и подумал, что г-жа Крюденер должна находиться где-то поблизости. Он хотел даже напи-

сать маркграфине. Когда он получил письмо матушки, которое его, кажется, сильно поразило, то как раз закончил чтение одного фрагмента Эккартсгаузена, в котором говорится о последних временах и о сохранении *благодати той Церковью, о которой он еще не имеет представления* [l'économie de la grâce pour cette Église dont il n'a encore aucune idée]. «С истинным смирением» он принял все, что возвещала ему матушка, убежденный в том, что Господь помогает тем, кто Его призывает, и *не убежденный в том, что именно он избран* [pas convaincu de son élection particulière pour opérer cette grande œuvre] *совершить это великое дело* (происхождение курсивов в цитатах, впервые публикуемых в монографиях Ф. Лея по материалам личного архива, специально не оговорено; возможно, они принадлежат исследователю. — *А. З.*).

(Лей 1994, 289—290; Крюденер 1998, 129)

Таким образом, выясняется не только какую книгу читал император перед появлением баронессы, но и что именно в ней вызвало у него недоумение и беспокойство. Тем более важным представляется внимательно вчитаться в этот забытый, но исключительно исторически значимый мистический труд.

3

«Облако над святилищем [Die Wolke über dem Heiligtum]» было одним из последних сочинений Карла фон Эккартсгаузена (см.: Февр 1969; ср.: Виатт II, 41—51). Вышедшее в 1802 г., за год до его смерти, оно было уже в 1804-м переведено на русский язык А. Ф. Лабзиным. В философском наследии Эккартсгаузена «Облако...» занимает место своего рода итогового труда, будучи почти полностью посвящено неизменно занимавшей мыслителя, да и в целом центральной для европейского мистицизма конца XVIII — начала XIX в. проблеме внутренней церкви.

Начав чтение, Александр мог узнать, что у обычного смертного истинная вера скрыта внешними чувствами. Чтобы познать бога, человеку следовало «раскрыть в себе внутреннее чувствилище» (Эккартсгаузен 1804, 21), что, однако, в полной мере было доступно только членам «Светоносного общества Божия, которое по всему свету рассеяно, но управляется единой истиною и сопряжено единым духом» (Там же, 25). Это общество «существует с первого дня миробытия» и представляет собой «внутренний собор» и «великий Храм возрождения человечества», главой которого является «сам Христос» (Там же, 25—26).

Если общество на протяжении всей своей истории непосредственно возглавляется богом, то «первым Наместником его» является «лучший из человеков того времени. <...> Он не знает сам всех своих членов, но если, по намерениям Божеским, надобно будет ему узнать их, то в ту же минуту он верно находит их в мире, готовыми содействовать предназначенной цели» (Там же, 47). Само светоносное общество разделяется на три ступени. На первой (ступень «внушения») посвященность проявляется в «нравственной доброте», вторая (ступень «просвещения») достигается «просвещением разума», т.е. погружением в мир мистических сочинений, и на третьей (ступень «видения») «вера переходит в созерцание», т.е. человек приобретает способность к чувственному общению с высшими силами (Там же, 41; ср.: Февр 1969, 336).

Существенно, что члены светоносного общества не имеют «никаких наружных отличий. <...> Если же нужно бывает истинным сочленам собраться, то они безошибочно находят и узнают друг друга, и подлога тут быть не может. Никакой сочлен не может избрать другого, избрание сие предоставляется духу всех» (Там же, 48). Этой предустановленностью членства общество светоносных отличается, скажем, от масонской ложи, где именно ритуал инициации, приема новых собратьев, играет организующую роль. По Эккартсгаузену, избрание, отделяющее посвященных от прочих смертных, уже изначально совершено, и его необходимо лишь угадать. «Бог и натура, — пишет он, — не имеют тайн для чад своих. Тайна заключается токмо в нашей немощи, неспособности сносить свет. <...> Сия наша немощь есть облако, покрывающее святилище. <...> Сыны истины! Один только орден, одно собратство, один союз единомысленных, светоспособных, чрез который можно достигать света» (Там же, 51, 59).

Соответственно людям, наделенным даром прозревать сквозь облако, покрывающее святилище, суждена поистине провиденциальная роль. По словам автора, «в сем обществе хранятся все первоначальные знания человеческого рода <...> оно есть такое общество, которого сочлены образуют Теократическое (Богом правимое) Правительство, которое некогда будет центром правительств всего мира» (Там же, 50). Речь шла об эсхатологической перспективе, в которой рассеянные по всему миру члены светоносного общества объединятся, чтобы составить мистическую теократию, управляющую миропорядком.

Представление о существовании в мире особого сообщества посвященных душ не являлось изобретением Эккартсгаузена, а было характерно для всех мистических учений того времени. С большой энергией, в частности, оно было развито в уже упоминавшейся книге И. В. Лопухина «Некоторые черты о внутренней церкви». Труд этот вызвал горячее одобрение Эккартсгаузена, написавшего за несколько дней до смерти автору письмо, где он назвал «Некоторые черты...» книгой, драгоценною и истинной мудростью исполненною» (Лопухин 1990, 39; ср.: Февр 1969, 178—179, 222—225 и др.). Отзыв этот в конце 1800-х гг. стал достоянием публики как по широко расходившимся в рукописи «Запискам...» Лопухина, так и из предисловия к появившемуся в 1810 г. французскому переизданию книги (см.: Лопухин 1810).

Этот круг идей был хорошо знаком и Александру. В написанной, вероятно, в первой половине 1812 г. записке «О мистической словесности», предназначавшейся великой княгине Екатерине Павловне, он достаточно подробно изложил основы учения о внутренней церкви. Как писал император, «начало так называемых мистических обществ скрывается в глубокой древности» и восходит к мистериям древних религий. Необходимость в них определяется тем, что не все люди способны «видеть свет» истины, испытывать божественную любовь и познавать «излияние или откровение божества» по его действию в натуре. По словам Александра,

> связь между древними и настоящими обществами положила Христианская религия. В начале своем она не что иное была, как таинственное общество. В Иерусалимскую церковь никто не был допускаем без испытаний и очищений. Политика государей превратила сие таинственное учение в общенародную религию. Но, открыв обряды, политика не могла обнаружить таинства. Следовательно, и ныне, как и всегда, есть Церковь внешняя и есть Церковь внутренняя.
>
> (Николай Михайлович 1910, 286—287)

В отличие от обычных богословских сочинений, предназначенных для внешней церкви, книги, обращенные к церкви внутренней, образуют состав «Богословия Таинственного или Мистического», которое в свою очередь подразделяется на три класса. В первый входят творения, «коих главным предметом есть теория сего учения или отвлеченные и первые его основания». Поскольку их авторы были «люди просвещенные, но не Ангелы, <...> среди истин их везде почти встречается множество разных систем, более или менее отважных, а иногда и совсем странных». Второй класс составляли авторы, касавшиеся «не столько <...> теории, сколько практического нравственного учения». «Писатели сего рода, — отмечал Александр, — менее питают ум, но ближе идут к сердцу. Путь их безопаснее, покойнее и вернее». Именно в эту группу входил, по классификации императора, Эккартсгаузен. Наконец, третий, «самый надежнейший и вернейший род» состоял «из тех, кои <...> занимаются единственно нравственным образованием, показывают практический путь, опытом оправданный, не предаваясь никаким теориям» (Там же, 286—287).

Из обширного перечня мистических авторов, приведенного императором в записке, не следует, что он сам познакомился с их трудами. Так, А. Е. Пресняков убедительно предположил, что здесь отразились уроки Сперанского, а Г. Флоровский в этой же связи указал на Р. А. Кошелева (см.: Пресняков 1923, 76; Флоровский 1937, 130). Тем не менее вполне вероятно, что к 1815 г. труд Эккартсгаузена, вышедший по-русски еще в 1804 г. и касавшийся столь волновавшей Александра темы, мог ему быть уже достаточно хорошо известен. Кроме того, самый тип мистического чтения подразумевал постоянное возвращение к одним и тем же текстам, поиск в них новых, все более сокровенных глубин. Зафиксированные Р. Стурдзой слова Александра о «книге, которая всегда со мной», вероятно, не были обмолвкой мемуаристки, но свидетельствовали, что к приходу баронессы Крюденер Александр перечитывал хорошо знакомое ему сочинение и обратился к пророчице с просьбой истолковать место, составлявшее предмет его давних беспокойств.

Во фрагменте, взволновавшем императора, речь шла «о последних временах и сохранении благодати в той Церкви, о которой он еще не имеет представления» (Лей 1994, 289—290; Крюденер 1998, 129). Подобно многим другим мистическим сочинениям, «Облако над святилищем» изобилует повторами, что не позволяет с безусловной определенностью указать место, упомянутое Жюльеттой Крюденер. Все же с известной долей осторожности можно предположить, что она имеет в виду следующий эпизод:

Поелику же Ученики Господни не могли понять сей великой тайны нового и последнего Завета; то Христос предоставил оную будущему, ныне приближающемуся последнему времени, сказав «в тот день (в который то есть сообщу я вам тайну мою) познаете вы, что я во Отце и вы во мне, а я в вас есмь» (Ин XVII, 22—23). Сей Завет называется Заветом (союзом) мира: тогда закон Божий дастся самому внутреннейшему сердца нашего, мы все познаем Господа, учинимся Его народом, а Он нашим Богом.

(Эккартсгаузен 1804, 102)

Нетрудно убедиться, что речь здесь идет именно о том, каким образом в последние времена апостолам будет дано понимание божественного промысла и божественной благодати («l'économie de la grâce»). Эккартсгаузен отсылает к главе из Евангелия от Иоанна, где приведена молитва Иисуса за своих избранных учеников («не о всем мире молю, но за тех, которых Ты дал Мне»: Ин XVII, 9), которой предшествует описание недоумения апостолов, неспособных понять пророчество о времени нисшествия духа истины (Ин XVI, 17—18).

Подобно «ученикам Господним», поначалу не понимающим сути обращенной к ним проповеди, император, по единогласному свидетельству Р. Стурдзы, А. Н. Голицына и Ж. Крюденер, не был сразу в состоянии понять смысл пророчеств Эккартсгаузена. По мнению немецкого мистика, эсхатологические события стояли на пороге: «К сему существенному стяжанию Бога, к сему действительному и еще здесь возможному соединению с ним все уже приуготовлено» (Эккартсгаузен 1804, 102). Последние времена, по мнению Эккартсгаузена и других прославленных мистиков той эпохи, должны были наступить уже в первые десятилетия XIX в. (см.: Февр 1969, 514—520; расчеты Юнга-Штиллинга см.: Юнг-Штиллинг 1815, XIII—XV).

Напомним, что светоносное общество делилось на три ступени, в зависимости от меры приобщенности его членов к высшему совершенству. Точно так же мистическая наука должна была просветить мир в три этапа: «*во-первых,* возродить человека частно, или первенцев из Избранных, *потом* возродить многих человеков, и, *наконец,* все человечество» (Эккартсгаузен 1804, 124). По-видимому, исторический момент, который переживала Европа, соответствовал в этом эсхатологическом плане второму этапу: рассеянным членам внутренней церкви предстояло узнать друг друга и начать дело возрождения «многих человеков». При этом если «первенцами из Избранных» были монархи, то их назначением было способствовать делу истинного просвещения собственных народов.

Тем самым становится более понятным и недоумение императора над страницами Эккартсгаузена. Слишком многое в его поразительной и страшной судьбе, казалось, безусловно свидетельствовало о его провиденциальной избранности, и вместе с тем ясное ощущение такого предназначения, внутренняя уверенность в собственной принадлежности к обществу светоносных постоянно ускользали от него. Как писала Жюльетта Крюденер, Александр не был убежден в том, что «*именно он избран совершить это великое дело*», или, если буквально переводить с французского, «*в своем особом избрании*» (Лей 1994, 290; Крюденер 1998, 129).

В приведенной цитате из «Облака над святилищем» обращает на себя внимание одно переводческое затруднение. Говоря о тайне нового и последнего Завета, которую не могли понять апостолы, Эккартсгаузен устами Лабзина указывает, что «сей Завет называется Заветом (союзом) мира». Скобки понадобились переводчику, чтобы передать двойной смысл немецкого «bund», почти неизбежно утрачивающийся при выборе любого из русских вариантов. Согласно представлениям, распространенным среди немецких мистиков, первый союз («alter Bund») был заключен Богом с Авраамом, второй («neuer Bund») — с учениками Иисуса, теперь же ему на смену приходил «священный союз [heiliger Bund]» (Мюленбек 1887, 251).

Та же самая смысловая связь между понятиями «завет» и «союз» существует и во французском языке, на котором в основном знакомился со священными книгами российский император. Там соответствующий библейский термин передается словом «alliance». Семантическая структура и французского «alliance», и немецкого «bund» вполне отвечает библейскому пониманию завета, который, собственно, и представляет собой союз между богом и его народом. В одном из писем 1815 г. баронесса Крюденер цитировала книгу Иезекииля (XXXVII, 26), говорившего, что Бог заключит с Израилем «Завет [Alliance] мира, и завет вечный будет с ними» (Лей 1994, 282). Соответственно, новый завет, принесенный Иисусом, означал изменение условий этого союза: «Если бы первый завет был без недостатка, то не было бы нужды искать место другому. Но пророк, укоряя их, говорит: "вот наступают дни, говорит Господь, когда Я заключу с домом Израиля, и с домом Иуды новый завет, не такой завет, какой Я заключил с отцами их в то время, когда взял их за руку, чтобы вывести их из земли Египетской". <...> Говоря: "новый", показал ветхость первого; а ветшающее и стареющее близко к уничтожению» (Евр VIII, 7—9, 13). Наступление апокалиптических времен требовало еще одного обновления завета или, иначе говоря, заключения нового союза мира.

4

Недовольство союзных государей вызвали два аспекта проекта договора, предложенного Александром. Во-первых, они добились изъятия из текста слишком далеко идущих формул грядущего единства, согласно которым подданным трех держав предлагалось «взаимно почитать себя как бы единоземцами», а их войскам — «частью одной армии». Упоминанию о «едином народе под именем христианской нации» австрийский император и прусский король предпочли чуть менее обязывающее выражение «единый народ христианский», а вместо «трех областей сего одного народа» они обозначили свои державы как «три единого семейства отрасли» (ВПР VIII, 504—505).

Другим, возможно, еще более неприемлемым для союзников моментом в проекте российского императора был пафос полного изменения всей системы международных отношений. Так, радикальную переработку претерпело содержавшееся в проекте указание, что «ранее установленный державами образ взаимных отношений должно совершенно переменить и что крайне необходимо прилагать старания, дабы заменить его порядком, основанным на высоких истинах, внушаемых вечным законом Бога Спасителя» (Там же, 504). В итоговом тексте этот пассаж резко сокращен и заменен куда более нейтральным пожеланием «предлежащий державам образ взаимных отношений подчинить высоким истинам, внушаемым вечным законом Бога Спасителя» (Там же, 518).

Франца и Фридриха-Вильгельма смутило также содержавшееся в черновике преамбулы договора утверждение, что вступающие в него государи намерены «руководствоваться на будущие времена не иными какими-либо правилами, как заповедями сей святой веры, <...> которые, отнюдь не ограничиваясь приложением их единственно к частной жизни, как сие представлялось до сих пор, долженствуют, напротив того, непосредственно управлять волею царей и водительствовать всеми их деяниями». Против слов «на будущие времена» и «как сие представлялось до сих пор» австрийский император оставил выразительную помету «bleibt aus» — «опустить» (Там же, 503—504; подробнее см.: Неф 1928, 39—52; Лей 1975, 149—156). Тем самым критика существующих порядков оказывалась приглушена и весь фрагмент приобретал констатирующий характер.

Между тем для Александра особенно важна была именно перспектива всеобщего и тотального обновления. После завершения всемирно-исторической схватки добра со злом и в преддверии наступления последних времен все должно было перемениться и для царей, и для народов. 29 августа / 10 сентября, за две недели до подписания акта о Священном союзе, состоялся грандиозный парад русской армии в местечке Вертю близ Парижа, назначенный, как впоследствии Александр говорил А. Н. Голицыну, «по особенному таинственному внушению», продиктовавшему ему и сценарий торжеств (Бартенев 1886, 100). На следующий день все участники парада, более ста пятидесяти тысяч человек, были вновь выведены в поле для благодарственного молебна по случаю тезоименитства российского императора. «Внушение <...> полагало необходимым, чтобы войско разбито было на семь квадратов, — рассказывал Голицын. — В центральном квадрате, т.е. в четвертом, отправлено было молебствие, весь штат царей и весь наш русский генералитет; в средине прочих каре происходили также богослужения» (Там же). Об этих «семи алтарях», на которых «кровь завета [l'alliance] взывала к божественному милосердию», баронесса Крюденер вспоминала и через семь лет в одном из последних писем к Александру (Лей 1994, 407; о параде см.: Шильдер III, 340—344).

Нет сомнений, что эти семь алтарей призваны были символизировать семь церквей, к которым обращается Иисус в первых трех главах Апокалипсиса, обещая «благодать <...> и мир от Того, Который

ОБЛАКО

надъ

СВЯТИЛИЩЕМЪ,

или

нѣчто такое, о чемъ гордая философія и грезить не смѣетъ.

Сочиненіе Г. Эккартсгаузена, изданное въ 1802 года.

Съ дозволенія Санктпетербургскаго Гражданскаго Губернатора.

Иждивеніемъ Переводчика.

Санктпетербургъ.
Въ Императорской типографіи.
1804 года.

Титульный лист русского перевода «Облака над святилищем» К. Эккартсгаузена есть и был и грядет, и от семи духов, находящихся перед престолом Его» (Откр I, 4). А. Н. Голицын вспоминал, что Апокалипсис так нравился Александру, «что, по собственным словам государя, он досыта не мог им начитаться» (Бартенев 1886, 88). Юнг-Штиллинг в своем пользовавшемся огромной популярностью толковании на Апокалипсис назвал его «манифестом Царя Царей Его подданным от тогдашнего времени до последнего дня». По словам Штиллинга, семь духов, упомянутых в процитированном стихе, «предстояли престолу Иеговы» и преобразованы «в Ветхом Завете чрез седмисвечник, стоящий в скинии и после во Храме пред Святая Святых» (Юнг-Штиллинг 1815, 4—5). Именно таким «седмисвечником» семь каре русской армии возносили Господу хвалу за одержанную победу. Русское христианское воинство оказывалось уподоблено новому Израилю.

Согласно Юнгу-Штиллингу, семь упомянутых церквей отражали все многообразие исторического христианства (Там же, 11). Сам император и «весь штат царей» молились в четвертом каре, которое не только находилось в геометрическом центре, но и соответствовало, по Апокалипсису, фиатирской церкви. Обличение пороков многих ее членов, обреченных на страшные казни, завершается здесь обещанием благ «прочим сущим в Фиатире, иже не емлют учения сего и иже не разумеют глубин сатанинских»: «Не возложу на вы тяготы иныя. <...> И побеждающему и соблюдающему дела моя до конца, дам ему власть на языцех. И упасет их жезлом железным, яко сосуды скудельничи сокрушатся, якоже и Аз приях от Отца Моего. И дам ему звезду утреннюю» (Откр II, 24—28; русский перевод этого фрагмента отличается от церковнославянского и французского, по которым Александр знакомился с текстом Священного Писания, существенными смысловыми нюансами).

В упоминании о «победителе», которому будет дана «власть на языцех» (во французском переводе «pouvoir sur les nations») и утренняя звезда Нового Завета, Александр не мог не видеть прямого пророчества о собственной судьбе. Отметим, что Штиллинг понимал под фиатирской церковью моравских братьев (Юнг-Штиллинг 1815, 34—40), которых император посещал во время европейского путешествия и о которых он подробно расспрашивал немецкого мистика во время их личной встречи (см.: Гейгер 1954, 283—297, 333—434; Лей 1975, 63—76).

Баронесса Крюденер, сопровождавшая Александра в Париж, находилась на всем протяжении этой церемонии близ российского императора, тем самым оказавшись в кругу лиц, принимавших парад и приносивших молитву в центральном каре. Она должна была стать официальной истолковательницей символики торжества. Ее брошюра «Лагерь при Вертю», написанная буквально в те самые дни, когда Александр обсуждал со своими союзниками текст договора о Священном союзе, вышла огромным тиражом и была немедленно, по высочайшему повелению, переведена на русский язык. В примечании к русскому изданию переводчик пояснил, что «слово *vertus* значит *добродетель*, а потому, когда Государь Император поехал на смотр армии в Vertus, то французы говорили: "Александр отправился в собственные свои владения"» (Крюденер 1815, 3). Французское название брошюры Крюденер — «Le Camp de Vertus» — в принципе можно было бы перевести и как «Поле добродетели» (Крюденер 1815a).

В описании баронессы военный парад приобрел черты космологического действа, обозначающего наступление эсхатологических времен: «Мы были свидетелями одного из тех величественных зрелищ, сближающих Небо с землею. <...> Кто осмелится описать историю наших времен? Какой Тацит дерзнет коснуться происшествий, которые подобно баснословному Сфинксу пожирают тех, кто не коснулся смысла загадки?» (Крюденер 1815, 4). Парад не только символически указывал на сокровенный смысл потрясений, полностью изменивших Европу и мир, но и сам превращался в своего рода мистерию, истолковать которую могли лишь посвященные.

Как писал Эккартсгаузен, «мистерии <...> обещают таинства, которые были и будут всегда наследием немногих только человеков, таинства, которые не продаются, ни с кафедры публично не проповедуются, таинства, к которым способно только сердце, стремящееся к Премудрости и Любви и в котором премудрость и любовь уже возбуждены» (Эккартсгаузен 1804, 54). Однако «в последние времена все тайное сделается явно», а человечество уже приближалось «к тому времени, в которое великая Завеса, сокрывающая Святая Святых, раздерется» (Там же, 73, 57). Баронесса Крюденер позволила себе лишь глухо намекнуть на сокровенный смысл разыгрывающегося действа: «Так все, наслаждаясь ли проницанием сего великого таинства, прикровенного еще, как Изида, или опасаясь, чтобы покров ее не раздрался, — ощутили от сея эпохи или надежду, или страх. Сие величественное позорище, где толь многие великие Государи поклонялись Царю Царей, само собой казалось уже как бы введением вселенныя в другие времена — и как бы живым предисловием к той священной истории, которая должна все переродить» (Крюденер 1815, 10).

Идея абсолютной новизны происходящего составляет самую суть предложенной Крюденер интерпретации: «Кто мог усомниться, чтобы тут не было великих вдохновений, и кто не сказал с Апостолом: *ветхая мимоидоша и быша вся нова!* (2 Кор V, 17) И кому не желательно было нечто *новое* среди толиких разрушений» (Крюденер 1815, 9). По-французски текст процитированного стиха из второго послания Павла коринфянам звучит менее торжественно, чем в церковнославянском переводе, но еще более определенно в смысловом отношении: «Le monde ancien s'en est allé, un monde nouveau est déjà né [Древний мир умер, новый мир уже родился]».

Таким образом, окончательная победа над Наполеоном по глубине и полноте обновления всего мира символически приравнивалась к Рождеству Христову, а грандиозный молебен на поле близ Вертю оказывался первым свидетельством значимости произошедшего. Последовавшее двумя неделями позднее подписание договора об образовании Священного союза истолковывалось его авторами и идеологами как акт поклонения младенцу Иисусу.

По воспоминаниям спутника баронессы Крюденер пастора Эмпейтаза, «за несколько дней до своего отъезда из Парижа он (Александр. — *А. З.*) сказал нам: "Я покидаю Францию, но до моего отъезда я хочу воздать в публичном акте благодарность [l'hommage], которой мы обязаны Богу Отцу, Сыну и Святому Духу за защиту, которой Он нас удостоил, и пригласить народы к послушанию Евангелию [inviter les peuples à se ranger sous l'obéissance de l'Évangile]. Я принес вам проект этого акта и прошу вас внимательно его прочесть и, если там есть какие-то выражения, которых вы не одобряете, сообщить мне об этом. Я хочу, чтобы император Австрии и король Пруссии присоединились ко мне в этом акте поклонения, чтобы все видели как мы, подобно волхвам, признаем высшую власть Господа Спасителя [afin qu'on nous voie, comme les mages d'Orient, reconnaître la suprême autorité du Dieu Saveur]» (Эмпейтаз 1828, 40—41; Лей 1975, 146—147). Сравнение вступивших в союз монархов с волхвами, пришедшими поклоняться младенцу Иисусу, дополнительно усиливалось тем, что, по раннехристианскому преданию, волхвов было трое и они были восточными царями (см.: Аверинцев 1980). Тем самым текст договора уподоблялся и дарам, принесенным волхвами к колыбели Иисуса, и самому акту поклонения.

6 января по европейскомй стилю, в день, совпавший в XIX веке с православным рождеством, католики и протестанты отмечали «праздник трех царей», которым некогда было дано узреть Вифлеемскую звезду. В свою очередь, день рождения Александра, появившегося на свет 12 декабря по русскому стилю, приходился на европейский сочельник. Три раза подряд, в 1812—1814 гг., император

отмечал свой день рождения и встречал Рождество среди западных христиан, и все эти соответствия не могли, конечно, пройти мимо внимания Александра, повсюду искавшего таинственные предзнаменования и чрезвычайно трепетно относившегося к календарной мистике.

Тематический комплекс, связанный с Рождеством, играл в европейском мистицизме совершенно особую роль. По словам А. Д. Галахова, Рождество составляло излюбленный предмет мистической литературы, ибо «вочеловечивание Бога в душе» обеспечивало ее «материалом для таинственных сопоставлений, таинственного параллелизма» с тем, что французский проповедник Дю-Туа называл «преобразованием падшего человека в новую тварь» (Галахов 1875, 104). Учение о внутрен-

Богоматерь. Икона на сюжет
из Апокалипсиса.
В. Л. Боровиковский. 1814—1815

нем возрождении или преобразовании (régénération) было центральной частью мистической персонологии. В «Облаке над святилищем» такого рода параллель была проведена с большой выразительностью.

В нас все нечисто, все покрыто паутиной суетности, все замарано грязью чувственности, — писал Эккартсгаузен. — Воля наша есть вол, в ярмо страстей запряженный. Разум наш есть осел, упрямый в своих мнениях, предрассудках и глупостях. В сей-то бренной, развалившейся хижине, в жилище скотских страстей, чрез веру рождается в нас Христос. Простота души нашей представляет пастушеское состояние, она приносит Ему первые жертвы, пока три главные силы царского нашего достоинства: Разум, Воля и деятельность повергнутся пред Ним и принесут Ему дары истины, мудрости и любви.

(Эккартсгаузен 1804, 140)

Пробуждение бога в душе человека соотносилось с рождением Христа в вифлеемских яслях, а внутреннее признание человеком владычества Иисуса — с дарами волхвов, трех царей Востока, которым некогда была дана в качестве знамения рождества утренняя звезда. В дневниковой записи Жюльетты Крюденер от 23 сентября 1815 г. рассказано о первом появлении императора в доме пророчицы после того, как он узнал, что его союзники готовы подписать договор: «Александр заметил, что если бы он не был подготовлен этим актом, он не смог бы понять *"поклонения волхвов"*. <...> Александр был необыкновенно откровенен, он говорил о короле [Людовике XVIII], о необходимости *внутреннего возрождения* [régénération], о чтении Священного Писания, о своей жизни, об употреблении времени, о доверенности к Богу» (Лей 1994, 318).

Александр уже давно соотносил победу над Наполеоном с новым рождением Христа. Еще в Рождество 1812 г. он выпустил указ, которым повелел ежегодно отмечать в этот день праздник «избавления Церкви и державы Российския от нашествия Галлов и с ними двунадесяти языков» (ПСЗ № 25669). Одновременно был подписан и указ о начале строительства в Москве храма Христа Спасителя (см.: ПСЗ № 25296), как бы приглашавший всех подданных императора к поклонению Иисусу. Само посвящение нового храма Христу свидетельствовало о надконфессиональном характере замысла (см.: Флоровский 1937, 134; текст указа: ПСЗ № 25296; о проекте см.: Витберг 1954; Медведкова 1993). Теперь, опираясь на духовную и интеллектуальную поддержку западноевропейских мистиков, он побуждал к такому поклонению своих августейших союзников и их народы.

В той мере, в какой российский император ощущал себя избранником божьим, призванным принести в мир христианское просвещение, он не мог быть удовлетворен достигнутым с союзниками компромиссом, и прежде всего их требованием сохранить договор о Священном союзе конфиденциальным. Его цель как раз состояла в том, чтобы акт поклонения волхвов, совершенный тремя монархами, был явлен всем как свидетельство начала новых времен и пример для всеобщего подражания. 25 декабря 1815 г., в Рождество и, соответственно, в день празднования освобождения России от французов, Александр опубликовал текст договора. Более того, он сопроводил эту публикацию манифестом, содержавшим положения, которые он был вынужден исключить из проекта, и прежде всего мысль о том, что с его заключением полностью меняются все основания международной политики:

Познав из опытов и бедственных для всего Света последствий, что ход прежних политических в Европе между Державами соотношений не имел основанием тех истинных начал, на коих премудрость Божия в откровении своем утвердила покой и благоденствие народов, приступили Мы, совокупно с Их Величествами Австрийским Императором Францем Первым и Королем Прусским Фредериком Вильгельмом к постановлению между Нами союза (приглашая к тому и прочия Христианския Державы), в котором обязуемся Мы взаимно, как между Собою, так и в отношении к подданным Нашим, принять единственным ведущим к оному средством правило, почерпнутое из учения Спасителя Нашего Иисуса Христа, благовествующего людям жить, аки братиям, не во вражде и злобе, но в мире и любви. Мы желаем и молим Всевышнего о ниспослании благодати своей, да утвердится Священ-

Манифест от
25 декабря 1815 года

ный союз сей между всеми Державами к общему их благу и да не дерзает никто, единодушием всех прочих воспящаемый, отстать от онаго. Сего ради, прилагая при сем список с сего союза, Повелеваем обнародовать оный и прочитать в Церквах.

Санктпетербург. В день Рождества Спасителя Нашего.
Декабря 25-го 1815 года.

(ПСЗ № 26045)

Инициируя заключение договора о Священном союзе, Александр едва ли рассчитывал, что встретит в своих союзниках и других монархах, которым предлагалось присоединиться к акту, собратьев по внутренней церкви. Осведомленная Р. Стурдза утверждала, что европейские венценосные особы подписывали этот документ, либо «не понимая его и не давая себе труда осведомиться о его значении», либо и вовсе с «ожесточенным негодованием». По ее мнению, Александр «слишком хорошо знал людей, чтобы обольщаться в этом отношении: но он думал, что Европе устами государей своих следует во всеуслышание заявить, что она отрекается от нечестия, которым ознаменовалось недавно прошедшее время, и гласно исповедать свою веру в Христа» (Эдлинг 1999, 223—224).

Известие об обнародованных в Петербурге документах вызвало переполох в европейских столицах. Эпоха, в которой политика должна была основываться непосредственно на евангельском учении, была открыта беспрецедентным нарушением заключенных соглашений и данных обещаний. Союзники, как писал в дипломатической депеше из Вены в Петербург ближайший сотрудник Меттерниха Ф. Гентц, «были шокированы и смущены» (Лей 1975, 165). Однако Александр добился своего, продемонстрировав свое неприятие традиционной тайной дипломатии и огласив на весь мир благую весть о наступающих новых временах.

5

«Истинная религия, подобно ковчегу завета [l'arche d'alliance] между Богом и его творением, с новой любовью обнимает горизонт обитаемого мира», — утверждал А. С. Стурдза в своем «Размышлении об акте братского и христианского союза», подготовленном для пропаганды идей заключенного договора (Стурдза 1815, 4). «Наш дорогой Государь, подвергнутый испытаниям и обращенный к вере, почувствовал необходимость громогласно заявить через Священный союз о наступлении царства Христа, только уполномоченными которого объявили себя три первые государя Европы. Нельзя смотреть на акт Св. союза иначе как на манифест, подготовляющий царство Спасителя», — писал в 1820 г. А. Н. Голицын зятю Крюденер барону Беркгейму (Шебунин, рукопись, № 110, 196). Конечно, и Голицын, и Стурдза принадлежали к числу самых близких к Александру людей и были знакомы с его сокровенными мыслями из первых рук. Однако и другие чуткие и внимательные современники уловили суть высочайших замыслов.

Еще до Нового года вести из Петербурга достигли пензенского имения М. М. Сперанского. К тому времени его ссылка была прекращена, однако он еще не вернулся на государственную службу и сохранял неясный статус полуопального сановника. Опубликованный договор вызвал у него самое горячее одобрение.

> Наконец луч света озарил мой дух и развеял все мои сомнения. Я разумею манифест 25 декабря, — писал он своему другу Ф. И. Цейеру 31 декабря 1815 г. — Мне можно, наконец, отдаться вполне стремлению всех моих мыслей, смею сказать моего вдохновения, и беседовать с Государем о предмете достойном Его внимания. <...> Помните ли разговор наш прошлым летом в Великопольском саду, когда, рассуждая о духе, который должен был руководить монархов при их действиях на Венском конгрессе, я имел малодушие отчаяваться. Но не призрак ли это? Так ли понимаю истинный смысл, придаваемый этому акту? Горе тем, которые отважились бы так играть именами и предметами самыми священнейшими. Нет; дух тьмы может опять погасить это проявление благодати, как не раз уже бывало, но теперь — этот свет еще чист и действует во всей полноте.
>
> (Корф 1867, 445—446)

6 января Сперанский обратился с письмом непосредственно к императору:

> Истины, в манифесте 25 декабря и в акте союза изображенные, налагают на всех подданных Ваших новую обязанность неограниченного доверия и откровенности. Более, нежели многие другие, я должен чувствовать и исполнять сию обязанность. <...> Могу ли, должен ли теперь молчать, когда вижу несомненные признаки истинной, сердечной, а не умственной благодати, сердце ваше озарившей. Да не оскорбится скромность Ваша сим выражением! Благодать Христова дается без заслуг и может быть признаваема без лести.
>
> (Там же, 447)

В полном соответствии с представлениями самого Александра о своей роли, Сперанский подчеркивал, что акт о Священном союзе был не «личным деянием» заключивших его государей, но «чистым излиянием преизбыточествующей Христианской благодати, коей удостоились они быть органами». Прямое вмешательство благодати в ход исторического процесса устанавливало и «новое политическое право», основанное на двух фундаментальных принципах. Во-первых, «цель человеческих обществ руководствовать людей к соединению во Христе», а во-вторых, «Иисус Христос есть и должен быть главою всех христианских обществ. Истинные правила их управления не могут ниоткуда быть почерпаемы, как из правил и учения Его» (Там же, 448—449).

Таким образом, единственной задачей земного государства оказывалось приуготовление народов то ли к всеобщей христианской республике, то ли непосредственно к наступлению хилиастического Царства божия на земле. Природу и характер этой грядущей теократии Сперанский разъяснял тому же Ф. И. Цейеру в письме от 22 января:

> Ошибаются люди, утверждающие, будто дух царства Божия несовместим с началами политических обществ. Разве державство не есть своего рода священство? Что такое помазание Государей? <...> Можно ли сомневаться в действительности излияния Св. духа на лицо помазанное, если только оно способно воспринять его? <...> Не знаю ни одного государственного вопроса, который нельзя было бы свести к духу Евангелия. Все до самого тарифа может быть обработано в этом духе и под его руководством. Хименесы, св. Бернарды, св. Людовики, Альфреды не черпали ли обильно из этого источника?
>
> (Сперанский 1870б, 188—189)

Вдохновленный договором о Священном союзе Сперанский готов был увидеть в возглавивших этот союз монархах непосредственных носителей благодати, призванных воплотить утопию евангельского царства и реализовать ее в практических мерах государственного устройства.

Впрочем, в письме близкому другу, считавшему его своим «духовным отцом» (Там же, 192), бывший государственный секретарь решился высказать по поводу нового документа и некоторые замечания. Вероятно, Сперанский не исключал того, что его письма могут перлюстрироваться, и должен был допускать, что его соображения дойдут и до высочайшего адресата. «Правда, что выражения союзного Акта недостаточно точны, — писал он. — Так, например, Иисуса Христа нельзя назвать главою всех, даже и зараженных членов; ибо Он глава единого тела, которое есть Его

Церковь; царство же не есть Церковь истинно верных; но зачем привязываться к форме, вопреки духу и общему направлению этого акта» (Там же, 189).

Вопреки всем почтительным оговоркам расхождения между Сперанским и Александром достаточно серьезны. Сперанский полностью разделял отразившуюся в записке «О мистической словесности» убежденность Александра в существовании «Церкви истинно верных», находящейся под непосредственным началом Христа. Его наместниками на земле могут быть помазанные монархи, если они осознают свое божественное предназначение и оказываются его достойны. В то же время бывший государственный секретарь был не готов считать частью «церкви верных» все целиком державы, вверенные попечению даже самых благочестивых монархов.

Ссылки на исторические аналогии показывают, что, считая провозглашенную в манифесте идею христианской политики новой для современного мира, Сперанский все же не находил ее вовсе беспрецедентной. Удаленный от государя на протяжении нескольких полных событий лет, он с радостью узнал в обнародованных документах отголоски их давних бесед, но остался глух к веяниям, воспринятым Александром позднее и из других источников. С искренним энтузиазмом приняв мистический дух союзного акта, он не увидел или не захотел увидеть его эсхатологической перспективы.

Между тем для императора эсхатологический пафос составленного им договора был особенно важен. Наступали последние времена, в которые истина должна была перестать быть достоянием узкого круга избранных и повести за собой многих, а потом и всех. Как пророчествовал Эккартсгаузен, эпоха, когда обществу светоносных предстояло во всеуслышание объявить о своем существовании, а его членам — узнать друг друга, стремительно приближалась. Именно поэтому в день православного Рождества Александр через головы и вопреки воле союзных монархов обратился к своему народу и, как он не мог не понимать, ко всем народам Европы. Смысловые узлы новой идеологической концепции, которые близко знавший императора государственный деятель приписал «недостаточной точности» выражений, оказались вполне внятны поэту.

По-видимому, еще до начала активной работы над посланием «Императору Александру» Жуковский задумал продолжение «Певца во стане русских воинов». По словам автора, оно должно было «представлять певца русских воинов, возвратившегося на Родину и поющего песнь освобождения в Кремле <...> в тот самый день, когда торжествующая Россия преклоняет с благодарностью колена перед промыслом, спасшим через нея все народы Европы и все блага свободы и просвещения» (Жуковский 1902 II, 143).

Это разъяснение было помещено в отдельном издании стихотворения «Певец в Кремле», вышедшем в 1816 г. с указанием на то, что «сии стихи писаны в конце 1814 года». Вероятно, создавались они для торжественного празднования двухлетия освобождения России от французов, в котором, в случае успешного завершения Венского конгресса, мог бы принять участие император. Работа конгресса, однако, затянулась, а потом и вовсе была прервана известием о бегстве Наполеона с Эльбы. 4 марта 1815 г. Жуковский сообщил А. И. Тургеневу, что намерен издать книжку «под титулом "Певец в Кремле" (он почти кончен надобно только поправить) с приобщением других лирических стихотворений» (Жуковский 1895, 142). Внесение в текст поправок продолжалось почти год. Вероятно, публикация рождественского манифеста 1815 г. и акта о Священном союзе стала завершающим штрихом, который помог концепции Жуковского приобрести окончательное оформление.

Как и «Певец во стане русских воинов», «Певец в Кремле» представляет собой череду поэтических прославлений, произносимых певцом, которому вторит внимающий хор. В последнем фрагменте стихотворения слова певца звучат прямым откликом на текст манифеста и договора:

> О совершись, святой завет!
> В одну семью, народы!
> Цари! в един отцов совет!
> Будь сила щит свободы!
>
> Дух благодати, пронесись
> Над мирною вселенной
> И вся земля совокупись
> В единый град нетленной!

Жуковский точно чувствует эсхатологические обертона заключенного соглашения. Отсюда и интерпретация наступивших дней как осуществления святого завета (alliance). Подобно Сперанскому, Жуковский усматривает в заключенном союзе действие духа благодати, но, в отличие от него, он понимает, что речь идет не столько о новом политическом устройстве земных государств, сколько о «едином граде нетленном», чьи очертания уже можно разглядеть за завесой времен:

> Ты, мудрость смертных, усмирись
> Пред мудростию Бога

И в мраке жизни озарись
    К небесному дорога.
Будь вера твердый якорь нам
    Средь волн безвестных рока
И ты в нерукотворный храм
    Свети, звезда востока.

Жуковский едва ли был осведомлен о высказываниях императора, в которых тот сравнивал заключенный акт с Рождеством Христовым, а себя и своих союзников с волхвами. Тем не менее он безошибочно уловил символический смысл даты публикации высочайшего манифеста. «Звезда востока», по которой некогда волхвы, или, дословно переводя французскую формулу, три короля-волшебника нашли младенца Иисуса, вновь зажглась над землей, и три союзных монарха склонились над «нерукотворным храмом» — новыми вифлеемскими яслями.

В последних строфах стихотворения певец и народ сливаются в едином порыве и едином акте поклонения явившемуся знамению:

Свети, свети, звезда небес,
    К ней взоры, к ней желанья,
К ней, к ней за тайну их завес
    Земные упованья.
Там все, что здесь пленяло нас
    Явлением мгновенным,
Что взял у жизни смертный час,
    Воскреснет обновленным!
Рука с рукой! вождю вослед!
    В одну, друзья, дорогу
И с нами в братском хоре, свет,
    Пой: слава в вышних Богу!

(Жуковский 1902 II, 104—105)

Торжество великой национальной победы на развалинах древней столицы венчается всенародным апофеозом грядущему воскресению из мертвых, которое сулит звезда нового Рождества. Слиться в этом «братском хоре» должны голоса всех народов мира.

6

В брошюре «Лагерь при Вертю» баронесса Крюденер писала, что смысл современных событий «ускользает от понятия тех, которые не имеют Бога живого истолкователем оных, и кои останутся навсегда сирыми и во мрак недоумения облеченными. <...> Но и среди людей изгнанных — и на сей земле заточения — оставалось всегда племя святое, всегда был народ, любезный Богу. Сии — то люди всех веков одни ведают великое оное дело Творителя <...>» (Крюденер 1815, 5). Употребляя слова «племя [race sainte]» и «народ [peuple]», баронесса имеет в виду не подданных того или иного монарха и тем более не этническую группу. Этот «избранный народ, чада обетования» состоит из «мужей, великим просвещением поставленных на верху лестницы», единственно способных «зреть эпоху сию при свете, которым озаряло их величество Святых писаний» (Там же, 5, 10).

По сути дела, это то самое общество светоносных, о котором писал Эккартсгаузен, мистический союз посвященных, составляющий единую нацию. В другом месте баронесса использует и более традиционное значение слова «народ», говоря о подданных Российской империи как о «народах [peuples] простодушных, не упившихся еще из чаши всех мерзостей, не отпавших еще от Бога, спасшего их» (Там же, 6).

«Простодушные народы» могут стать орудием промысла, поскольку им не ведомо ложное просвещение, погубившее народы развращенные, и прежде всего, конечно, французов. Это те самые жители Фиатира, которые «не разумеют глубин сатанинских». Однако их историческая роль определяется тем, что во главе их стоит монарх, приобщенный к просвещению истинному, которому даны «власть на язычех», «жезл железный» и «звезда утренняя», или, как формулирует эту мысль Крюденер, «муж великих судеб, прежде век для веков к тому предопределенный» (Там же). Тем самым Александр оказывался во главе сразу двух народов, вверенных ему богом: народа своей империи и «избранного народа возрожденных».

«Избранником Господа [l'élu du Seigneur]» назвала Александра баронесса в письме к Роксандре Стурдзе от 17 мая 1815 г. (Лей 1994, 288). Во время первой беседы с императором, состоявшейся 4 июня, она была готова развеять сомнения Александра в его «особом избрании». 23 июня Крюденер писала императору о «тех, кто должны составить малое число членов *этой Церкви, которую избрал себе Христос, чтобы возродить мир* и управлять через ее посредство следующие *тысячу лет*». «*Вы один из этих Избранных,* — обращалась она к Александру, — и Ваше сердце уже приуготовлено великими жертвами. Если бы Вы, Государь, не могли отвечать этим великим планам, Господь не призвал бы вас на свою службу и не сделал *победителем дракона* (Антихриста) и *вождем народов*» (Николай Михайлович II, 216).

Для Крюденер церковь возрожденных (régénérés) представляла собой исторически конкретную институцию, на данный момент более или менее совпадающую с кругом ее приверженцев и лиц, разбуженных ее проповедью. Поэтому она активно пыталась вербовать в члены этой церкви ближайших сотрудников Александра. 22 июня она «горячо говорила» Г.-Ф. Штейну и И. Каподистриа о «необходимости возродиться» (Лей 1994, 296). Еще в марте 1815 г., до встречи с императором, дочь баронессы зафиксировала в дневнике ее пророчество о грядущей миссии российского государя: «Маман думает, что Александр покинет свою страну, будет поднят Господом в высокое училище испытаний, и тогда *народ Бога* пристанет к нему, после чего он вернется в Россию» (Там же, 286). Подобно новому Моисею, Александр должен был вывести «народ избранных» в землю обетованную, которая, по мнению баронессы Крюденер, находилась в южных губерниях Российской империи.

Пастор Эмпейтаз в своих воспоминаниях об Александре привел письмо, написанное ему императором 8 октября 1815 г. из Бадена. Поблагодарив своего корреспондента за духовные наставления, император писал, что его душа «радуется тому, что принадлежит народу [nation], неизвестному миру, но чей триумф стремительно приближается» (Эмпейтаз 1840, 47). Кажется, мемуарист, опубликовавший это письмо, так и не услышал за столь характерной для императора изысканной почтительностью вежливого, но непреклонного отказа.

Александр искренне желал поверить в свое божественное предназначение и потому воспринимал горячие речи своей конфидентки с благодарностью и доверием. Тем не менее он представлял себе устройство внутренней церкви совершенно иначе. Он видел в ней таинственное сообщество посвященных. Его члены могли относиться к совершенно разным христианским конфессиям, жить в разных странах и не иметь представления о существовании друг друга, но они должны были угадывать себе подобных особым мистическим чувством. Очевидно, что Александр куда ближе, чем пророчица и ее адепты, следовал здесь Эккартсгаузену, писавшему, что посвященные «не принадлежат ни к какой секте, ни к какому обществу, кроме великого и истинного общества всех светоносных» (Эккартсгаузен 1804, 65). Это до времени неведомый народ, о котором вскоре суждено будет узнать всему миру.

Уже во время первого свидания императора и баронессы ее дочь сумела заметить, что Александра «меньше интересовало» то, что говорила «маман» о «Церкви наших времен», чем то, что «относилось к пути христианина, молитве и освящению» (Лей 1994, 290; Крюденер 1998, 130). Отчетливые разногласия проявились ровно через два месяца, 4 сентября, за неделю до молебна в Вертю. «Александр пришел, — записала в своем дневнике Жюльетта Крюденер. — *У нас был разговор о Церкви. Я говорила с ним без всякой боязни и сказала ему, что чувствую, что он еще не связал себя с этим делом.* Он говорил нам о том, что ему *кажется ложным, например, то, что церковь заключена в нескольких личностях* и что должна быть установлена *в определенной стране; он думает, что она будет пребывать повсюду*» (Лей 1994, 307; Крюденер 1998, 133). Именно поэтому миссионерская деятельность баронессы вызывала у Александра настороженность. По свидетельству Ж. Крюденер, когда Штейн заговорил с ним об идеях ее матери «относительно церкви», Александр выразил опасения, что баронесса слишком «откровенна с другими в этом вопросе» (Там же).

Как писал Эккартсгаузен, человеку «наперед должно знать и быть во всем научену, что к возрождению принадлежит: <...> во-первых, нужен Учитель и Наставник, а в узнании сего, вера к Нему, ибо какая польза в Учителе, если ученик к нему веры не имеет» (Эккартсгаузен 1804, 135). Всеобщее возрождение приближалось, между тем Александр, как отметил еще А. Н. Пыпин, уже очень скоро утратил веру в госпожу Крюденер. Исследователь ссылается на свидетельство княгини С. Мещерской, которая приводит «собственные слова» государя: «Император говорил о своей неожиданной встрече с г-жой Крюденер в ту минуту, когда он мысленно желал, чтобы Бог послал ему человека, который бы помог ему понять правильно Его святую волю, — и затем продолжал: "Несколько времени я думал, что Бог именно ее и хотел назначить для этой цели; но *я очень скоро* увидел, что этот свет был не что иное, как ignis fatuus [блудящий огонь]"» (Пыпин 2000, 365). В 1818 г. Александр говорил графине С. И. Соллогуб о «простоте» христианства и «беспокойных душах, теряющих себя в тонкостях, которые им самим непонятны. Например, госпожа Крюденер, — добавил он, — могла иметь добрые намерения, но причинила непоправимый вред» (Посникова 1867, 1038—1039).

Крюденер удалось помочь Александру на время преодолеть сомнения и утвердиться в мысли о собственной избранности и принадлежности к обществу светоносных. Однако возросшая уверенность в собственном предназначении и позволила императору отвергнуть предложенное баронессой духовное лидерство. По словам того же Эккартсгаузена, «в последние времена все тайное сделается явно,

но также предсказано и то, что в сии времена восстанут многие лже-
пророки и верующему дана заповедь не всякому духу веровать, а испытывать духи, аще от Бога суть (1 Ин IV, 1)» (Эккартсгаузен 1804,
73). Учение, сводившее роль Александра к тому, чтобы возглавить
исход последователей баронессы Крюденер из Европы и предоставить им место для грядущего хилиастического царства в пределах
своей империи (см.: Лей 1994, 347—385), не могло не диссонировать
с настроениями государя, чьи эсхатологические ожидания были, во
многом с помощью самой же Крюденер, доведены до предельного
напряжения.

7

В своих воспоминаниях Р. Стурдза писала, что Священный союз
был «осуществлением величавой мысли Генриха IV и аббата Сен-
Пьера» (Эдлинг 1999, 223). Несомненно, подобная оценка восходила к самому императору, который, по словам австрийского дипломата Ф. Гентца, смотрел «на себя как на основателя Европейской
федерации и хотел бы, чтобы на него смотрели как на ее вождя».
Как заметил Гентц в 1818 г., Александр «на протяжении двух лет не
написал ни одного мемуара, ни одной дипломатической бумаги, где
бы эта система не была представлена славою века и спасением
мира» (Николай Михайлович I, 219—220).

Создание такого рода европейской федерации или христианской республики при активном участии России было еще в 1770-е гг.
целью политики Екатерины II и составляло одну из важных идеологических опор «греческого проекта». Неудивительно, что перена-
сыщенный религиозной риторикой акт о Священном союзе был
воспринят европейским общественным мнением как антитурецкая
декларация. Встревоженный публикацией акта Ф. Гентц писал в
одной из своих депеш:

> Первым побуждением почти у всех, кто узнал о существовании дого-
> вора, было рассматривать его как предвестие проекта, направленного
> против Турции. Говорили, что, поскольку христианство составляет
> главный предмет и заветное слово [le mot sacramental] этого докумен-
> та, то ясно, что он не запрещает военных действий против неверных и
> что тайным намерением императора Александра является связать пер-
> вые христианские державы торжественной клятвой, а потом предло-
> жить им новый крестовый поход.

(Лей 1975, 180)

Подобные истолкования христианских чувств императора были свойственны не только таким убежденным противникам освобождения Греции, как Меттерних и Гентц, но и самым горячим приверженцам греческого дела. Р. Стурдза вспоминала, как еще в 1814 г. она, несмотря на противодействие австрийского двора, побудила Александра посетить церковь турецких греков в Вене. Визит российского государя был, по ее словам, «минутой счастия для злополучных греков, и воображению их представлялся августейший их покровитель уже в храме Софии» (Эдлинг 1999, 203).

Грекофильские настроения были распространены и в ближайшем окружении баронессы Крюденер. Ее зять Ф. Беркгейм вспоминал, что однажды прочел Александру «старинные предсказания, содержавшиеся в собрании алхимических сочинений, где было возвещено о государе одной северной монархии, который соберет вокруг себя людей, наиболее выделяющихся своим благочестием». «Как впоследствии рассказал Беркгейм, это пророчество исходило от мадам Гюйон, которая будто бы предсказала, что этот избранный монарх будет русский, что он станет главой всемирной церкви и столицей его сделается не то Константинополь, не то Иерусалим» (Шебунин, рукопись, № 110, 120).

По-видимому, Александр с самого начала настороженно относился к этим пророчествам, поскольку не разделял экспансионистских планов своей бабки (см.: Арш 1976, 236—238 и др.). Уже в марте 1816 г. он поручил послу в Лондоне графу Х. А. Ливену разъяснить английскому кабинету, что принятый акт «не заключает в себе никаких враждебных намерений по отношению к народам, не имеющим счастья быть христианами», и сообщил о намерении дать такие же разъяснения Оттоманской Порте (Шильдер III, 553). В его видении христианской республики Греции не было отведено значимого места. Император возлагал свои упования на универсальную церковь, соответственно историческая связь России с византийским православием, столь существенная для всей конструкции «греческого проекта», утрачивала для него свое значение. Да и античные коннотации екатерининских планов, еще привлекательные для значительной части сподвижников апокалиптически настроенного императора, для него самого были лишены какого бы то ни было обаяния.

Восстание А. Ипсиланти в начале 1821 г. поставило Александра перед выбором (см.: Фадеев 1958; Достян 1972, 196—331; Арш 1976; Проусис 1994, 6—54; краткую библиографию см.: Там же, 185—186). Похоже, что он был сделан государем без особенных затруднений. Уже 24 февраля 1821 г. он писал с конгресса в Лайбахе А. Н. Голицыну, в целом сочувственно относившемуся к греческому освобождению:

> Нет никаких сомнений, что пробуждение к этому возмущению было дано тем же самым центральным распорядительным комитетом [comité central directeur] из Парижа с намерением устроить диверсию в пользу Неаполя (там в это время происходила революция. — *А. З.*) и помешать нам разрушить одну из этих синагог Сатаны, устроенную с единственной целью проповедовать и распространять свое антихристианское учение. Ипсиланти сам пишет в письме, обращенном ко мне, что принадлежит к *секретному обществу,* основанному для освобождения и возрождения Греции. Но все эти тайные общества примыкают к парижскому центральному комитету. Революция в Пьемонте имеет ту же цель — устроить еще один очаг, чтобы проповедовать ту же доктрину и парализовать воздействие христианских начал, исповедуемых Священным Союзом.

> (Николай Михайлович I, 558)

Десятью днями ранее Александр, ссылаясь на «надежные доказательства», находящиеся в его распоряжении, убеждал того же адресата, что существует общая конспирация «революционных либералов, радикальных уравнителей и карбонариев», которые «сообщаются и согласуются друг с другом», и конспирация эта основана «на так называемой философии Вольтера и ему подобных» (Там же, 546). Примерно в то же время было отправлено и письмо княгине Мещерской, в котором император извещал свою корреспондентку, что собравшиеся в Лайбахе государи ищут способы борьбы с *«Империей зла,* распространяющейся <...> с помощью всех оккультных средств, которыми пользуется направляющий ее сатанинский дух» (Там же, 251).

Как и сорока годами ранее В. П. Петров, Александр усматривал главную угрозу для грядущей христианской республики в международном заговоре с центром в Париже. По мысли В. Г. Сироткина, «основная посылка о причинах возникновения "революционного духа", изложенная в Акте о создании Священного союза, осталась прежней — это заговор масонов, якобинцев, которые не перевелись и продолжают строить козни». Как пишет историк, «эти старые идеи аббата Баррюэля были модернизированы парижским адвокатом Никола Бергассом», писавшим Александру о существовании во Франции «главного очага» революционной пропагады, и «баварским философом-мистиком Францем Баадером», предложившим в вышедшей в том же 1815 г. брошюре «О возбужденной Французской революцией потребности установить новую и теснейшую связь между религией и политикой» меры борьбы с всемирной конспирацией, исключительно близкие тогдашним настроениям российского императора (Сироткин 1981, 45; ср.: Баадер 1987). В 1814 г., т.е. за год до публикации, Баадер послал текст своего сочинения в Вену русскому и австрийскому монархам (см.: Сироткин 1981, 46; Лей 1975, 125—126).

Впрочем, различные апроприации баррюэлевской схемы отнюдь не составляли достояние двух публицистов, но, скорее, были свойственны всей мистической мысли этой эпохи. Юнг-Штиллинг в своей автобиографии писал, что аббат Баррюэль «в главном деле рассказывает справедливо, погрешая только в подробностях» (Юнг-Штиллинг II, 218). Эккартсгаузен еще за шесть лет до выхода «Памятных записок к истории якобинства» издал многотомное сочинение о магии, где, в частности, указывал на секретные общества как на главную опасность для политического и общественного спокойствия. «Все, что принимает на себя обличье секретности, в высшей степени подозрительно», — писал он и призывал избегать обществ, порождающих «тщетных энтузиастов», «выкармливающих самозванцев», или, хуже того, ставящих перед собой политические цели (Эккартсгаузен I, 387; II, 215—223).

По аналогии с внутренней церковью, или «обществом светоносных», мыслители мистической ориентации формируют свои представления о конспирации сил тьмы, злонамеренно препятствующих осуществлению божьего замысла и вольно или невольно выполняющих предначертания дьявола. С наступлением последних времен борьба между добром и злом неминуемо должна была принять эсхатологический характер. «Подчиниться духу зла, — писал Александр в 1815 г. Ф. Лагарпу, советовавшему ему заключить мир с Наполеоном, — значит упрочивать его власть, доставлять ему средства установить тиранию еще более ужасным образом, чем в первый раз. Надобно иметь храбрость, чтобы бороться с ним, и, с помощью Божественного Провидения, единства и настойчивости, мы достигнем счастливого исхода» (Шильдер III, 327).

Французская революция и наполеоновская империя были в этой системе взглядов своего рода открытым явлением Антихриста человечеству. С их ниспровержением и в преддверии окончательного поражения пособники тьмы должны были действовать с особым коварством и изощренностью. Конечно, чем более черными и зловещими были истинные цели конспираторов, тем более благородными и достойными лозунгами они должны были прикрывать свои действия.

Для того чтобы противостоять им, требовались проницательность и решимость, которыми только господь мог наделить своих избранников.

Такое мировосприятие, сложившееся у Александра еще в предвоенные годы и окончательно оформившееся в ходе кампаний 1812—1815 гг., заключало в себе готовую интерпретативную модель для восприятия революционной волны конца 1810-х — начала 1820-х гг. от потрясений в Неаполе и Пьемонте и до бунта в Семеновском полку, за которым император упорно пытался усмотреть следы разветвленной конспирации (см.: Шильдер IV, 179 и др.). Греческое восстание стало для него еще одним свидетельством дьявольского коварства духа зла.

Ни казнь греческого патриарха и массовые убийства греков в Константинополе в апреле 1821 г., ни давление общественного мнения в собственной стране, где требования поддержки греческих единоверцев получили преобладающее влияние (см., напр.: Фадеев 1964), не побудили императора изменить свою точку зрения. В конце 1821 г. он приказал выслать из Петербурга баронессу Крюденер, прибывшую туда проповедовать грядущее мистическое торжество русского царя в стенах храма Святой Софии (см.: Лей 1994, 404—409).

Две базовые идеологические модели русской политики, созданные в 1770-е гг., — «греческий проект» и теория всемирного заговора, — вступили между собой в непримиримый конфликт, и теория заговора одержала полную и безоговорочную победу. Много поздней ярый греческий патриот и сторонник вмешательства России в греческие дела А. Стурдза писал, что Июльская революция 1830 г. во Франции «оправдала предусмотрительность» императора (Стурдза 1864, 104; ср. с. 98—99).

В 1822 г., во время Веронского конгресса, Александр обсуждал эти вопросы с Ф. Шатобрианом, который еще при жизни императора, в феврале 1823 г., привел его слова в своем выступлении в Палате депутатов Франции, а позднее включил их в воспоминания.

Полагали ли вы, — спросил Александр, — что, как утверждали наши враги, — союз — это только слово, призванное прикрывать амбиции? Может быть, это и было справедливо при старом положении вещей, но можно ли сегодня говорить о частных интересах, когда в смертельной опасности весь цивилизованный мир.

Больше не может существовать английской, французской, русской, прусской, австрийской политики, есть лишь общая политика, которая должна для блага всех разделяться и народами, и государями. Я должен был первым показать свою приверженность принципам, на которых я основал союз. Случай представился: греческое восстание. Ничто, казалось бы, не могло более быть в моих интересах, в интересах моего народа, в соответствии с мнением моей страны, чем религиозная война против Турции, но я заметил в волнениях, которые происходили на Пелопоннесе, знак революции. Итак, я осталась в стороне. <...> Нет, я никогда не отделю себя от монархов, с которыми связан. Государям должно быть позволено заключать открытые союзы, чтобы противостоять тайным обществам.

(Шатобриан 1840, 96—98; ср.: Николай Михайлович I, 295—296)[1]

В уже цитированном письме Мещерской Александр подчеркивал, что действенные способы борьбы с сатанинскими кознями находятся, «увы, свыше скудных человеческих сил». «Только Спаситель силою своего Божественного слова, — разъяснял император, — может дать нам необходимые средства» (Николай Михайлович I, 251). И если члену «общества светоносных», чтобы ощутить свое избрание и узнать своих собратьев, необходимы были мистическая интуиция и духовная поддержка, то для обнаружения врага и разоблачения его замыслов требовался отнюдь не меньший ресурс провиденциального вмешательства. Еще в 1818—1819 гг. император рассчитывал на то, что действенным средством борьбы с подрывными силами могут служить мистические объединения благочестивой направленности. В эти годы он оказывал явное покровительство «духовному союзу» Е. Ф. Татариновой, надеясь с его помощью, как он сам говорил, «истребить ереси — и скопцов, и масонов» (Толстой 1872, 224; ср.: Дубровин 1895/1896; Эткинд 1997) и победить «карбонариев», которые «ныне распространились на Западе» и «проникли уже» в его «державу» (Коссович 1872, 1233).

Но уже к 1822 г. Александр пришел к мысли о необходимости безусловного запрещения каких бы то ни было тайных обществ, и прежде всего, разумеется, масонских лож (см.: Лебедев 1912; Серков 2000, 242—244). Тогда же с Татариновой взяли подписку о прекращении собраний, а в 1825 г., после фактического краха Библейского общества и отстранения А. Н. Голицына, она была, по существу, выслана из Петербурга. В последний год жизни Александр, по-видимому, начал разочаровываться и в идеях Священного союза. Свет «звезды Востока», посланный свыше, чтобы вести избранника по пути духовного откровения, оказался очередным «блудящим огнем».

---

[1] Мы не рассматриваем здесь крайне важный для политической истории конфликта, но не имеющий прямого отношения к нашей теме вопрос о влиянии на развитие греческого кризиса австрийской дипломатии и Меттерниха (см.: Бертье де Совиньи 1960; Бертье де Совиньи 1972 и др.).

8

Вера в существование всемирной конспирации, управляемой парижским секретным комитетом, была одной из крайне немногочисленных идеологем, которые объединяли приверженцев мистического универсализма, долгие годы окружавших Александра, с национал-изоляционистами шишковистской ориентации. «С обеих сторон аргументы и вся фразеология были совершенно одинаковы», — заметил еще А. Н. Пыпин по поводу обвинений в участии во франкмасонском заговоре и пособничестве Антихристу, которыми обменивались в 1824 г. лидер мистической секты донской есаул Котельников и его преследователи из числа консервативно настроенных православных иерархов и прежде всего архимандрит Фотий (Пыпин 2000, 448).

Такое сходство во многом способствовало тому, что к концу жизни Александр попал под духовное влияние Фотия (см.: Там же, 190—287; Чистович 1899; Кондаков 1998; Гордин 1999 и др.). Ощущая нарастающее недовольство и вновь разочаровавшись в прежних наставниках, император попытался второй раз войти в ту же воду и повторить ход, с таким успехом сделанный им в 1812 г. Вместо А. Н. Голицына министром народного просвещения был опять назначен А. С. Шишков. Однако на этот раз определять идеологический курс империи престарелому адмиралу не довелось. Новое царствование, начавшееся трагическими событиями 14 декабря 1825 г., востребовало иных людей и иные программы.

Глава X

ЗАВЕТНАЯ ТРИАДА

МЕМОРАНДУМ С. С. УВАРОВА 1832 ГОДА
И ВОЗНИКНОВЕНИЕ ДОКТРИНЫ
«ПРАВОСЛАВИЕ — САМОДЕРЖАВИЕ — НАРОДНОСТЬ»

1

Новая фаза активного идеологического строительства начинается в начале 1830-х гг., ставших временем перелома во внешней и внутренней политике Российской империи. Адрианопольский мир с Турцией 1829 г. положил конец, по крайней мере на длительное время, стремлению России к доминированию на православном Востоке и к объединению единоверных народов под своей эгидой. Новый император Николай Павлович вполне разделял скептическое отношение своего старшего брата к грандиозным замыслам их бабки (см., напр.: Линкольн 1989, 118), но образованное русское общество еще жило сознанием предначертанной России исторической миссии восстановления Греции и было разочаровано отсутствием в высочайшем манифесте на объявление войны упоминаний о Греции и православной вере (см., напр.: Бенкендорф 1929, 157—158; ср.: Фадеев 1958; Проусис 1994). Теперь же, если славянский вопрос еще оставался в повестке дня, хотя и перешел на время из сферы реальной политики в область умозрительных прожектов, то греческий был закрыт окончательно. Независимая Греция бесповоротно выпала, особенно после убийства в 1831 г. И. Каподистриа, первого греческого президента и бывшего российского статс-секретаря по иностранным делам, из сферы российского влияния (см.: Вудхаус 1973).

Отказавшись от экспансионистских планов на востоке, русское самодержавие и на западе выбирает более осторожную политику, рассчитанную, скорее, на противодействие распространению в России чуждых влияний, чем на агрессивное отстаивание собственных принципов за пределами империи. Получив вести о революциях во Франции и Бельгии в 1830-м, Николай обдумывал возможности военного вмешательства в европейские события, но польское восстание вынудило его полностью отвергнуть подобные намерения и признать новый статус-кво (Шильдер 1903 II, 284—320).

Тем самым была идеологически дезавуирована, по крайней мере до 1848 г., интервенционистская часть наследия Священного союза, основанная на совместной вооруженной защите существующих монархических режимов. Однако умеренный изоляционизм, взявший верх во внешней политике Николая I, отнюдь не был связан с намерением сосредоточиться на проведении давно ожидавшихся внутренних реформ. Напротив, под воздействием все того же комплекса исторических событий: Июльской революции во Франции, польского восстания, холерных бунтов лета 1831 г. — император отбросил преобразовательные планы своего первого пятилетия, когда он «оживил» Россию «войной, надеждами, трудами». Даже в высшей степени осторожные предложения «Комиссии 6 декабря», как раз завершившей свою работу, оказались, по сути дела, похоронены (см.: Кизеветтер 1912, 410—502; Линкольн 1989, 92—98).

Отказ от преобразовательных планов не означал, что император разуверился в их необходимости. В начале 30-х гг. николаевская политика приобрела тот свой классический облик, сущность которого самодержец афористически выразил в 1842 г., когда, тормозя еще один проект весьма осторожных реформ, заявил: «Нет сомнения, крепостное право в нынешнем его положении у нас есть зло для всех ощутительнейшее и очевидное, но прикасаться к нему *теперь* было бы делом еще более гибельным» (Мироненко 1990, 187). Формула эта обладает неограниченной продуктивностью и применима ко многим сторонам государственного быта России: очевидное политическое зло не может быть исправлено из опасения потрясти самые основы существования державы. Николай предпочел довериться рекомендациям своего старшего брата цесаревича Константина Павловича, писавшего ему, что «древность есть надежнейшая ограда государственных уставов», и советовавшего отдать преобразования «на суд времени» (СбРИО ХС, 77).

Осуществляя стратегический поворот в политике, император должен был ощущать потребность в системе взглядов, которая предлагала бы ему довериться постепенному и органическому развитию, происходящему исподволь, но под контролем правительства. Необходимые перемены отодвигались в неопределенное будущее, но их надежность и основательность должна была обеспечиваться самим ходом вещей. Тем самым ответственность за них перекладывалась с власти на движение истории, а на долю правительства оставалась чисто консервативная функция поддержания необходимой устойчивости государственного здания и сохранения фундаментальных основ политического порядка.

Контуры подобной системы сумел предложить императору
С. С. Уваров, назначенный в начале 1832 г. товарищем министра народного просвещения. Уваровской триаде «православие — самодержавие — народность», удачно названной А. Н. Пыпиным «теорией
официальной народности» (Пыпин I, 380), суждено было на долгие
десятилетия стать государственной идеологией Российской империи (об Уварове и его политической философии см.: Давыдов 1856;
Шмид 1888; Пыпин I; Шпет 1989; Куайре 1929; Дурылин 1932; Рязановский 1967; Виттекер 1999; Гордин 1989; Казаков 1989; Цимбаев
1989; Исамбаева 1990; Шевченко 1991; Качалов 1992; Егоров 1996;
Шевченко 1997).

Необычайная историческая значимость этой идеологической
системы находится в характерном противоречии с крайне ограничен-
ным кругом источников, на основании которых можно пытаться ре-
конструировать ее исходный облик. Уваров не оставил сколько-нибудь развернутого изложения собственной политической философии.
Преамбула к первому номеру «Журнала Министерства народного
просвещения», напечатанный там же циркуляр о его вступлении в
должность министра, несколько абзацев из отчетов об осуществленной им инспекции Московского университета и о десятилетии деятельности Министерства народного просвещения под его руководством, два-три устных замечания, зафиксированных в дневниках
М. П. Погодина и А. В. Никитенко, полностью исчерпывали весь
доступный до недавнего времени круг источников (Уваров 1875; Уваров 1834; Уваров 1834а; Уваров 1864, 2—4; Никитенко I, 174; Барсуков IX, 235—237)[1].

Такая практика выглядит достаточно обыкновенной. Приняв
на вооружение ту или иную идеологическую доктрину, государственная власть обычно скупо разъясняет ее содержание, предпочитая истолкованиям многочисленные определения тавтологи-
ческого характера. Тем самым властные институции оставляют

---

[1] В единственной существующей монографии о теории официальной народности очень мало говорится об Уварове в отличие от более плодовитых Погодина
и Шевырева (см.: Рязановский 1967), а в единственной биографии Уварова достаточно скупо освещается его идейное наследие и куда подробней его практическая деятельность на министерском посту и вклад в организацию системы
образования в России (см.: Виттекер 1999). Даже в статье, специально посвященной идеологии Уварова (см.: Виттекер 1978), анализ основывается по преимуществу на воззрениях Уварова «либерального» периода, наиболее полно вы-
разившихся в его речи 1818 г. в Петербургском педагогическом университете
(о ней также см.: Пугачев 1964; Исамбаева 1990).

Портрет С. С. Уварова.
Литография М. Мухина

себе достаточную свободу маневра в решении вопроса, насколько те или иные проявления общественной жизни укладываются в заданные параметры. Кроме того, в отличие от оппозиции, власть как бы и не нуждается в подробной теоретической экспликации своих принципов, поскольку имеет возможность, по крайней мере в идеале, реализовать их в практической политике.

Соответственно, применительно к идеологии «православия — самодержавия — народности» наибольшей объяснительной силой должен был бы обладать документ, предшествующий ее высочайшей апробации, где ее создатель еще стоял бы перед необходимостью защищать и отстаивать свои взгляды.

Ценным дополнением к известному своду источников стал доклад Уварова Николаю I «О некоторых общих началах, могущих служить руководством при управлении Министерством Народного Просвещения», опубликованный М. М. Шевченко (см.: Уваров 1995). Наряду с уже известными формулировками, позднее повторенными в соответствующих отчетах и циркулярах, он содержит целый ряд положений, которые позволяют связать триаду с временем и обстоятельствами ее создания. Однако доклад этот, как явствует из пометы Уварова на обнаруженной М. М. Шевченко писарской копии, был представлен императору 19 ноября 1833 г. (Там же, 70), то есть через восемь месяцев после вступления Уварова в должность министра и через одиннадцать после самого раннего из известных нам упоминаний триады в отчете об инспекции Московского университета, написанном в декабре 1832 г. (Уваров 1875, 511). Несомненно, Уваров представлял здесь императору соображения, уже ранее получившие его одобрение. Как сообщает М. М. Шевченко, автографа доклада ему обнаружить не удалось. Можно предположить, что такого автографа и не существует. Большую часть своих сочинений Уваров писал по-французски, и они потом переводились и редактировались его сотрудниками.

Между тем черновой автограф французского письма Уварова Николаю I находится в том же фонде, что и документ, обнаруженный М. М. Шевченко (ОПИ ГИМ. Ф. 17. Оп. 1. № 98, 16—22 об.). Он несколько пространней и намного менее официален, чем окончательная версия доклада, и отличается от нее в некоторых немаловажных деталях. Кроме того, черновик этот написан в марте 1832 г., более чем за полтора года до представления доклада императору. Текст этого документа был опубликован нами в 1997 г. (см.: Уваров 1997; далее цитируется без дополнительных ссылок), и именно на нем мы будем основывать свою реконструкцию уваровского проекта для России.

Это самое раннее из всех известных упоминаний о триаде. Уваров только что получил должность товарища министра и поручение проинспектировать Московский университет. Учитывая преклонный возраст и слабое здоровье министра, графа К. А. Ливена, такое поручение свидетельствовало о высочайшем намерении передать Уварову, в случае успешного выполнения возложенной на него миссии, министерское кресло (см.: Рождественский 1902, 170—223).

Новоназначенный товарищ министра обратился к императору со своего рода меморандумом, где написал о своей «живейшей потребности открыть сердце» монарху, «повергнуть к Его стопам исповедание веры» и изложение принципов, которыми он намеревался руководствоваться в своей деятельности. Эти слова представляют собой не только дежурные формулы или ритуальную лесть, к которой Уваров был более чем склонен. Профессиональный карьерист и опытный администратор, он был, однако, одушевлен исключительно амбициозным проектом постепенного изменения умонастроений большинства подданных империи через институты народного просвещения и собирался таким образом формировать будущее России. «Или Министерство народного просвещения не представляет собой ничего, или оно составляет душу административного корпуса», — написал он Николаю, явно не опасаясь смутить своего адресата отчетливо выраженными претензиями на идейное лидерство во всем правительственном аппарате[1]. Нужный результат был Уваровым достигнут — ему удалось получить из рук императора мандат на реализацию собственных замыслов.

О таком одобрении говорит не только судьба самой триады. Некоторые, в том числе наиболее ответственные, фрагменты текста Уваров дословно или почти дословно повторил через полтора года в докладе «О некоторых общих началах...» и через десять лет — в отчете «Десятилетие Министерства народного просвещения...». Соображения, высказанные в письме, приобрели статус официальной доктрины — Уваров верно понял сокровенные чаяния императора и тонко уловил текущие потребности государственной политики.

По мнению Уварова, Россия могла рассчитывать на политическое исцеление, поскольку религиозные, политические и нравственные идеалы, распространения которых желала верховная власть, сами по себе сохранили силу в России. Тем не менее от правительства требовались решительные и продуманные действия, ибо эти идеалы «рассеяны преждевременной и поверхностной цивилизацией, мечтательными системами, безрассудными предприятиями, они разобщены, не соединены в единое целое, лишены центра, и более того на протяжении тридцати лет принуждены были противостоять людям и событиям».

Уваровская хронология в высшей степени примечательна. Упоминание о тридцати годах недвусмысленно отсылало к первым годам александровского царствования, которое, таким образом, отвергалось от начала и до конца со всеми его надеждами, разочарованиями, победами, неудачами и преобразовательными попытками, в которых сам Уваров принял посильное участие. Для характеристики политического стиля Александра I и его приближенных Уваров нашел формулу «административный сен-симонизм», которая поистине достойна того, чтобы войти в учебники.

---

[1] Необоснованными выглядят уже оспоренные В. А. Мильчиной и А. Л. Осповатом (1995, 21) утверждения Н. И. Казакова о том, что уваровская триада предназначалась исключительно для ведомственного использования по Министерству народного просвещения (Казаков 1989).

Уваровское определение указывает не столько на проективный размах нововведений александровской эпохи, сколько на их утопический азарт, кабинетный активизм, основанный на убежденности, что любая проблема поддается решению с помощью отвлеченных схем, бумажных проектов и бюрократических мероприятий[1]. В этом плане аракчеевские военные поселения действительно мало чем отличались от фаланстеров Сен-Симона. Связывая отвергаемый им стиль государственной политики с именем прославленного утописта, одного из последних наследников теоретического рационализма XVIII в., Уваров давал понять, что сам он намеревался следовать совершенно иной интеллектуальной традиции.

2

В меморандуме упомянуто только одно имя, но его выбор и самый характер упоминания заслуживают внимательного рассмотрения. Рассуждая о всеобщем смятении умов, вызванном Июльской революцией в Париже, Уваров, в частности, воскликнул: «Не провозгласил ли недавно с трибуны один из творцов [auteurs] июльской революции г. Гизо, человек, наделенный совестью и талантом: "У общества нет более политических, нравственных и религиозных убеждений"? Этот вопль отчаяния, непроизвольно вырывающийся у всех благонамеренных людей Европы, каких бы взглядов они ни придерживались, служит единственным символом веры, который еще объединяет их в нынешних условиях».

16 февраля 1832 г. (Уваров писал свое письмо в марте и, соответственно, откликался на самые последние парижские происшествия) во французской Палате депутатов обсуждался вопрос о государственных субсидиях католическим духовным семинариям. Радикальный депутат Одилон Барро, требовавший резкого сокращения таких субсидий, обвинил парламентское большинство, которое отнюдь не было прокатолически настроено, но выступало против этих требований из конъюнктурных соображений, в отсутствии у него твердых принципов. Ответное выступление Франсуа

---

[1] По наблюдению, сделанному в беседе с автором О. А. Проскуриным, сочетание утопизма и прожектерства с высокой степенью административной эффективности составляло характерную черту просвещенного бюрократа, формировавшегося в александровскую эпоху. Образцом здесь был Сперанский. Сам Уваров тоже принадлежал к этому типу правительственных функционеров.

Гизо, по оценке парижской газеты «Journal des debats», придало парламентским дискуссиям «величие и возвышенность», которого им так часто недостает» (Journal des debats. 1832. 17 fevr.).

Вспомните, господа, что недавно говорил наш достопочтенный коллега Одилон Барро, — заявил Гизо, — он с горечью жаловался нам на нетвердость наших принципов, он говорил, насколько я помню, что для многих умов уже нет ни добра ни зла, ни истины ни лжи, что они движутся, сами не зная, какое чувство их ведет.

Г-н Одилон Барро прав, и я считаю это зло столь же серьезным, как и он, но я полагаю, что он не осветил его целиком. Дело не только в том, что наши политические и моральные убеждения непрочны и неустойчивы, но и в том, что они вступают в противоречие с убеждениями куда более твердыми, <...> пусть и замкнутыми в узком кругу и принадлежащими небольшому числу людей, но зато более пылкими и, я не побоюсь сказать, фанатичными, чем те, которыми мы обладаем. <...> Нам приходится иметь дело как с революционными идеями, которые все еще пытаются пожрать общество, так и со старыми контрреволюционными верованиями, которые совсем не так слабы, как мы порой думаем, и еще полны энергии и опасности. Что противопоставим мы с нашими умеренными взглядами, я вас спрашиваю, двум враждебным партиям, чьи убеждения исполнены фанатизма и уже потому не заслуживают доверия.

Любовь к порядку, составляющую в наши дни во Франции поистине всеобщее чувство, и известный нравственный инстинкт порядочности и справедливости. Вот две единственные наши силы, два единственных верования: с любовью к порядку и инстинктом порядочного человека мы вступаем в борьбу с двойным фанатизмом, революционным и контрреволюционным.

(Гизо I, 386—387)

Уваров достаточно вольно перетолковал выступление Гизо, менее всего похожее на «вопль отчаяния». Полусогласие с обвинениями в отсутствии твердых принципов было для французского оратора всего лишь риторическим ходом, чтобы противопоставить инстинктивно верное нравственное чувство здравомыслящего большинства экзальтированной приверженности правых и левых доктринеров надуманным теориям. Уварова, однако, привлекла заявленная Гизо апология золотой середины, и он использовал его полемическую уступку для построения собственной политической модели. «Между предрассудками старыми, не признающими ничего, что не существовало, по крайней мере, полвека назад, и новыми, без жалости изничтожающими все, чему они идут на смену, и яростно нападающими на остатки прошедшего, лежит бесконечное расстояние — там и находится твердая почва, надежная опора, основание, которое не может нас подвести», — написал он императору в меморандуме. В Европе, по мнению Уварова, подобную разумную позицию занимают люди «благонамеренные», но пораженные драматическим ходом исторических событий и потерявшие ориентиры, чьим «символом веры» неминуемо должен стать «вопль отчаяния».

У нас нет сведений, чтобы судить о том, как относился к Гизо высочайший адресат уваровского письма. С одной стороны, разъяренный и напуганный Июльской революцией император не мог симпатизировать одному из ее лидеров, с другой — Гизо сделал немало, чтобы ввести народное возмущение в законные берега, и, что было особенно важно в России, категорически выступал против французского вмешательства в польский кризис, на котором настаивали парижские радикалы (Там же, 330—336). Кроме того, мы не знаем, сохранилось ли упоминание о Гизо в окончательном тексте, который мог в чем-то отличаться от черновика. Во всяком случае, приписывая одному из политических лидеров Франции отчаяние по поводу событий, происходивших в его стране, Уваров тем самым делал имя Гизо и его идеи хотя бы отчасти политически приемлемыми для своего корреспондента.

Подобные риторические приемы сильно напоминают снисходительную интонацию советской пропаганды по отношению к прогрессивным деятелям Запада, людям, «наделенным совестью и талантом», которые, будучи не в силах возвыситься до подлинного понимания закономерностей исторического процесса, все же глубоко и искренне бичевали язвы капиталистического общества. Если воспользоваться позднейшим выражением, для Уварова было важно «пробить» Гизо и, еще в большей степени, выдвинутую французским историком концепцию цивилизации.

Уваров, всегда исключительно внимательно следивший за культурной и политической жизнью Парижа, должен был уже давно обратить внимание на деятельность Гизо, обнаруживавшую неожиданные параллели с его собственной карьерой. В 1811 г., когда Уваров начал свою службу в Министерстве народного просвещения, Гизо основал журнал «Анналы образования», где излагал свои взгляды на создание национальной образовательной системы. В 1816 г. вышел написанный им вместе с П.-П. Руайе-Колларом, впоследствии также видным деятелем послеиюльской Франции, трактат, в котором говорилось об обязанности государства руководить образованием и реализовывать через образовательные институты принципы национального воспитания (см.: Джонсон 1963, 110—113) —

Страница первого номера «Журнала Министерства народного просвещения»

идея, в высшей степени близкая Уварову. По странному совпадению, в один год, в 1821 г., Гизо и Уваров были отлучены от деятельности на образовательной ниве из-за чрезмерного либерализма. Возвращение Гизо на университетскую кафедру в 1828 г. стало его человеческим и политическим триумфом. Тогда-то им и были с грандиозным успехом прочитаны курсы по истории цивилизации в Европе и специально во Франции. Курсы эти были изданы в 1828 и 1829 гг. отдельными книгами и содержали, помимо всего прочего, общую теорию цивилизации, составлявшую на тот момент последнее слово европейской исторической науки.

В 1834 г. открылся основанный Уваровым по примеру Гизо «Журнал Министерства народного просвещения», призванный стать проводником новой официальной политики. Уже в первой части журнала появилась вводная лекция из «Истории цивилизации в Европе», в которой излагались основные теоретические положения обоих курсов. Согласно Гизо, именно в развитии и совершенствовании цивилизации заключен прогресс человечества, ее передача из поколения в поколение составляет «общее предназначение человеческого рода» (Гизо 1834, 432). Цивилизация того или иного народа объединяет в себе «развитие деятельности общественной и развитие деятельности частной» (Там же, 441); с одной стороны, «его учреждения, торговлю, промышленность, войны, все подробности его управления», с другой — «религию <...>, науки, словесность, искусства» (Там же, 432—433). Ее присутствие обнаруживается «всюду, где расширяется, оживляется, улучшается внешнее положение человека, всюду, где внутренняя природа человека раскрывает свой блеск и величие свое» (Там же, 441). При этом, принадлежа отдельным народам, цивилизация оказывается и достоянием всего человечества. Для Гизо очевидно существование единой европейской цивилизации, историю которой он и пытался охватить общим взглядом, причем бесспорное лидерство в развитии этой цивилизации принадлежало, с его точки зрения, Франции.

В русском переводе, появившемся в «Журнале Министерства народного просвещения», ключевое понятие Гизо «civilisation» передано как «гражданское образование». Сама публикация носила название «Первая лекция Г-на Гизо из читанного им курса истории Европейского гражданского образования». Причем дело здесь не в затруднениях при подыскивании русского термина. Достаточно широко употребимое в то время слово «цивилизация» тоже несколько раз встречается в тексте. Порою переводчик был вынужден прибегать к удваиванию основного понятия: «С давних пор и во многих странах употребляют слово *цивилизация, гражданское образование*» (Там же, 434; в оригинале только «civilisation»), а в одном случае неверно выбранное местоимение, кажется, указывает на не до конца проведенную редакторскую правку: «существование цивилизации Европейской очевидно; в гражданском образовании разных государств Европы явно обнаруживается какое-то единство; она (так! — *А. З.*) проистекает из фактов почти одинаких» (Там же, 428).

Издатели журнала как бы расщепили основную категорию историософии Гизо надвое, условно говоря, на «дурную» цивилизацию и «хорошее» гражданское образование[1]. В своем меморандуме Уваров

---

[1] В письме автору от 6 января 1998 г. З. Бауман писал: «Одно примечание, касающееся двойного русского перевода civilisation. Из ваших исследований вытекает, что Уваров насосался главным образом немецкого молока и смотрел даже на французов через немецкие очки. До того, как ему пришлось почитать

подверг то, что он обозначил словом «civilisation», резкой критике. Он подчеркнул, что события 1830 г. «покончили» с одушевлявшей французского историка идеей общественного прогресса, застали врасплох именно «тех, кто тверже всего верил в будущее народов» и заставили их усомниться, «действительно ли то, что называют цивилизацией, есть путь к общественному благу». Риторика единомыслия («нет мыслящего человека, который...») предполагала, что и сам создатель концепции европейской цивилизации должен был хотя бы в некоторой степени пересмотреть свои прежние взгляды.

Терминологическая операция, проделанная в переводе лекции Гизо, оказалась на редкость продуктивной. За словом «цивилизация» закреплялось представление о неприемлемом для России социальном опыте. «Мы принуждены называть *Европой* то, что никогда не должно бы иметь никакого другого имени, кроме своего собственного: *Цивилизация*», — сформулировал эту позицию позднее Ф. И. Тютчев (II, 57). Вместе с тем власть получала возможность использовать все, что она считает для себя полезным, отнеся это к сфере гражданского образования.

Весьма вероятно, что Уваров лично редактировал перевод Гизо. Издание «Журнала Министерства народного просвещения» было важнейшим элементом плана нового министра по распространению положений выработанной им доктрины. Как наставлял читателей Уваров в предуведомлении к первому номеру, «Министерство вменяет себе в прямой и священнейший долг давать <...> полезное направление читателям своего Журнала, да удовлетворится истинных сынов Отечества справедливое желание знать, каким образом они могут лучше содействовать высоким намерениям Отца России» (Уваров 1834, VII). Совпадение упоминания Гизо в письме Уварова к императору с появлением его лекции в первой части нового журнала едва ли можно счесть случайным. В участии Уварова в подготовке этой публикации убеждают и два редакционных примечания к лекции.

_____

Гизо, образ процесса, о котором тот писал, уже сложился в его уме как Bildung, а это понятие лучше всего переводится на русский язык как *образование*. Кстати, "цивилизация" во времена Гизо была сходна по духу с "образованием". Это понятие (как и понятие культуры) родилось в конце XVIII в. для обозначения не состояния, но деятельности, задачи, творения, переработки, формирования. Только спустя многие годы цивилизацию, как и культуру, посчитали делом законченным (что-то вроде построенного социализма) и про первоначальный смысл понятия забыли. Так что, поясняя в чем дело, Уваров (или тот, кто был переводчиком), кажется, был прав». Ср.: Февр 1991, 270—281.

В обоих случаях недовольство комментатора порождают совершенно однотипные пассажи. Высказывание Гизо о том, что следы влияния французской цивилизации «видны во всех памятниках европейской литературы», было сопровождено существенной оговоркой: «Действие этого влияния повсеместно прекращается. Теперь в каждом народе созидается его собственная литература подобно тому, как и гражданское образование каждого народа должно совершаться согласно его собственным потребностям» (Гизо 1834, 440). Еще более раздраженную реакцию вызвало утверждение Гизо, что «нет почти ни одной великой идеи, ни одного великого начала гражданского образования, которые не через Францию распространились бы повсеместно». По мнению редакции, скорее всего принадлежащему непосредственно Уварову,

> автор увлекается свойственною французским писателям односторонностью. Это и будет продолжаться до тех пор, пока Франция не престанет считать себя средоточием всемирного просвещения. Но давно ли она сама познакомилась с ближайшей к ней страной — Германиею и была ли в состоянии воспользоваться плодами ее всеобъемлющей учености? После этого нам, Русским, непростительно принимать мнения Французских писателей за единственное руководство. У нас перед глазами все страны Европы, в том числе и собственное наше Отечество, столь мало известное иностранцам, а между тем приобретающее все большее влияние на судьбу ее. Гражданское образование народов Славянских совсем не входило в план г-на Гизо. <...> Верная, полная картина, конечно, еще долго будет ожидать искусного художника, который должен непременно знать всю Европу.
>
> (Там же, 430)

Упоминание о знакомстве Франции с «всеобъемлющей» немецкой «ученостью» относится к вышедшей в 1810 г. книге мадам де Сталь «О Германии», задача которой состояла в том, чтобы познакомить эгоцентрическую, по мысли автора, французскую культуру с сокровищами немецкого духа. Уваров общался с мадам де Сталь в Вене в 1807—1809 гг., в пору, когда она начинала работать над этим трудом (см.: Дурылин 1939). Но главное в обоих этих примечаниях состоит в другом. Франкоцентрическому взгляду Гизо на европейскую цивилизацию здесь противопоставлено представление о Европе как совокупности национальных культурных миров. Россия и славянские народы в целом возникают в этом рассуждении после Германии. Выдвигая на первый план идею русской народности, Уваров неминуемо должен был обратиться к опыту мыслителей, принадлежавших национальной культуре, которая первой вступила на путь сознательной борьбы с французской гегемонией.

3[1]

Связь уваровской триады с политической теорией немецкого романтизма была впервые обнаружена более семидесяти лет тому назад Г. Г. Шпетом, указавшим в самой общей форме на зависимость Уварова от идей романтиков и сопоставившим их, во многом наугад, с «государственным учением» немецкого историка Х. Лудена (Шпет 1989, 245—246; ср.: Луден 1811). Действительно, в достаточно широком кругу источников уваровской доктрины, охватывающем широкий спектр европейской антиреволюционной философии от Жозефа де Местра до Берка и Карамзина, политическое учение немецких романтиков играет ведущую роль.

По-видимому, основным источником, по которому Уваров осваивал это учение, были книги и лекции Фридриха Шлегеля. Уваров находился в Вене с 1807 до середины 1809 г. в одно время со Шлегелем. Там он познакомился с его братом Августом Шлегелем, который сопровождал мадам де Сталь и был консультантом ее книги «О Германии». Пятнадцатью годами позже, в 1823 г., А. Шлегель писал Уварову, ставшему к тому времени президентом Императорской академии наук: «Ваше превосходительство соблаговолили некогда ободрить мои ученые опыты вниманием, которым вы удостоили их в Вене, когда я имел честь пользоваться Вашим знакомством» (ОПИ ГИМ. Ф. 17. Оп. 1. № 86, 293). В своем венском дневнике, большие фрагменты из которого были опубликованы С. Н. Дурылиным, Уваров писал: «Я слышал, как госпожа де Сталь усиленно превозносила ум г. Ф. Шлегеля, но я недостаточно знаю его, чтобы убедиться в справедливости этих похвал. Оболочка всякого немецкого писателя настолько труднопроницаема, что нужно быть очень убежденным в выгодах подобного проникновения, чтобы браться за него» (Дурылин 1939, 236).

Настороженность, которой проникнут этот отзыв, не противоречила напряженной заинтересованности, с которой Уваров следил за деятельностью немецкого мыслителя. Как раз в 1808 г. вышла книга Шлегеля «О языке и мудрости индусов», в которой доказывалось, что индийская история, мифология, язык и литература не только лежат в основании всей европейской культуры, но и бесконечно превосходят все ее достижения своим внутренним совершенством (см.: Шлегель 1808; ср.: Шваб 1950; Вильсон 1964). Уваров

---

[1] Подробнее положения этого раздела см.: Зорин 1996.

послал экземпляр этой книги в Петербург Карамзину и рекомендовал ее Жуковскому (см.: Гиллельсон 1969, 51), а главное — глубоко проникся идеей развития востоковедческих штудий, которая с самого начала приняла у него отчетливо политическую окраску. Вернувшись в Петербург, он уже через год выступил с «Проектом Азиатской академии», ставшим фундаментом его научной карьеры. Широко ссылаясь на труд Шлегеля, Уваров наметил перспективу превращения российской столицы во всемирный центр востоковедческих исследований. В проекте он основывал свои замыслы не только на географическом положении и политических интересах России, но и на необходимости вернуть современную цивилизацию к ее подлинным и незамутненным истокам (см., напр.: Рязановский 1960; Виттекер 1978).

Уже девятью годами позднее Уваров писал М. М. Сперанскому: «Основание и распространение *восточных языков* должно произвести и распространение здравых понятий об Азии в ее отношениях к России. Вот <...> новый источник национальной политики, долженствующий спасти нас от дряхлости преждевременной и от европейской заразы» (Уваров 1896, 158). Ф. Шлегель оказался в числе европейских знаменитостей, которым был послан проект, и очень сочувственно на него отозвался. «План вполне соответствует как величию столицы Российской империи, так и множеству вспомогательных средств, имеющихся в Вашем распоряжении. Если бы такое предприятие действительно состоялось, это позволило бы надеяться на воплощение всего того, что во всех остальных столицах европейского континента пока неосуществимо», — отвечал он Уварову в апреле 1811 г. (ОПИ ГИМ. Ф. 17. Оп. 1. № 86, 298—299 об.). Очевидно, он вполне оценил и одобрил политическую направленность проекта.

Шлегель обещал Уварову содействие в распространении сведений о его замысле в Австрии и Германии, а вскоре прислал ему свой «Курс лекций по новейшей истории», прочитанный в Вене в 1810 г. и изданный на следующий год. «Конечно, в этих лекциях я ориентировался прежде всего на моих немецких слушателей. Однако я надеюсь, что этот труд окажется не вовсе лишенным общего интереса для всех просвещенных народов. Я был бы очень рад, если бы этот опыт привлек внимание столь просвещенного знатока наук и истории», — писал он в сопроводительном письме (Там же, 300). Политическая философия немецкого мыслителя была здесь развернута на широчайшем историческом материале. Эту книгу Уваров также отослал Карамзину, полагая, что для историографа, трудившегося в то время над «Историей государства Российского», опыт немецкого собрата может оказаться полезным. Карамзин отнесся к творчеству Шлегеля куда более прохладно, усмотрев в его националистических идеях погоню «за призраком новых мыслей» и «исторический мистицизм» (Гиллельсон 1969, 52).

Уваров, как и Карамзин, был просвещенным консерватором и принадлежал в ту пору к тому же флангу русской общественной мысли. Энтузиазм, который вызвал у него шлегелевский «исторический мистицизм», отразил важный поколенческий сдвиг в развитии русского консерватизма, оказавший неоценимое влияние на становление национального самосознания, а в будущем и на весь облик официальной идеологии Российской империи. Как это нередко бывает, случайные биографические факторы оказались здесь неотделимы от глубинных исторических процессов.

Время общения Уварова и Шлегелей было в истории Австрии совершенно особым периодом. Атмосфера этих месяцев всецело определялась ожиданием военного столкновения с Наполеоном. Антинаполеоновская коалиция, сложившаяся в ту пору в Вене, причудливо объединяла едва ли не противоположные силы — осколки французского ancien régime, аристократическую эмиграцию и молодых немецких националистов. Впоследствии Уваров сам писал о том, что «этот крестовый поход объединил все независимые салоны и все народы, не втянутые в орбиту Великого капитана» и что тогдашних союзников не сплачивал «никакой общий символ веры, кроме свержения имперской тирании» (Уваров 1848, 96—97).

Шлегель по самому складу выработанной им к тому времени философской системы был естественным лидером этого странного альянса. Он был приглашен в Вену главой военной партии при австрийском дворе графом И.-Ф. Стадионом для чтения курса публичных лекций по истории, которые должны были способствовать становлению национального самосознания среди немецкой публики. Курс этот, составивший основу посланной им Уварову книги, не состоялся в Вене в 1809 г. из-за начавшейся войны и был прочитан уже на следующий год после поражения. С началом военных действий Шлегель получил должность придворного секретаря и был прикомандирован к штабу армии, где издавал газету «Österreichische Zeitung» и писал прокламации, в которых убеждал всех немцев, что Австрия ведет войну за немецкое дело и только благодаря Австрии Германия может обрести независимость и свободу (Лэнгсэм 1936, 40—64).

В основе политических взглядов Шлегеля тех лет лежала концепция нации как целостной личности, единство которой основано на кровном родстве и закреплено общностью обычаев и языка. В «Философских лекциях 1804—1806 годов», книге, дающей наиболее полное и развернутое изложение его системы взглядов тех лет, говорится:

> Понятие нации подразумевает, что все ее члены составляют единую личность. Чтобы это стало возможным, все они должны иметь общее происхождение. Чем древнее, чище и менее смешана с другими раса, тем больше будет у нее общих обычаев. А чем больше таких обычаев и чем больше приверженности к ним она проявляет, тем в большей степени из этой расы образуется нация. В этой связи величайшую важность имеет язык, ибо он служит безусловным доказательством общего происхождения и скрепляет нацию самыми живыми и естественными узами. Наряду с общностью обычаев, язык является сильнейшей и надежнейшей гарантией того, что нация проживет многие века в нерушимом единстве.
>
> (Шлегель II, 357—358)

Шлегель разделял этнос («расу») как естественную общность и «нацию», возникающую на основе этноса как политическое образование. Эта собирательная личность и должна была образовывать государство. Идеал национального государства Шлегель видел в средневековой сословной монархии, где единство народного организма обеспечивалось его разделением на корпорации. По мнению философа, национальное возрождение и объединение Германии должно было происходить вокруг Австрии, в наибольшей степени сохранившей средневековые государственные институты: древнюю аристократию, династию Габсбургов и католическую церковь. На заре своего увлечения национальными идеями в написанном в 1803 г. «Путешествии во Францию» Шлегель сетовал, что мировой центр католической религии находился в Италии, а не в Германии. Теперь он был готов примириться с этим, поскольку видел в Габсбургах естественных лидеров католического мира (Там же; ср.: Мейнеке 1970).

Очевидна зависимость этих идей от философии Гердера, с одной стороны, и Руссо и идеологов французской революции — с другой. Однако, в отличие от Гердера, Шлегель переносит акцент в понимании «народа» с культурно-духовных факторов на политические. Напротив того, от французских мыслителей Шлегель отличается тем, что видит в Nation не участников общественного договора, но продукт органического развития. Соответственно, государство он понимает естественно-исторически, как непосредственное выражение народной истории.

12*

Шлегелевская интерпретация идеи национального государства была в ту пору явлением достаточно своеобразным. В Европе начала XIX в. идея эта была по преимуществу достоянием либеральной мысли и служила боевым лозунгом для разрушения или реформирования сословно-династических режимов, господствовавших в Европе. Понимание нации как основы государственного строительства помогало требовать ликвидации сословных перегородок, оформления институтов народного представительства и т.п. Один из самых заметных реформаторов тех лет, прусский государственный деятель барон Г.-Ф. Штейн в конце 1812 г. писал: «В это мгновение великих изменений мне совершенно безразличны все династии. Мое желание состоит в том, чтобы Германия стала великой и сильной и вновь обрела свою самостоятельность, независимость и народность [Nationalität]» (Штейн III, 818).

В это время Штейн при содействии российского двора занимался объединением всех сил в Германии, которые могли бы содействовать пробуждению в немцах национального духа и анти-

Портрет Г.-Ф.-К. Штейна.
Рисунок С. С. Уварова

французских настроений. Уваров также играл определенную роль в осуществлении этих планов. Со своего пребывания в Вене он сохранил глубокую приверженность делу немецкого национального возрождения, и Штейну даже приходилось давать ему уроки русского патриотизма. В сентябре 1812 г., почти сразу же после Бородинской битвы, он не без удивления писал жене из Петербурга: «Уваров только вернулся в город из своей подмосковной деревни. Он как всегда дружелюбен, обязателен, услужлив и очень сочувствует Германии, но ему здесь не нравится, и я стараюсь примирить его с его родиной, поскольку он должен пока здесь оставаться и жить среди своих соотечественников и поскольку он может принести пользу своей родине своими познаниями и своим в высшей степени достойным образом мыслей» (Там же, 751).

Подобные настроения не были у Уварова данью минуте. Практически во всех его письмах к Штейну 1812—1814 гг. прослеживается глубокая озабоченность будущим Германии, где, как он надеялся, «драгоценный цветок национальности [Nationalität] и свободы должен восстать из себя самого» (ОПИ ГИМ. Ф. 17. Оп. 1. № 86, прил., 1). В конце 1813 г. после Лейпцигской битвы, критикуя политику австрийского двора, Уваров в то же время писал Штейну: «Зрелище, которое являет собой Пруссия, может служить утешением за все. Этот народ должен сам стать первым народом в Германии. Это всеобщее и полное возрождение. Я убежден, что оно произведет во всех отношениях великие результаты. Нельзя в достаточной мере восхвалить народ, который пробуждается подобным способом» (Там же, 8). На фоне этих оценок особенно разительно выглядит пессимизм, который вызывала у Уварова современная русская действительность:

> Не скрою от Вас, что поездка за границу — это моя высочайшая надежда, которую я лелею на протяжении долгого времени. Все заставляет меня дорожить этой идеей: не только те настоящие терзания, связанные с делом, которым я здесь занят, я нахожу само это дело все более и более *неблагодарным* или, точнее говоря, все более и более *безнадежным.* <...> Это унизительный и почти бесполезный труд. Когда я думаю обо всех неудачах своей жизни, у меня возникает идея, что я никогда не пущу здесь корней и навсегда останусь *экзотическим* растением; против своей воли я прихожу к мысли, что должен был родиться Вашим *соотечественником* или, может быть, Вашим *сыном,* — но это мечта, я отказываюсь от нее и хочу от нее отказаться.
>
> (Там же, 12 об., 18 об.)[1]

---

[1] Два из восьми сохранившихся писем Уварова Штейну частично опубликованы: Пертц III, 692, 697; Уваров 1871а.

Перед нами возникает очень своеобразный психологический рисунок: молодой русский дворянин и бюрократ весьма высокого ранга, литератор, который говорит, думает и пишет преимущественно по-французски, в то же время ощущает себя немецким националистом. Уваров столкнулся в Вене с самой популярной и перспективной идеологией современности и был ею полностью заворожен. При этом, почерпнув ее из немецких источников, он на первых порах видел единственно подходящее место для ее воплощения в Германии. Как и полагалось человеку его круга и воспитания, он был, вероятно, вполне убежден, что Россия для этих идей еще не созрела, и даже «величественное зрелище, которое русская нация продемонстрировала миру и потомству», как писал ему в январе 1813 г. Шлегель (ОПИ ГИМ. Ф. 17. Оп. 1. № 86, 301 об.), не могло убедить его в обратном. Усвоенное от того же Шлегеля сочетание аристократизма и национализма делало Германию для Уварова куда более естественным полем для воплощения его идей, нежели собственное отечество.

Будучи человеком внешним по отношению к немецкой национальной проблематике, Уваров принял достаточно далекие и даже в некоторых отношениях враждебные явления за родственные. Идеи «свободы печати и торговли, просвещения в истинном смысле, мягкого духа правления, уничтожения устаревших форм», а также «ненависть к деспотизму и либеральный вкус к Прекрасному и Истинному», о которых Уваров писал Штейну (Там же, прил., 17 об.) легко уживались у него с шлегелевской имперской идеей. Он настолько не видел разницы между политическими программами или шире говоря, национализмами Шлегеля и Штейна, что уверенно рекомендовал Штейну Шлегеля как ведущего сотрудника в организации антинаполеоновского фронта немецких интеллектуалов который мог бы «оказать выдающиеся услуги» в организации народного образования в Пруссии (Там же, прил., 2). Вопреки ожиданиям Уварова, что его план «понравится» Штейну, тот отнюдь не пришел в восторг от сделанного ему предложения и, кажется, вообще не счел нужным на него откликнуться.

Впрочем, политические проекты Шлегеля и Штейна действительно обнаружили на том этапе одну общую черту — оба они не привели ни к каким осязаемым результатам. Кампания 1809 г., идеологом которой был Шлегель, окончилась провалом. Убедить общественное мнение германских государств, что австрийская империя выражает общенемецкие интересы, не удалось, и, кроме мятежного полковника Шилля, за Шлегелем и Стадионом никто не пошел. Не осуществились и намерения Штейна создать после на полеоновских войн федерацию германских государств под патронажем Пруссии. Союзные государи отвергли национальный принцип государственного строительства, сделав выбор в пользу легитимизма. Меттерних, взявший в свои руки руководство австрийской политикой и имевший огромное влияние на жизнь Европы, резко отрицательно относился к националистическим идеям, усматривая в них подрыв принципов, на которых строится всякая империя. То, что реформы Штейна заложили основу для бурного развития Пруссии и, в конечном счете, для объединения вокруг нее Германии, Уваров, естественно, предвидеть не мог.

Дальнейший ход европейской истории, революции и потрясения конца 1810-х — 1820-х гг., интервенции Священного союза свидетельствовали, что принципы легитимизма и народности вступают между собой во все более непримиримый конфликт. Эти исторические катаклизмы имеет в виду Уваров, когда говорит о произошедших со времени его отставки из Министерства народного просвещения в 1821 г. «событиях огромной важности, оказавших исключительно пагубное влияние на развитие просвещения в нашем отечестве <...> и еще более во всех странах Европы». Революции 1830 г. окончательно заставили приверженцев старого порядка занять глухую оборону. В этой ситуации у такого убежденного сторонника исторического компромисса, как Уваров, едва ли оставался иной выход, кроме как обратить свои взоры к России. Во многих отношениях Россия могла показаться даже более подходящим местом для реализации национально-имперской утопии, чем Германия. Она уже обладала государственным единством, к тому же центр господствующей церкви находился внутри империи, что избавляло приверженца идеи национальной религии от затруднений, с которыми встретился Шлегель. Правда, идея народности еще не получила в России своего определения и развития, но именно это обстоятельство и надлежало исправить с помощью налаживаемой системы образования.

4

«Общая наша обязанность состоит в том, чтобы народное образование, согласно с Высочайшим намерением Августейшего Монарха, совершалось в соединенном духе Православия, Самодержавия и народности», — писал Уваров в циркуляре, разосланном по учебным округам 21 марта 1833 г. в связи с его вступлением в должность министра народного просвещения (Уваров 1834a, IL). Православие естественно, открывало этот перечень. В своем меморандуме на высочайшее имя Уваров так же начал характеристику своей триады с разговора о ее религиозной составляющей:

> Без народной религии народ, как и частный человек, обречен на гибель; лишить его своей веры — это значит исторгнуть его сердце, его кровь, его внутренности, это значит поместить его на низшую ступень нравственного и физического порядка, это значит его предать. Даже народная гордость восстает против подобной мысли, человек, преданный своему отечеству, столь же мало согласится на утрату одного из догматов господствующей церкви, сколько и на похищение одного перла из венца Мономаха.

Этот пассаж, видимо, показался Уварову настолько удачным, что он почти без изменений включил его через полтора года в доклад «О некоторых общих началах...» (Уваров 1995, 71) и через одиннадцать — в отчет о деятельности министерства под его руководством (Уваров 1864, 32). Но самые сильные выражения, употребленные здесь автором, не могут скрыть его очевидного конфессионального индифферентизма. Несмотря на риторическую эмфазу, Уваров заведомо не упоминает о божественной природе православия. Оно значимо для него не в силу своей истинности, но в силу своей традиционности. Характерное сравнение с «венцом Мономаха» ясно свидетельствует о — возможно, полуподсознательном — стремлении легитимировать церковь через символику государственной власти и народной истории.

Обращение к французскому подлиннику дает еще более выразительную картину. Православие здесь вообще *ни разу* не упомянуто. Французский язык предоставлял в распоряжение автора по меньшей мере три способа обозначить свою религию и свою церковь: «orthodoxie [православие]», «église grecque [греческая церковь]», «chrétiennité orientale [восточное христианство]». Между тем Уваров устойчиво выбирает формулы «réligion national [национальная религия]» и «église dominante [господствующая церковь]». Именно словосочетание «национальная религия» появляется при самом перечислении триады. В русской версии текста в докладе «О некоторых общих началах...», где в перечне элементов триады фигурирует уже православие, в соответствующем абзаце упоминается «любовь к Вере предков» (Уваров 1995, 71). Ясно, что Уваров решительно безразлично, о какой именно вере и какой церкви идет речь, если они укоренены в истории народа и политической структуре государства.

Личная религиозность самого Уварова также была весьма относительной. М. Д. Бутурлин с негодованием приводил одну из его французских острот о русском духовенстве, имевшую хождение в Санкт-Петербурге: «Эта каста все равно как брошенный оземь лист бумаги, как бы его ни топтали, а раздавить нельзя» (Бутурлин 1901, 411; перевод принадлежит Бутурлину). Можно предположить, что Уваров отводил православию как религиозному принципу функциональную роль, поскольку оно было подчинено принципу государственному — самодержавию. Однако и самодержавие толкуется в меморандуме в значительной степени сходным образом.

Еще в 1814 г. в брошюре «Александр и Бонапарт» Уваров выражал несбывшуюся надежду на то, что на развалинах империи Наполеона короли и народы совершат «взаимное пожертвование самовластием и народной анархией» (Уваров 1814, 14). В 1818 г. в своей речи в торжественном собрании Петербургского педагогического института, вызвавшей немалый общественный резонанс, он, сочувственно цитируя английского публициста Т. Эрскина, назвал политическую свободу «последним и прекраснейшим даром Бога» (Уваров 1818, 41; ср.: Пугачев 1967, 43—44). Конечно, эти надежды относятся к эпохе уваровского либерализма. Желчный Н. И. Греч даже написал, что за речь в Педагогическом институте Уваров «впоследствии сам себя посадил бы в крепость» (Греч 1930, 365). Но и в 1830-е гг., уже при новом императоре, уваровская апология самодержавия отдает характерной неуверенностью:

> Мощь самодержавной власти представляет необходимое условие существования Империи в ее настоящем виде. Пусть политические мечтатели (я не говорю о заклятых врагах порядка), сбитые с толку ложными понятиями, выдумывают себе идеальное положение вещей, поражаются видимости, воспламеняются от теорий, одушевляются словами, мы можем им ответить, что они не знают страны, заблуждаются относительно ее положения, ее нужд, ее желаний. <...> Приняв химеры ограничения власти монарха, равенства прав всех сословий, национального представительства на европейский манер, мнимо-конституционной формы правления, колосс не протянет и двух недель, более того, он рухнет прежде, чем эти ложные преобразования будут завершены.

(Ср.: Уваров 1995, 71; Уваров 1864, 33)

В этом письме Уваров не просто обращался на высочайшее имя. Он писал монарху, глубоко верившему в свое божье помазание. И все же он не произнес ни одного слова ни о провиденциальной природе русского самодержавия, ни о его безотносительных достоинствах. Самодержавие, по Уварову, лишь «необходимое условие существования Империи», да еще именно «в ее настоящем виде» — формула, по крайней мере не исключающая возможности того, что когда-нибудь в будущем самодержавный монарх уже не понадобится России. Императорская власть легитимирована здесь не божественной санкцией, но «положением», «нуждами» и «желаниями» страны, то есть представляет собой по преимуществу «русскую власть» так же как и православие интерпретируется прежде всего как русская вера. Тем самым два первых члена триады выступают в качестве своего рода атрибутов национального бытия и национальной истории и оказываются укоренены в третьем — пресловутой народности (о ранней истории понятия «народности» см.: Азадовский I 190—200; Лотман и Успенский 1996, 506—508, 555—556).

Если самодержавие является, по Уварову, «консервативным принципом», то народность не предполагает ни *движения назад* ни *неподвижности*; «государственный состав может и должен развиваться подобно человеческому телу», и именно принцип народности обеспечивает непрерывность этого развития, позволяя в то же время сохранить в неизменности «главные черты», присущие национальной личности. Ответственность за поддержание и распространение этого принципа лежит на правительстве и «в особенности» на созданной им системе народного образования.

Такого рода эволюционистские метафоры были нащупаны Уваровым еще в речи 1818 г.: «Теория правительства в сем случае походит на теорию воспитания. Не то достойно похвалы, которому удалось увековечить младенчество физическое или моральное то премудро, которое смягчило переходы от одного возраста к другому и, повинуясь закону необходимости, возрастало и зрело вместе с народом или с человеком» (Уваров 1818, 52). Теперь Уваров попытался наполнить эту схему конкретным содержанием. Развитие русской народности неминуемо должно было придать в более или менее отдаленном будущем нужные формы государственным институтам, а соответствующие правительственные органы, и прежде всего Министерство народного просвещения под бдительным руководством новоназначенного министра, должны были осуществлять контроль за правильностью направления этой эволюции.

Уваров вполне отдавал себе отчет в сложностях, с которыми связано введение столь современной и обоюдоострой категории, как народность, в основу государственной идеологии империи. Свидетель национальных революций в Европе, он признавал, что исторически принципы самодержавия и народности могли противоречить друг другу, но полагал, что, «каковы бы ни были столкновения [altercations], которые им довелось пережить, оба они живут общей жизнью и могут еще вступить в союз и победить вместе». В своем меморандуме он предпринял попытку наметить для России стратегию этой будущей победы.

5

Создавая свою трехчленную формулу, Уваров не мог не помнить о хорошо известных ему патриотических триадах Ф. Шлегеля — общность происхождения («раса»), обычаи, язык — и Шишкова — вера, воспитание, язык. Обе эти конструкции были созданы примерно в одни годы, на базе одной и той же руссоистско-гердеровской традиции и в сходных обстоятельствах — и Шлегель, и Шишков в преддверии решающего военного конфликта своих народов и империй с наполеоновской Францией пытались предложить национальную редакцию традиционалистских ценностей.

Расхождение авторов обеих триад в первом пункте продиктовано более всего конкретными политическими обстоятельствами. Сильный акцент на вере был так же неприемлем в Германии, разделенной на католические и протестантские области, как и требование общности происхождения — в Российской империи. Национально ориентированные мыслители порою мечтали увидеть этнические и религиозные меньшинства обращенными в православие и заговорившими по-русски, но они не могли рассчитывать, что те сольются в одну «расу» со славянским большинством.

Вторые составляющие обеих формул значительно ближе друг другу. «Обычаи» и «воспитание» — это вполне родственные понятия, особенно если придерживаться близкой Шишкову руссоистской концепции национального воспитания, собственно и состоящего в культивировании народных традиций. И все же разница в подходах немецкого и русского мыслителей очевидна. Шишков, который был еще во многом человеком XVIII в., верил в безграничную силу воспитания, полагая, что оно способно сделать отдельного человека членом народного тела или, напротив, «извергнуть» его оттуда. Между тем романтик Шлегель уповает на всецело надличностную и бессознательную механику обычая. Однако главное несходство между обеими триадами состоит в предмете определения. Если Шлегель перечисляет факторы, из которых складывается единство немецкой нации, то Шишков говорит о силах, которые способны заставить жителей страны ощутить себя частью государственного организма. Задачей Шишкова было указать на естественные источники патриотического чувства. Недаром, речь в «Беседе...», в которой он изложил свое понимание основных опор национального бытия, называлась «Рассуждение о любви к отечеству».

Шлегелевское понимание нации как основы идеальной империи было неприемлемо для Уварова не только из-за национальных и конфессиональных проблем[1]. Категория народности в ее романтическом изводе не могла быть применена и к собственно великоросской части населения.

Социальная и культурная грань, разделявшая высшее и низшее сословие, была в России первой половины XIX в. непреодолимой. Обнаружить у, скажем, дворянства и крестьянства какие бы то ни было общие обычаи было заведомо невозможно. С языком дело обстояло не более благополучно — достаточно сказать, что сам документ, утверждавший народность в качестве краеугольного камня русской государственности, был написан по-французски. Что до происхождения, то подавляющая часть древнего русского дворянства возводила свои генеалогии к германским, литовским или татарским родам. В такого рода генеалогических амбициях нет решительно ничего необычного — в традиционных обществах элита часто настаивает на своем иноземном происхождении, чтобы мотивировать иной, сравнительно с большинством, образ жизни. Так, например, во Франции идеолог дворянских привилегий А. де Буланвийе настаивал на германском происхождении французской аристократии, а его радикальный третьесословный оппонент аббат Э.-Ж. Сийес предлагал аристократам на этом основании убираться в тевтонские леса (Гринфельд 1992, 170—172).

Однако почти повсеместно идеи национального единства были направлены на подрыв сословных перегородок, нарушающих целостность народного организма. В конечном счете речь шла о трансформации традиционных имперских структур в институты национального государства. Именно в этом ключе понимали народность в декабристских и околодекабристских кругах во второй половине 1810-х — начале 1820-х гг. и в славянофильской среде в 1830—1850-е гг. вплоть до эпохи великих реформ (см.: Сыроечковский 1954; Цимбаев 1986; Егоров 1991). Уваров выдвигает тот же лозунг, чтобы на неопределенное время законсервировать существующее положение вещей. Подобная перемена задачи требовала глубокого переосмысления самой категории народности. В меморандуме такое переосмысление осуществлено с незаурядной изобретательностью и даже своеобразным изяществом.

---

[1] О политике, которую Уваров предлагал проводить по отношению к различным инородческим и иноверческим группам см.: Уваров 1864, 35—70; ср.: Виттекер 1999, 215—240.

Памятник Ивану Сусанину.
В. И. Демут-Малиновский. 1838.
Рисунок В. М. Васнецова

Не имея возможности основать свое понимание народности на объективных факторах, Уваров решительно смещает центр тяжести на субъективные. Его аргументация полностью лежит в сфере исторических эмоций и национальной психологии. Россия «еще хранит в своей груди убеждения религиозные, убеждения политические, убеждения нравственные — единственный залог ее блаженства, останки своей народности, драгоценные и последние гарантии своей политической будущности». По словам автора меморандума, «несколько лет специальных занятий» (исходя из известных фактов биографии Уварова, трудно сказать, в чем именно эти занятия заключались) позволяют ему «утверждать, что три великих рычага религии, самодержавия и народности составляют еще заветное достояние нашего отечества». Тем самым в основе народности оказываются убеждения. Проще говоря, русский человек — это тот, кто верит в свою церковь и своего государя.

Определив православие и самодержавие через народность, Уваров теперь определяет народность через православие и самодержавие. В формальной логике такая фигура называется порочным кругом, но идеология строится по качественно иным законам, и рискованный риторический пируэт оказывается несущей основой всей конструкции новой официальной доктрины. Ход мысли, продемонстрированный Уваровым, имел в высшей степени долговременные последствия для идеологии русской государственности.

Действительно, если русским может быть только член господствующей церкви, исповедующий «национальную религию», то исключенными из народного тела оказываются старообрядцы и сектанты в низших слоях общества и обращенные католики, деисты и скептики — в высших. Точно так же, если народность необходимо предполагает приверженность самодержавию, любым конституционалистам и паче того республиканцам автоматически отказывается в праве быть русскими.

Трудно не обратить внимание на родство этих подходов с разработанной коммунистическим режимом моделью «советского человека», которому предписывался жестко заданный набор взглядов и убеждений. «Несоветский человек» в этой идеологической системе заведомо не мог быть частью народа и объявлялся «отщепенцем». В начале XIX столетия для обозначения того же явления употреблялось слово «изверг».

Сама эта параллель заставляет еще раз обратиться к шишковистской концепции народного тела. Задолго до Уварова Шишков интересовался не столько объективизированными критериями единства нации, сколько идеологическими инструментами, способными объединить эту нацию в общем порыве поверх сословных и иных барьеров. Многим современникам Уварова и Шишкова, как и позднейшим исследователям, казалось, что их теоретические построения связаны отношениями прямой преемственности.

> Шишков не определял для себя трех главных идей всей своей жизни, тем еще менее не определял их никакими словами, и, невзирая на то, он, так сказать, бессознательно первый воплотил в себе тричастный русский символ «православие — самодержавие — народность», который потом сделался в одно и то же время программою царствования императора Николая, девизом гр. Уварова и, наконец, надписью на знамени позднейших славянофилов, —

писал, например, Д. Н. Свербеев (1871, 178).

Однако за внешними сходствами двух идеологических систем скрываются куда более глубинные различия. Шишков и его единомышленники выдвигали программу национальной мобилизации. Эффективная на период военных действий, она не предлагала для мирного времени ничего, кроме сохранения на неопределенное время мобилизационного режима со всеми присущими ему эксцессами. Речь шла о тотальной изоляции России, «стене», которую надо было воздвигнуть между благочестием и развратом, и непримиримой борьбе с враждебным влиянием и всеми, кто мог ему поддаться и отпасть от народного тела. Не случайно с окончанием войны и Шишков и Ростопчин были отстранены от своих постов.

Напротив того, Уваров находился не в предвоенной, а в послевоенной ситуации, и ему предстояло вырабатывать идеологическую стратегию мирного, эволюционного развития. При этом он решительно не стремился к безусловной изоляции России от Запада. Уваров так горячо воспринял и так пристрастно перетолковал парламентское выступление Гизо именно потому, что оно давало возможность подступить к основной задаче, которую он перед собой ставил. Речь шла о создании идеологической системы, которая сохранила бы за Россией возможность и принадлежать европейской цивилизации, вне которой Уваров не мыслил ни себя, ни своей деятельности на посту министра народного просвещения, и одновременно отгородиться от этой цивилизации непроходимым барьером.

В формулировке Уварова дилемма состояла в том, «как идти в ногу с Европой и не удалиться от нашего собственного места, <...> каким искусством надо обладать, чтобы взять от просвещения лишь то, что необходимо для существования великого государства, и решительно отвергнуть все то, что несет в себе семена беспорядка и потрясений?». Долгие десятилетия российская власть будет задаваться вопросом, каким образом заимствовать цивилизационные достижения Запада в отрыве от породившей их системы общественных ценностей.

Уваров был начисто лишен свойственного Шишкову миссионерского запала. Он вовсе не желал коренной ломки воспитания и образа жизни образованных сословий, включая изгнание из его быта столь возмущавшего Шишкова французского языка. Он лишь стремился вменить подданным Российской империи православие и самодержавие в качестве предметов для обязательного почитания.

Как справедливо заметил М. М. Шевченко, Уваров в своей формуле, «по сути, перефразировал старинный военный девиз "За Веру, Царя и Отечество!"» (Шевченко 1997, 105). Однако самый характер перефразировки обнаруживает суть уваровского подхода. Конкретные, эмоционально ощутимые патриотические символы, за которые солдат должен идти в бой, сменяются здесь историческими институтами национальной жизни и абстрактными принципами. Задачей всей системы народного образования становилось разъяснение и утверждение этих принципов и этих институтов, как писал Уваров, «не в форме похвальных слов правительству, которое в них не нуждается, но как вывод рассудка, как неоспоримый факт, как политический догмат, обеспечивающий спокойствие государства и являющийся родовым достоянием всех и каждого».

Таким образом идеологическое обеспечение государственной политики переводилось из горячего режима в холодный, превращая мобилизационные лозунги в программу рутинной бюрократической и педагогической работы. Аналогичным образом истолкованы в меморандуме и источники угрожающих империи опасностей, и характер предлагаемых мер по их устранению.

6

Свое письмо императору Уваров начал с воспоминаний о своей предшествующей карьере в Министерстве народного просвещения. В 1811 г. он, благодаря женитьбе на дочери тогдашнего министра графа А. К. Разумовского, получил блистательную для двадцатипятилетнего молодого человека должность попечителя Санкт-Петербургского учебного округа. На этом месте он проявил себя энергичным и умелым администратором (см.: Виттекер 1999; ср.: Шпет 1989), о чем, разумеется, Николай был хорошо осведомлен. Не были секретом для него и причины отставки Уварова в 1821 г., также дававшие основания для не лишенных парадоксальности параллелей с обстоятельствами его нового назначения.

Начинать свою деятельность Уварову предстояло с ревизии Московского университета. Проверка высшего учебного заведения, давшего самые серьезные основания для подозрений в неблагонадежности — совсем недавно среди студентов были проведены аресты, — служила отчетливым симптомом перемены курса (см.: Герцен VIII, 135—148). Эта ситуация имела в недавней истории хорошо просматривавшийся прецедент.

В 1819 г. поручение провести инспекцию Казанского университета было дано М. Л. Магницкому. Результатом его деятельности стал не только разгром университета, но и начало репрессий во всей

образовательной системе России, не обошедших и любимое детице Уварова — Санкт-Петербургский университет. По инициативе
креатуры Магницкого Д. П. Рунича оттуда были изгнаны ведущие
профессора — К. И. Арсеньев, А. И. Галич, Э. Раупах. Уваров безуспешно попытался тогда воспротивиться этим гонениям и был вынужден уйти в отставку (см.: Сухомлинов II, 382—386; Виттекер
1999, 88—99), а некоторые из уволенных профессоров были немедленно приняты в военные учебные заведения, подведомственные
великому князю Николаю Павловичу. Будущий император не скрывал своей неприязни к Магницкому и Руничу, которому он однажды попросил передать ироническую благодарность за заботу о кадрах Инженерного училища (Греч 1930, 381; ср.: Шильдер 1903 II,
60—62). Высылка Магницкого из Петербурга, как писал Н. И. Греч,
была «единственным делом, которое позволил себе Николай Павлович до вступления своего на престол» (Греч 1930, 383—384).

В 1831 г., за год до написания уваровского меморандума, Магницкий попытался выйти из политического небытия. Вместе с видным мистиком Александровской эпохи Андреем Голицыным они
подали Николаю I два тесно связанных между собой доноса, посвященных разоблачению глобального заговора иллюминатов, координировавшегося, по их мнению, из-за рубежа и пустившего глубокие корни в России (см.: Шильдер 1898/1899; подробнее: Гордин
1999). Вдохновителем и организатором деятельности иллюминатов
в России объявлялся Сперанский, некогда покровитель и друг Магницкого, который руководил в то время работой по созданию Свода законов Российской империи.

Вероятно, непосредственной причиной, спровоцировавшей создание доносов, были реформаторские предложения комиссии 6 декабря, которая к тому времени только успела завершить свою работу
(см.: Гордин 1999, 252—255). Однако писали Голицын и Магницкий
по преимуществу о делах двадцатилетней давности. По-видимому,
два опальных сановника решили привлечь к себе внимание, продемонстрировав свою осведомленность в миновавших событиях.

В доносе говорилось, что Сперанский «был принят в высокую
степень иллюминатства» во время Эрфуртского конгресса и что
«Вейсгаупту повелено было Наполеоном обратить свое внимание на
статс-секретаря Сперанского» (Шильдер 1898/1899, № 12, 524, 534).
В 1831 г. после Варшавского восстания, бывшего отзвуком Июльской революции во Франции, вновь приобрела актуальность
польская тема. По словам Магницкого, «торопливое и недозрелое

возмущение Польши при самом начале великого мятежа, который должен, по-видимому, вновь объять Европу, есть явный признак» деятельности «всеразрушительного союза иллюминатов» (Там же, № 1, 87). Однако и здесь аргументация доносчиков была основана на перипетиях ушедшей эпохи.

Магницкий утверждал, что в бумагах Сперанского «особенно важны разные проекты конституций для России, и особенно один, написанный рукой князя Чарторижского, равно как и то введение к сей обширной и великой работе, которое писал Сперанский, возвратясь из Эрфурта, где он был с государем и откуда, кажется, привез *разные* иноземные впечатления» (Там же, № 1, 82). Связь иллюминатов с поляками доказывалась тем, что «первым их действием» в 1794 г. было освобождение Т. Костюшко, поднявшего восстание против России, а их орудием внутри России уже в XIX в. была ложа польского аристократа Т. Грабянки, куда входили Сперанский и Ф. П. Лубяновский и которая влияла на императора через его фаворитку М. А. Нарышкину, польку по происхождению (Там же, № 2, 292—293, 298).

Расчет Магницкого и Голицына состоял в том, что император, чье царствование началось мятежом на Сенатской площади, а через пять лет столкнулось с революциями во Франции и Бельгии, польским восстанием, студенческими заговорами, едва ли мог остаться вовсе глух к подобным предостережениям. Поэтому они воспроизводили старые построения аббата Баррюэля, с успехом опробованные в 1812 г., в пору доносов на Сперанского, и в 1824-м, когда Фотию удалось свалить Александра Голицына. Любопытно, что Магницкий, сосланный в результате первой интриги, был, как и Андрей Голицын, деятельным участником второй.

Ни Николай, ни Уваров отнюдь не были чужды представлениям о разветвленном заговоре, координируемом из-за рубежа. Однако мифология эсхатологической схватки добра и зла, столь органичная во взвинченной атмосфере александровского мистицизма, не вызывала у них обоих ничего, кроме раздражения и отторжения. В уваровском меморандуме носителями революционного духа оказывались не одержимые служители «синагог Сатаны», а «умы, помраченные ложными идеями и достойными сожаления предрассудками». Уваров отчетливо разделял «заклятых врагов империи», с которыми можно справиться только репрессивными мерами, и «сбитых с толку ложными понятиями» «политических мечтателей», которых власть еще могла вернуть в лоно национальной жизни.

Такого рода задачу и призвана была решить уваровская триада, ставшая, по убедительному предположению Б. А. Успенского, полемическим переосмыслением самой знаменитой из трехчастных политических формул — лозунга французской революции «свобода — равенство — братство» (Успенский 1999). Если в баррюэлевской схеме заговору «софистов безбожия» соответствовала «свобода», то у Уварова ему призвано было противостоять православие. Ответом на заговор «софистов возмущения», проповедующий «равенство», стало самодержавие, а против заговора «софистов безначалия», покушающегося на основы общества и патриотическое чувство, была выдвинута народность, которая должна была занять в этой формуле место братства с его в равной степени неприемлемыми для российского монархиста космополитическими и масонскими импликациями (см.: Озуфф 1988).

После недолгого следствия, установившего полную лживость выдвинутых ими обвинений (см.: Гордин 1999), и Голицын, и Магницкий были отправлены в ссылку. Задачу борьбы с вольномыслием и революционной угрозой предстояло решать Уварову. В начале 1832 г. он находился в ситуации, в которой тринадцатью годами ранее был Магницкий, — на Уварова было возложено поручение разработать комплекс мер по искоренению крамолы, проникшей в высшее учебное заведение. Однако лавры фанатического обскуранта вовсе не прельщали его, и ему важно было доподлинно убедиться, что император не ждет от него ничего подобного и выбрал его не за тем, чтобы учинить в старейшем университете России погром на манер его незадачливого предшественника. «Именно в сфере народного образования надлежит нам прежде всего возродить веру в монархические и народные начала, но возродить ее без потрясений, без поспешности, без насилия. Довольно руин нас уже окружает — способные разрушать, что мы воздвигли?» — написал он Николаю в своем меморандуме. Упоминание о «руинах» выглядит здесь не только метафорой. Магницкий предлагал, не ограничиваясь разгоном, подвергнуть Казанский университет «публичному разрушению» (Загоскин II, 309).

В отчете об осуществленной им ревизии Уваров предложил бороться «против влияния так называемых *Европейских идей*» не с помощью репрессий, но внушая юношеству «наклонность к другим понятиям, к другим занятиям и началам, умножая, где только можно, число *умственных плотин*», которые бы направили энергию умов молодого поколения в русло, нужное правительству (Уваров 1875, 517).

В конце 1810-х гг. Уваров полагал, что спасти Россию от «европейской заразы» должно изучение Востока. Теперь он намеревался воздвигать «умственные плотины», способные изменить естественное течение мысли, «внушив молодым людям охоту ближе заниматься историей отечественной, обратив больше внимания на узнание нашей народности во всех ея различных видах». «Не подлежит сомнению, — развивал он свою мысль, — что таковое направление к трудам, постоянным, основательным, безвредным, служило бы некоторою опорою против влияния так называемых *Европейских идей*» (Там же).

Поощрение штудий и исследований в области русской истории было, по существу, единственным предложением позитивного характера, которое сумел выдвинуть Уваров. Прошлое было призвано заменить для империи опасное и неопределенное будущее, а русская история с укорененными в ней институтами православия и самодержавия оказывалась единственным вместилищем народности и последней альтернативой европеизации.

7

Выдвигая преданность церкви и престолу в качестве основополагающих характеристик русской народности, Уваров был вынужден исходить из того, что эти чувства объединяют «неисчислимое большинство» его соотечественников (Уваров 1995, 71), в то время как

безумное пристрастие к нововведениям без узды и разумного плана, к необдуманным разрушениям составляет в России принадлежность крайне незначительного круга лиц, служит символом веры для школы, столь слабой, что она не только не умножает числа своих приверженцев, но и ежедневно теряет некоторых из них. Можно утверждать, что в России нет учения менее популярного, ибо не существует системы, которая оскорбляла бы столько понятий, была бы враждебна стольким интересам, была бы более бесплодна и в большей степени окружена недоверием.

Казалось бы, при такой ситуации и при такой общественной динамике правительству не о чем и беспокоиться. Тем не менее Уваров готовился к тяжелой борьбе, относительно перспектив которой он был настроен далеко не оптимистично. Вопреки сказанному буквально двумя абзацами выше, среди факторов, ставивших под сомнение конечный успех его миссии, были названы «всеобщее состояние умов, и, в особенности, поколение, которое выходит сегодня из наших дурных школ и в нравственной запущенности которого мы, может быть, надо признаться, должны упрекнуть себя, поколение потерянное, если не враждебное, поколение низких верований, лишенное просвещения, состарившееся, прежде чем оно успело вступить в жизнь, иссушенное невежеством и модными софизмами, будущее которого не принесет блага отечеству».

Пораженческие ноты постоянно звучат в уваровском послании. Его миссия, как он сам ее осознавал, с одной стороны, укоренена в природе национального бытия, а с другой — бесконечно одинока и жертвенна. Уваров писал, что «до последнего» будет защищать «брешь», занять которую ему повелел император, и выражал опасения, что будет «превзойден силою вещей». Влиятельный сановник, призванный сформулировать и воплотить новую систему государственного самосознания, он по-прежнему ощущал себя «экзотическим цветком», не способным пустить корни в родной почве, как восемнадцатью годами ранее он характеризовал себя в письме к Штейну.

Описанная ситуация выглядит в достаточной мере парадоксальной. Откуда, при постулируемой Уваровым природной любви русского человека к коренным началам национального бытия, могло взяться поколение, облик которого определялся в выражениях, выглядящих сегодня почти цитатами из написанной шестью годами позднее «Думы» Лермонтова, и почему задача воспитания следующих поколений в духе русской народности представлялась будущему министру столь опасной и непосильной? Разумеется, значительную долю ответственности за такое положение нес доуваровский идеологический аппарат государства, своим попустительством и отсутствием продуманной политики позволивший злу проникнуть столь глубоко. И все же главная причина распространения антинациональных тенденций в другом.

Сама метафорика «умственных плотин» свидетельствовала о том, что Уваров намеревался перегораживать течение мысли, которое он сам же ощущал как естественное. По его мнению, Россия пока «избегла унижения», подобного тому, который переживала Европа после Июльской революции. Но самый оборот «n'a pas arrivé à ce point de dégradation [дословно: «не прибыла к тому же пункту упадка»]» свидетельствует, что он прозревал для нее аналогичное направление эволюции. Исполнено пессимизма и уваровское ощущение хрупкости государственного бытия России, и уже приводившееся здесь предположение, что в условиях преобразований империя не способна будет продержаться двух недель (ср.: Шевченко 1997, 105). По-видимому, считая европейский путь развития гибельным для страны, Уваров попросту не видел иного.

Как писал один из самых авторитетных исследователей национализма Бенедикт Андерсон, «официальный национализм — сознательный сплав нации и династической империи — развился *после* и *в качестве реакции* на массовые национальные движения, распространившиеся в Европе в 1820-е гг. <...> Потребовалась некоторая игра воображения, чтобы помочь империи вновь обрести привлекательность в националистической упаковке» (Андерсон 1994, 86—87). Соответственно, опыт западных nation-states с неизбежностью оказывался мерилом для любой реализации этой самой «народности» в исторической практике.

Интеллектуальная драма русского государственного национализма состояла в том, что ключевая для нее категория «национальности» или «народности» (nationalité, Volkstum) была выработана западноевропейской общественной мыслью для легитимации нового социального порядка, шедшего на смену традиционным конфессионально-династическим принципам государственного устройства. Уваровская триада объявляла краеугольными камнями русской народности именно те институты, которые народность призвана была разрушить — господствующую церковь и имперский абсолютизм. Выполняя политический заказ российской монархии, Уваров попытался совместить требования времени и консервацию существующего порядка, но его европейское воспитание оказалось сильней усвоенного традиционализма, и народность подчинила себе и православие, и самодержавие, превратив их в этнографически-орнаментальный элемент национальной истории.

Список сокращений

АГС — Архив Государственного совета

ВПР — Внешняя политика России XIX и нач. XX в. Документы российского Министерства иностранных дел. Сер. I

ЖМНП — Журнал Министерства народного просвещения

ИВ — Исторический вестник

НЛО — Новое литературное обозрение

ОПИ ГИМ — Отдел письменных источников Государственного исторического музея

ОР РГБ — Отдел рукописей Российской государственной библиотеки

ОР РНБ — Отдел рукописей Российской национальной библиотеки

ПСЗ — Полное собрание законов Российской империи

РА — Русский архив

РО ИРЛИ — Рукописный отдел Института русской литературы РАН

РС — Русская старина

СбРИО — Сборник Императорского русского исторического общества

СКРК — Сводный каталог русской книги гражданской печати. 1725—1800. Т. I—V. М., 1962—1967

ЧОИДР — Чтения в Императорском обществе истории и древностей российских

SEER — Slavonic and East European Review

SGECRN — Study Group on Eighteenth Century Russia. Newsletter

Источники и литература

Аверинцев 1980 — *Аверинцев С.С.* Волхвы // Мифы народов мира: Энциклопедия. Т. I: А—К / Под ред. С.А. Токарева. М., 1980.

Адрианова-Перетц I — Русское народное поэтическое творчество. Т. I: Очерки по истории русского народного поэтического творчества X — начала XVIII веков / Под ред. В.П. Адриановой-Перетц и др. М.; Л., 1953.

Азадовский I — *Азадовский М.К.* История русской фольклористики. Т. I. М., 1958.

Аксаков II —*Аксаков С.Т.* Собрание сочинений: В 4 т. Т. II. М., 1955.

Александр 1902 — Рескрипт Александра I графу Ростопчину по поводу письма его о слухах и беспорядках в провинции // РС. 1902. № 9.

Альтшуллер 1975 — *Альтшуллер М.Г.* Крылов в литературных объединениях 1800—1810-х годов // Иван Андреевич Крылов: Проблемы творчества / Под ред. И.З. Сермана. Л., 1975.

Альтшуллер 1984 — *Альтшуллер М.* Предтечи славянофильства в русской литературе. (Общество «Беседа любителей русского слова»). Ann Arbor, 1984.

Альтюссер 1969 — *Althusser L.* For Marx. Hammondsworth, 1969.

Альтюссер 1971 — *Althusser L.* Ideology and Ideological State Apparatuses // *Althusser L.* Lenin and Philosophy. London, 1971.

Андерсон 1989 — *Anderson M.S.* The Rise of Modern Diplomacy. 1450—1919. London, 1989.

Андерсон 1994 — *Anderson B.* Imagined Communites: Reflections on the Origin and Spread of Nationalism. London; N.Y., 1994

Арзамас I — «Арзамас»: Сб.: В 2 кн. Кн. I / Под общей ред. В.Э. Вацуро и А.Л. Осповата. М., 1994.

Арндт 1814 — [*Арндт Э.-М.*] Краткая и справедливая повесть о пагубных Наполеона Бонапарта промыслах, о войнах его с Гишпаниею и Россиею, о истреблении войск его и о важности нынешней войны. Книжка в утешение и наставление немецкому народу сочиненная. СПб., 1814.

Арнет 1869 — *Arned A. von.* Joseph II und Katarina von Russland. Ihr Briefwechsel. Wien, 1869.

Арнет III — *Arned A. von.* Maria Theresia und Joseph II. Bd. III. Wien, 1868.

Арно 1992 — *Arnaud C.* Chamfort. A biography. Chicago; London, 1992.

Арш 1970 — *Арш Г.Л.* Этеристское движение в России: Освободительная борьба греческого народа в начале XIX в. и русско-греческие связи. М., 1970.

Арш 1976 — *Арш Г.Л.* И. Каподистриа и греческое национально-освободительное движение 1809—1822 гг. М., 1976.

Баадер 1987 — *Baader F.X. von.* Sämtliche Werke. Bd. 6: Gesammelte Schriften zur Sozietätsphilosophie. Bd. 2 / Hrsg. F. Hoffmann. [Darmstadt], 1987.

Бакунина 1885 — Двенадцатый год в записках Варвары Ивановны Бакуниной // РС. 1885. № 9.

Бакунина 1967 — *Bakounine T.* Répertoire bibliographique des franc-maçons russes (XVIII et XIX siècles). Paris, 1967.

Баррюэль I—IV — *Barruel A.* Mémoires pour servir à l'Histoire du Jacobinisme. T. I—IV. Londres, 1797—1798.

Баррюэль 1805/1809 I—XII — [*Баррюэль О.*] Волтерианцы, или История о якобинцах, открывающая все противу христианские злоумышления и таинства масонских лож, имеющих влияние на все европейские державы. Ч. I—XII. М., 1805—1809.

Баррюэль 1806/1808 I—VI — [*Баррюэль О.*] Записки о якобинцах, открывающие все противухристианские злоумышления и таинства масонских лож, имеющих влияние на все европейские державы. Т. I—VI. М., 1806—1808.

Барсков 1915 — *Барсков Я.Л.* Переписка московских масонов XVIII века. 1780—1792. Пг., 1915.

Барсуков 1873 — *Барсуков А.* Князь Григорий Григорьевич Орлов. (1734—1783) // РА. 1873. Кн. I.

Барсуков IX — *Барсуков Н.П.* Жизнь и труды М.П. Погодина. Кн. IX. М., 1894.

Бартенев 1886 — Рассказы князя А.Н. Голицына. Из Записок Ю.Н. Бартенева // РА. 1886. № 3.

Бартенев 1892 — *П.Б.* [*Бартенев П.И.*] [Примеч. к: Сперанский. I. Пермское письмо Сперанского к Александру Павловичу. II. Оправдательная записка / Публ. Н.К. Шильдера] // РА. 1892. № 1.

Бартлетт 1981 — *Bartlett R.P.* Catherine II, Voltaire and Henry IV of France // SGECRN. 1981. № 9.

Бартон 1969 — *Barton P.F.* I.A. Fessler: vom Barockkatolizismus zur Erweckungsbewegung. Wien, 1969.

Баталден 1982 — *Batalden S.-K.* Catherine II's Greek prelate: Eugenious Voulgaris in Russia. 1771—1806. N.Y., 1982.

Баттерфилд 1968 — *Butterfield H.* The Balance of Power // Diplomatic Investigations: Essays in the Theory of International Politics / Ed. by H. Butterfield and M. Wight. Cambridge (Mass.), 1968

Батюшков I—II — *Батюшков К.Н.* Соч.: В 2 т. / Сост., подгот. текста, коммент. В. Кошелева, А. Зорина. М., 1989.

Бауман 1999 — *Bauman Z.* In Search of Politics. Stanford, 1999.

Бенкендорф 1929 — Гр. А.Х. Бенкендорф о России в 1827—1830 гг. (Ежегодные отчеты III отделения и корпуса жандармов) / Предисл. и публ. А. Сергеева // Красный архив. 1929. Т. 6 (37).

Бертье де Совиньи 1960 — *Bertier de Sauvigny G.* La Sainte-Alliance et l'alliance dans les conceptions de Metternich // Revue Historique. 1960. Vol. 223.

Бертье де Совиньи 1972 — La Sainte Alliance / Textes choisis et présentés par G. Bertier de Sauvigny. Paris, 1972.

Берштейн 1992 — *Bershtein E.* The Solemn Ode in the Age of Catherine: Its Poetics and Social Function // Poetics of the Text. Essays to Celebrate Twenty Years of the Neo-Formalist Circle / Ed. by J. Andrew. Amsterdam; Atlanta, 1992.

Бестужев-Рюмин 1859 — *Бестужев-Рюмин А.Д.* Краткое описание происшествиям в столице Москве в 1812 году / Сообщ. В. Чарыков // ЧОИДР. 1859. Кн. II. Отд. V.

Бетеа 1996 — *Бетеа Д.* Юрий Лотман в 1980-е годы: Код и его отношение к литературной биографии // НЛО. 1996. № 19.

Биберштейн 1976 — *Bieberstein J.R.* Die These von der Verschwörung 1776—1945: Philosophen, Freimaurer, Juden, Liberale und Sozialisten als Verschwörer gegen die Sozialordnung. Bern; Frankfurt, 1976.

Бобров 1798 — *Бобров С.* Таврида, или Мой летний день в Таврическом Херсонисе. Лиро-эпическое песнотворение. Николаев, 1798.

Бобров 1806 — *С. Б..в* [*Бобров С.С.*] Патриоты и герои везде, всегда и во всяком // Лицей. 1806. Ч. 2. № 3.

Богданович II — [*Богданович М.И.*] История царствования императора Александра I и России в его время. Т. II. СПб., 1869.

Бочкарев 1959 — *Бочкарев В.А.* Русская историческая драматургия начала XIX века (1800—1815 гг.). Куйбышев, 1959.

Бреннер 1947 — *Brenner C.D.* A bibliographical list of plays of the French Language. 1700—1789. Berkeley, 1947.

Брикнер 1891 — *Брикнер А.* Г.А. Потемкин. СПб., 1891.

Брольи I—II — *Broglie A.* The King's Secret: Being The Secret Correspondance of Louis XV with his Diplomatic Agents from 1752 to 1774. Vol. I—II. London; Paris; N.Y., 1870.

Брэ 1902 — Петербург в конце XVIII и в начале XIX века. (По бумагам графа Франца-Габриэля де Брэ) // РС. 1902. № 4.

Булгаков 1792 — [*Булгаков Я.И.*] Записки о нынешнем возмущении Польши. СПб., 1792.

Булгаков 1867 — Выдержки из записок Александра Яковлевича Булгакова / Сообщ. Н.С. Киселев // РА. 1867.

Бусанов 1992 — *Бусанов А.В.* Русская история в памяти крестьян XIX века и национальное самосознание. М., 1992.

Бутарик I — *Boutaric M.E.* Correspondance secrète inédites de Louis XV. Vol. I. Paris, 1866.

Бутурлин 1901 — Записки графа М.Д. Бутурлина // РА. 1901. № 11.

Бычков 1872 — В память графа М.М. Сперанского. Т. II / Под ред. А.Ф. Бычкова. СПб., 1872.

Бычков 1902 — Ссылка Сперанского в 1812 году. (Из бумаг академика А.Ф. Бычкова) / Сообщ. И.А. Бычков // РС. 1902. № 4.

Бычков 1902а — Пребывание Сперанского в Нижнем Новгороде и Перми. (Из бумаг академика А.Ф. Бычкова) / Сообщ. И.А. Бычков // РС. 1902. № 5.

Бюлер 1929 — *Bühler F.* Die geistigen Wurzeln der heiligen Allianz. Freiburg im Breisgau, 1929.

Вагеманс 1992 — *Waegemans E.* Un Belge dans les villages de Potemkine. Le Prince de Ligne dans la Russie de la Grande Catherine // Nouvelles Annales Prince de Ligne. 1992. Vol. VII.

Варнгаген фон Энзе 1859 — Граф Ф.В. Ростопчин. (Из Воспоминаний Варнгагена-фон-Энзе) // Московские ведомости. 1859. 2 окт. № 234.

Вебер 1872 — Записки о Петре Великом и его царствовании Брауншвейгского резидента Вебера / Предисл. и примеч. П.П. Барсова // РА. 1872. № 6.

Верещагин 1775 — *Верещагин И.* Ода на торжество заключенного мира, между Россиею и Оттоманскою Портою. [М.,] 1775.

Вернадский 1999 — *Вернадский Г.В.* Русское масонство в царствование Екатерины II / 2-е изд, испр. и расшир.; под ред. М.В. Рейзина и А.И. Серкова. СПб., 1999.

Веселовский 1904 — *Веселовский А.Н.* В.А.Жуковский. Поэзия чувства и «сердечного воображения». СПб., 1904

Виатт I—II — *Viatte A.* Les sourses occultes du Romantisme: Illuminisme — Théosophie. 1770—1820. Т. I—II. Paris, 1979.

Вигель II, IV — Записки Ф.Ф. Вигеля / Изд. «Русского архива», дополненное с подлинной рукописи. Ч. II, IV. М., 1892.

Вилбергер 1976 — *Wilberger C.H.* Voltaire's Russia: Window to the East. Oxford, 1976 [= Studies on Voltaire and Eighteenth Century. Vol. 164].

Вильсон 1964 — *Wilson L.A.* A Mythical Image. N.Y., 1964.

Виницкий 1998 — *Виницкий И.Ю.* Нечто о приведениях. Истории о русской литературной мифологии XIX века. М., 1998. [= Ученые записки Московского культурологического лицея. 1998. № 3/4 (6/7)].

Виноградов 2000 — Век Екатерины II: Дела балканские / Отв. ред. В.Н. Виноградов. М., 2000.

Висковатов 1883 — *Висковатов П.А.* Василий Андреевич Жуковский. Столетняя годовщина дня рождения // РС. 1883. № 1.

Витберг 1954 — Записки А.Л. Витберга // Герцен I.

Виттекер 1978 — *Whittaker C.H.* The Ideology of Sergei Uvarov: An Interpretative Essay // Russian Review. 1978. Vol. 37. № 2.

Виттекер 1978а — *Whittaker C.H.* The Impact of the Oriental Renaissance in Russia: The Case of Sergei Uvarov // Jahrbücher für Geshichte Osteuropas. Bd. XXVI. № 4.

Виттекер 1999 — *Виттекер Ц.Х.* Граф С.С. Уваров и его время. СПб., 1999.

Вольтер XIII — Œuvres complètes de Voltaire. Vol. XIII. Paris, 1785.

Вортман 1994 — *Wortman R.* Scenarios of Power. Myth and Ceremony in Russian Monarchy. Vol. I: From Peter the Great to Death of Nicholas I. Princeton, 1994.

Ври де Ганзбург 1941 — *Vries de Gunsburg I. de.* Catherine Pavlovna, Grande Duchesse de Russie. 1788—1819. Amsterdam, 1941.

Вудхаус 1973 — *Woodhouse C.M.* Capodistria. The Founder of Greek Independence. London; Oxford, 1973.

Вулф 1994 — *Wolff L.* Inventing Eastern Europe. Stanford, 1994.

Вяземский VII — Полн. собр. соч. князя П.А. Вяземского. Т. VII. СПб., 1882.

Галахов 1875 — *Галахов А.* Обзор мистической литературы в царствование Александра I // ЖМНП. 1875. № 11.

Гардзонио 1994 — *Гардзонио С.* Автографы поэтов-шишковистов в книгах РГБ // Маргиналии русских писателей XVIII века. СПб., 1994.

Гарднер 1971 — *Gardner B.* The East India Company. A History. London, 1971.

Гаспаров 1984 — *Гаспаров М.Л.* Очерк истории русского стиха: Метрика. Ритмика. Рифма. Строфика. М., 1984.

Гауеншильд 1902 — М.М. Сперанский (по Гауеншильду) / Сообщ. В.А. Бильбасов // РС. 1902. № 5.

Гейгер 1954 — *Geiger M.* Aufklärung und Erweckung. Zürich, 1954.

Герцен I, VIII — *Герцен А.И.* Собр. соч.: В 30 т. Т. I. М., 1954. Т. VIII. М., 1956.

Гизо 1834 — Первая лекция г-на Гизо из читанного им курса истории европейского гражданского образования // ЖМНП. 1834. Ч. I. № 3.

Гизо I — *Guizot F.* Histoire parlementaire de France. Vol. I. Paris, 1864.

Гиллельсон 1969 — *Гилельсон М.И.* Письма Н.М. Карамзина к С.С. Уварову // XVIII век. Сб. 8: Державин и Карамзин в литературном движении XVIII — начала XIX века. Л., 1969.

Гиллельсон 1974 — *Гиллельсон М.И.* Молодой Пушкин и арзамасское братство. Л., 1974.

Гиляров-Платонов II — *Гиляров-Платонов Н.* Из пережитого. Автобиографические воспоминания. Ч. II. М., 1886 [на обложке «1887»].

Гирц 1973 — *Geertz C.* The Interpretation of Cultures: Selected Essays. N.Y., 1973.

Гирц 1983 — *Geertz C.* Local Knowledge. London, 1983.

Гирц 1998 — *Гирц К.* Идеология как культурная система // НЛО. 1998. № 29.

Глинка 1807 — *Глинка С.* Пожарский и Минин, или Пожертвования Россиян. М., 1807.

Глинка 1812 — [*Глинка С.Н.*] Неизменность Французского злоумышления против России // Русский вестник. 1812. Кн. IX.

Глинка 1814 — [*Глинка С.Н.*] Воспоминания о московских происшествиях в достопамятный 1812 год, от 11 июля до изгнания врагов из древней русской столицы // Русский вестник. 1814. Кн. IX.

Глинка 1836 — Записки о 1812 годе Сергея Глинки, первого ратника московского ополчения. СПб., 1836.

Глушковский 1940 — *Глушковский А.П.* Воспоминания балетмейстера / Публ. и вступ. статья Ю.И. Слонимского; подгот. текста и комментарии А.Г. Мовшензона и А.А. Степанова; общ. ред. П.А. Гусева. М.; Л., 1940.

Гоголь I — *Гоголь Н.В.* Полн. собр. соч. Т. I. [М.,] 1940.

Голиков II — *Голиков И.* Дополнение к Деяниям Петра Великого. Т. II. М., 1790.

Гордин 1989 — *Гордин Я.* Право на поединок. Роман в документах и рассуждениях. Л., 1989.

Гордин 1991 — *Гордин М.* Владислав Озеров. Л., 1991.

Гордин 1999 — *Гордин Я.А.* Мистики и охранители. Дело о масонском заговоре. СПб., 1999.

Грелле де Мобилье 1874 — [*Грелле де Мобилье Э.*] Записки квакера о пребывании в России. 1818—1819 / Сообщ. И.Т. Осинин // РС. 1874. № 1.

Греч 1930 — *Греч Н.И.* Записки о моей жизни / Под ред. Иванова-Разумника и Д.М. Пинеса. М.; Л., 1930.

Гржибек 1995 — *Гржибек П.* Бахтинская семиотика и московско-тартуская школа // Лотмановский сборник. [Вып.] 1. М., 1995.

Гримстид 1969 — *Grimstead P.K.* The Foreign Ministers of Alexander I: Political Attitudes and the Conduct of Russian Diplomacy. Berkeley; Los Angeles, 1969.

Гринфельд 1992 — *Greenfeld L.* Nationalism. Cambridge (Mass.), 1992.

Грифитс 1970 — *Griffiths D.M.* The Rise and Fall of the Northern System: Court Politics and Foreign Policy in the First Half of Catherine II's Reign // Canadian Slavic Studies. 1970. Vol. 4. № 3.

Грот 1867 — *Грот Я.К.* Очерк деятельности и личности Карамзина // Сборник статей, читанных в Отделении Языка и словесности Императорской Академии наук. 1867. Т. I. № 10.

Грот 1997 — *Грот Я.К.* Жизнь Державина. М., 1997.

Гуковский 1927 — *Гуковский Г.* Из истории русской оды XVIII века (Опыт истолкования пародии) // Поэтика: Временник Отдела словесных искусств Государственного института истории искусств. [Вып.] III. Л., 1927.

Гуковский 1995 — *Гуковский Г.А.* Пушкин и русские романтики. М., 1995.

Давыдов 1856 — [*Давыдов И.И.*] Записки председательствующего о занятиях второго отделения академии в истекающем 1855 году. (Читано 3-го декабря 1855) // Известия Императорской академии наук по отделению русского языка и словесности. 1856. № V. Л. 1—4.

Данилевский 1980 — *Данилевский Р.Ю.* И.Г. Гердер и сравнительное изучение литератур в России // Русская культура XVIII века и западно-европейские литературы: Сб. статей. Л., 1980.

Делмен 1977 — *Dälmen R. van.* Der Geheimbund der Illuminaten. Stuttgart, 1977.

Державин I, III, IV, VI — Сочинения Державина / С объяснительными примеч. Я. Грота. Т. I, III, IV, VI. СПб., 1864—1871.

Дефорно 1965 — *Deforneau M.* Complot maçonnique et complot jésuitique // Annales historiques de la Révolution française. 1965. № 180.

Джейкоб 1991 — *Jacob M.S.* Living the Enlightenment. Freemasonry and Politics in Eighteenth Century Europe. N.Y.; Oxford, 1991.

Джеймесон 1981 — *Jameson F.* The Political Unconscious: Narrative as a Socially Symbolic Act. Ithaca, 1981.

Джонсон 1963 — *Jonson D.* Guisot. London, 1963.

Дмитриев 1871 — Письма И.И. Дмитриева к В.А. Жуковскому // РА. 1871.

Дмитриев 1986 — *Дмитриев И.И.* Сочинения / Сост. и коммент. А.М. Пескова и И.З. Сурат. М., 1986.

Дмитриев 1998 — *Дмитриев М.А.* Главы из воспоминаний моей жизни / Подгот. текста и примеч. К.Г. Боленко, Е.А. Ляминой и Т.Ф. Нешумовой. М., 1998.

Дмитриева 1996 — *Дмитриева Е.Е.* Обращение в католичество в России в XIX в. (историко-культурный контекст) // Arbor mundi. 1996. Вып. 4.

Добронравов 1913 — *Добронравов Г.* Последование молебного пения, певаемого в день Рождества Христова в воспоминание избавления Церкви и державы Российской от нашествия галлов и с ними двадесяти язык // Московские церковные ведомости. 1913. № 29—31.

Довнар-Запольский 1905 — *Довнар-Запольский М.В.* Политические идеалы М.М. Сперанского. [М.,] 1905.

Домашнев 1769 — *Домашнев С.* Ода победоносной Екатерине Второй <...> на одержанные славным оружием ее многократные над турками победы и на взятие Хотина под предводительством генерала князя Голицына. [СПб., 1769].

Домашнев 1770 — *Домашнев С.* Ода победоносной Екатерине Второй <...> на одержанную славным ее оружием совершенную над турецким флотом победу, произошедшую между острова Сцио и Чесменской пристани, под предводительством морских и сухопутных ее сил генерала графа Орлова в июне месяце, 1770 года. СПб., [1770].

Дорланд 1939 — *Dorland A.G.* The origins of the Treaty of Holy Alliance of 1815 // Transactions of the Royal Society of Canada. 1939. Vol. 23.

Достян 1972 — *Достян И.С.* Россия и балканский вопрос. Из истории русско-балканских политических связей в первой трети XIX в. М., 1972.

Дроз 1961 — *Droz J.* La légende du complot illuministe et les origines du romantisme politique en Allemagne // Revue historique. 1961. Vol. 226.

Дружинина 1955 — *Дружинина Е.И.* Кючук-Кайнарджийский мир 1774 года (его подготовка и заключение). М., 1955.

Дружинина 1959 — *Дружинина Е.И.* Северное Причерноморье в 1775—1800 гг. М., 1959.

Дубровин 1885—1889 — *Дубровин Н.* Присоединение Крыма к России. Рескрипты, письма, реляции и донесения. Т. I—IV. СПб., 1885—1889.

Дубровин 1895 — *Дубровин Н.Ф.* Наполеон I в современной ему русской литературе // Русский вестник. 1895. № 2, 4, 6, 7.

Дубровин 1895/1896 — *Дубровин Н.Ф.* Наши мистики-сектанты: Е.Ф. Татаринова и А.П. Дубовицкий // РС. 1895. № 10—12; 1896. № 1—2.

Дурылин 1932 — *Дурылин С.* Русские писатели у Гете в Веймаре // Литературное наследство. [Т.] 4/6. М., 1932.

Дурылин 1939 — *Дурылин С.* Госпожа де Сталь и ее русские отношения // Литературное наследство. Т. 33/34. М., 1939.

Дуси 1844 — *Дуси Г.* Записка об амазонской роте // Москвитянин. 1844. № 1.

Евгений 1775 — *Евгений (Булгарис).* Победная песнь на заключение торжественного мира <...> всероссийскою самодержицею Екатериною Второю с Оттоманскою Портою, по одержании над нею многочисленных побед на земли и на море. [М.,] 1775.

Егоров 1991 — *Егоров Б.Ф.* Эволюция национализма у славянофилов // Вопросы литературы. 1991. № 7.

Егоров 1996 — *Егоров Б.Ф.* Очерки по русской культуре XIX века // Из истории русской культуры. Т. V (XIX век). М., 1996.

Екатерина 1808 — Высочайшие собственноручные письма и повеления блаженной и вечной славы достойной памяти государыни императрицы Екатерины Великой к покойному генералу Петру Дмитриевичу Еропкину и всеподданнейшие донесения в трех отделениях, собранные и с высочайшего дозволения в печать изданные колежским советником Яковом Ростом. М., 1808.

Екатерина 1871 — Высочайшие рескрипты императрицы Екатерины II и министерская переписка по делам Крымским. Из семейного архива графа Виктора Никитича Панина. Ч. 1 // ЧОИДР. 1871. Кн. IV. Отд. II.

Екатерина 1874 — Рескрипты Екатерины Второй князю Потемкину / Сообщ. Ф.А. Бюлер; предисл. Е. Белова // РА. 1874. № 8.

Екатерина 1889 — Письма императрицы Екатерины II к Якову Александровичу Брюсу, во время путешествия ее величества в южные губернии в 1787 году. СПб., 1889.

Екатерина 1971 — Documents of Catherine the Great: The Correspondence with Voltaire and the *Instruction* of 1767 in the English text of 1768 / Ed. by W.F. Reddaway. N.Y., 1971.

Екатерина VIII — Сочинения императрицы Екатерины II / На основании подлинных рукописей и с примеч. А.Н. Пыпина. Т. VIII. СПб., 1901.

Екатерина и Потемкин 1997 — Екатерина II и Г.А. Потемкин. Личная переписка. 1769—1791 / Изд. подгот. В.С. Лопатин. М., 1997.

Екатерина Павловна 1888 — Письма великой княгини Екатерины Павловны / Читано в заседании Тверской ученой архивной комиссии 13 апреля 1888 года членом комиссии Е.А. Пушкиным. Тверь, 1888.

Ельчанинов 1906 — *Ельчанинов А.* Мистицизм М.М. Сперанского // Богословский вестник. 1906. № 1—2.

Ермолов 1895 — Памфлет Г.П. Ермолова на графа М.М. Сперанского / С предисл. Е.И. Соколова. М., 1895.

Жаринов 1911 — *Жаринов Д.А.* Первые войны с Наполеоном и русское общество // Отечественная война и русское общество / Ред. А.К. Дживелегова, С.П. Мельгунова, В.И. Пичета. Т. I. М., 1911.

Жаринов 1912 — *Жаринов Д.А.* Первые впечатления войны. Манифесты // Отечественная война и русское общество / Ред. А.К. Дживелегова, С.П. Мельгунова, В.И. Пичета. Т. III. СПб., 1912.

Жаринов 1912а — *Жаринов Д.А.* Впечатления от пожара и мнения современников // Отечественная война и русское общество / Ред. А.К. Дживелегова, С.П. Мельгунова, В.И. Пичета. Т. IV. М., 1912.

Жигарев 1896 — *Жигарев С.* Русская политика в восточном вопросе. (Ее история в XVI—XIX веках, критическая оценка и будущие задачи). Историко-юридические очерки. Т. I—II. М., 1896.

Жижек 1999 — *Жижек С.* Возвышенный объект идеологии. М., 1999.

Жирар 2000 — *Жирар Р.* Священное и насилие. М., 2000.

Жихарев 1955 — *Жихарев С.П.* Записки современника / Ред., статья и коммент. Б.М. Эйхенбаума. М.; Л., 1955.

Жуков 1866 — *Жуков И.Ф.* Разбор известий и дополнительных сведений о казни купеческого сына Верещагина 2 сентября в Москве // ЧОИДР. 1866. Ч. IV. Отд. V.

Жуковская, рукопись — *Жуковская А.В.* Летопись жизни и творчества В.П. Петрова. Рукопись.

Жуковский 1864 — Подлинные черты из жизни В.А. Жуковского // РА. 1864.

Жуковский 1883 — Письма В.А. Жуковского / Сообщ. К.К. Зейдлиц // РС. 1883. № 1.

Жуковский 1883а — Василий Андреевич Жуковский в его письмах. Второй период / Сообщ. К.К. Зейдлиц // РС. 1883. № 3.

Жуковский 1895 — Письма В.А. Жуковского к Александру Ивановичу Тургеневу / Изд. «Русского архива» по подлинникам, хранящимся в Императорской публичной библиотеке. М., 1895.

Жуковский 1902 II — Полн. собр. соч. В.А. Жуковского: В 12 т. / Под ред., с биограф. очерком и примеч. А.С. Архангельского. [Т.] II. СПб., 1902.

Жуковский 1904 — Уткинский сборник. [Вып.] I: Письма В.А. Жуковского, М.А. Мойер и Е.А. Протасовой / Под ред. А.Е. Грузинского. М., 1904.

Жуковский 1907 — Письма-дневники В.А. Жуковского.1814—1815 гг. / Под ред. П.К. Симони. СПб., 1907.

Жуковский I — *Жуковский В.А.* Полное собрание сочинений и писем. Т. 1: Стихотворения 1797—1814 годов / Ред. О.Б. Лебедева и А.С. Янушкевич. М., 1999.

Забаринский 1936 — *Забаринский П.П.* Первые «огневые машины» в кронштадском порту. (К истории введения паровых двигателей в России). М.; Л., 1936.

Забелин 1848 — Сыскное дело о ссоре межевых судей кн. В. Большого Ромодановского и дворянина Лариона Сумина / Предисл. И. Забелина // ЧОИДР. 1848. № 7.

Завадский 1993 — *Zavadski W.H.* Adam Czartoryski as a Statesman of Russia and Poland. Oxford, 1993.

Загоскин II — *Загоскин Н.П.* История Императорского казанского университета за первые сто лет его существования. 1804—1904. Т. II. Казань, 1902 [на обложке «1903»].

Западов 1976 — *Западов В.А.* К истории правительственных преследований Новикова // XVIII век. Сб. 11: Н.И. Новиков и общественно-литературное движение его времени. Л., 1976.

Зейдлиц 1883 — *Зейдлиц К.К.* Жизнь и поэзия Жуковского. По неизданным источникам и личным воспоминаниям. СПб., 1883.

Земскова 2000 — *Земскова Е.Е.* О роли языка в построении национальной утопии: «онемечивание» Кампе и «корнесловие» Шишкова // Философский век. [Вып.] 12: Российская утопия: От идеального государства к совершенному обществу: Материалы Третьей международной Летней школы по истории идей 9—30 июля 2000 г. СПб., 2000.

Зимний поход 1807 — Зимний поход русских и французов в 1806 и 1807 годах // Вестник Европы. 1807. Ч. XXXIV. № 13.

Зорин 1996 — *Зорин А.* Идеология «православия — самодержавия — народности» и ее немецкие источники // В раздумьях о России (XIX век). М., 1996.

Иванов 1973 — *Иванов В.В.* Значение идей М.М. Бахтина о знаке, высказывании и диалоге для современной семиотики // Ученые записки Тартуского гос. ун-та. Вып. 308: Труды по знаковым системам. [Вып.] VI: Сборник научных статей в честь Михаила Михайловича Бахтина (к 75-летию со дня рождения). Тарту, 1973.

Иванов 1997 — *Иванов О.А.* Тайны старой Москвы. Документальные очерки по материалам Тайной экспедиции, III Отделения Собственной Его Величества канцелярии, а также секретной канцелярии московских генерал-губернаторов. М., 1997.

Иглтон 1991 — *Eagleton T.* Ideology. An Introduction. London; N.Y., 1991.

Иглтон 1994 — *Eagleton T.* Mapping Ideology. London, 1994.

Иезуитова 1989 — *Иезуитова Р.В.* Жуковский и его время. М., 1989.

Иконников 1873 — *Иконников В.С.* Граф Н.С. Мордвинов. Историческая монография, составленная по печатным и рукописным источникам. СПб., 1873.

Исамбаева 1990 — *Исамбаева Л.М.* Общественно-политические взгляды С.С. Уварова в 1810-е годы // Вестник МГУ. Сер. 8. История. 1990. № 6.

Историческая картина 1808 — Историческая и политическая картина 1807 года // Политический, статистический и географический журнал. 1808. Ч. I. Кн. II. Февраль.

Йейтс 1999 — *Йейтс Ф.* Розенкрейцерское Просвещение. М., 1999.

Казаков 1970 — *Казаков Н.И.* Наполеон глазами его русских современников // Новая и новейшая история. 1970. № 3—4.

Казаков 1989 — *Казаков Н.И.* Об одной идеологической формуле николаевской эпохи // Контекст-1989. М., 1989.

Калягин 1973 — *Калягин В.А.* Политические взгляды М.М. Сперанского. Саратов, 1973.

Кампе 1798 — *Campe J.H.* Wörterbuch für Erklärung und Verdeutschung der unserer Sprache aufgedrungenen fremden Ausdrücke. Braunschweig, 1798.

Кампе I—II — Детская библиотека, изданная на немецком языке г. Кампе. Ч. I—II. СПб., 1783—1785.

Каптерев 1885 — *Каптерев Н.* Характер отношения России к православному Востоку в XVI и XVII столетиях. М., 1885.

Карамзин 1991 — *Карамзин Н.М.* Записка о древней и новой России в ее политическом и гражданском отношениях / Предисл., подгот. текста и примеч. Ю.С. Пивоварова. М., 1991.

Карамзин II — *Карамзин Н.М.* Соч.: В 2 т. Т. 2 / Сост. Г.П. Макогоненко, коммент. Ю.М. Лотмана, Г.П. Макогоненко. Л., 1984.

Катетов 1889 — *Катетов И.* Граф Михаил Михайлович Сперанский как религиозный мыслитель. М., 1889.

Качалов 1992 — *Качалов И.Л.* О теории официальной народности. К проблеме авторства // Вестник Белгородского университета. Серия 3. 1992. № 3.

Кейтс 1995 — *Kates G.* Monsier d'Eon is a Woman. A Tale of Political Intrigue and Sexual Masquerade. N.Y., 1995.

Кендалл 1981 — *Kendall G.* Ideology. An Essay in Definition // Philosophy Today. 1981. Vol. 25.

Кениг 1954 — Schriften zur Nationalerziehung in Deutschland am Ende des 18. Jahrhunderts / Eingeleitet und erläutert von Helmut König. Berlin, 1954.

Кизеветтер 1912 — *Кизеветтер А.А.* Исторические очерки. М., 1912.

Кизеветтер 1915 — *Кизеветтер А.* Ф.В. Ростопчин // *Кизеветтер А.И.* Исторические отклики. М., 1915.

Кирьяк 1867 — *Кирьяк Т.* Потемкинский праздник 1791 года. (Письмо в Москву) / Сообщ. А.И. Долгоруков // РА. 1867.

Киселева 1981 — *Киселева Л.Н.* Система взглядов С.Н. Глинки (1807—1812 гг.) // Ученые записки Тартуского гос. ун-та. Вып. 513. Труды по русской и славянской филологии. [Т.] XXXII: Проблемы литературной типологии и исторической преемственности. Тарту, 1981.

Киселева 1983 — *Киселева Л.Н.* К языковой позиции «старших архаистов» (С.Н. Глинка, Е.И. Станевич) // Ученые записки Тартуского гос.

ун-та. Вып. 620. Труды по русской и славянской филологии. Литературоведение: Типология литературных взаимодействий. Тарту, 1983.

Киселева 1997 — *Киселева Л.Н.* Становление русской национальной мифологии в николаевскую эпоху (сусанинский сюжет) // Лотмановский сборник. [Вып.] 2. М., 1997.

Киселева 1998 — *Киселева Л.Н.* Карамзинисты — творцы официальной идеологии (заметки о российском гимне) // Тыняновский сборник. Вып.10: Шестые — Седьмые — Восьмые Тыняновские чтения. М., 1998.

Ключевский 1993 — *Ключевский В.О.* О русской истории / Под ред. В.И. Буганова. М., 1993.

Кнаптон 1939 — *Knapton E.J.* The Lady of Holy Alliance. N.Y., 1939.

Коваленская 1938 — *Коваленская Н.* Мартос. М.; Л., 1938.

Кованько 1812 — *Кованько Ив.* Солдатская песня // Сын отечества. 1812. Ч. I. № 1.

Козельский I — Сочинения Федора Козельского. Ч. I. [СПб.,] 1778.

Кондаков 1998 — *Кондаков Ю.Е.* Духовно-религиозная политика Александра I и русская православная оппозиция. СПб., 1998.

Копанев 2000 — *Kopanev N.* Les travaux de J.-J. Rousseau en Russie en 1758—1765, d'après la correspondance de Marc-Michel Rey et G.Fr. Miller // J.-J. Rousseau, politique et nation. II-e Colloque international de Montmorency: 27 septembre — 4 octobre 1995. Paris; Montmorency, 2000.

Корсунский 1885 — *Корсунский И.* Проповеднический период деятельности Филарета (Дроздова), впоследствии митрополита московского // Вера и разум. 1885. Ч. II.

Корф 1867 — Из бумаг [М.А. Корфа] о графе Сперанском, в дополнение к его «Жизни», изданной в 1861 году / Сообщ. М.А. Корф // РА. 1867.

Корф 1902 — Деятели и участники в падении Сперанского. Неизданная глава из «Жизни графа Сперанского» барона М.А. Корфа. (Из бумаг академика А.Ф. Бычкова) / Сообщ. И.А. Бычков // РС. 1902. № 3.

Корф I—II — *Корф М.* Жизнь графа Сперанского. Т. I—II. СПб., 1861.

Коссович 1872 — *Иоаннов [Коссович К.А.]* Дополнительные сведения о Татариновой и о членах ее духовного союза // РА. 1872. № 12.

Костров 1972 — *Костров Е.И.* Екатерине Великой [посвящение перевода «Илиады»] // Поэты XVIII века. Т. II / Сост. Г.П. Макогоненко и И.З. Сермана; подгот. текста и примеч. Г.С. Татищевой. Л., 1972.

Костров I — Полное собрание всех сочинений и переводов в стихах г. Кострова. Ч. I. М., 1802.

Кочеткова 1999 — *Кочеткова Н.Д.* Петров // Словарь русских писателей XVIII века. Вып. 2 (К—П). СПб., 1999.

Кочубинский 1899 — *Кочубинский А.* Граф Андрей Иванович Остерман и раздел Турции. Из истории восточного вопроса. Война пяти лет (1735—1739). Одесса, 1899.

Кошанский 1807 — *Кошанский* [*Н.Ф.*] Памятник Минину и Пожарскому, назначенный в Москве // Журнал изящных искусств. 1807. Кн. II.

Кролл 1964 — *Kroll G.* Preface // *Glück C.W.* Iphigenie auf Taurus. Klavierauszug. Burenreiter; Kassel, 1964.

Кросс 1971 — *Cross A.G.* British Freemasons in Russia during the Reign of Catherine the Great // Oxford Slavonic Papers. New ser. 1971. Vol. IV.

Кросс 1976 — *Кросс А.Г.* Василий Петров в Англии (1772—1774) // XVIII век. Сб. 11: Н.И. Новиков и общественно-литературное движение его времени. Л., 1976.

Кросс 1977 — *Cross A.G.* Duchess of Kingston in Russia // History Today. 1977. Vol. XXVII. № 6.

Кросс 1990 — *Cross A.G.* Catherine's «Oleg»: A Bicentennial Visitation // SGECRN. 1990. № 18.

Кросс 1996 — *Кросс Э.Г.* У темзских берегов. Россияне в Британии в XVIII веке. СПб., 1996.

Круг 1818 — *Krug W.T.* Gespräch unter vier Augen mit Frau von Krüdener. Leipzig, 1818.

Крюденер 1815 — *Крюденер Б.-Ю.* Лагерь при Вертю. СПб., 1815.

Крюденер 1815a — *Krüdener B.* Champs de Vertu. SPb., 1815.

Крюденер 1998 — *Баронесса Крюденер*. Неизданные автобиографические тексты / Вступ. статья, сост., публ. и примеч. Е.П. Гречаной. М., 1998.

Крюковский 1964 — *Крюковский М.В.* Пожарский // Стихотворная трагедия конца XVIII — начала XIX в. / Вступ. статья, подгот. текста и примеч. В.А. Бочкарева. М.; Л., 1964.

Куайре 1929 — *Koyré A.* La philosophie et le problème nationale en Russie au début de XIX siècle. Paris, 1929.

Кукулевич 1939 — *Кукулевич А.М.* Русская идиллия Н.И. Гнедича «Рыбаки» // Ученые записки ЛГУ. Вып. 3. Л., 1939.

Курганов 1769 — *Н.К.* [*Курганов Н.Г.*] Российская универсальная грамматика или всеобщее письмословие, предлагающее легчайший способ основательного учения русскому языку с седмью присовокуплениями разных учебных и полезнозабавных вещей. СПб., 1769.

Лакофф и Джонсон 1980 — *Lakoff G., Johnson M.* Metaphors We Live By. Chicago, 1980.

Лакофф и Джонсон 1987 — *Лаков Дж., Джонсон М.* Метафоры, которыми мы живем // Язык и моделирование социального взаимодействия: Сб. статей / Сост. В.М. Сергеев и П.Б. Паршин; общ. ред. В.В. Петрова. М., 1987.

Лакофф и Джонсон 1990 — *Лакофф Д., Джонсон М.* Метафоры, которыми мы живем // Теория метафоры / Вступ. статья и сост. Н.Д. Арутюновой; общ. ред. Н.Д. Арутюновой и М.А. Журинской. М., 1990.

Ланда 1975 — *Ланда С.С.* «Дух революционных преобразований...»: Из истории формирования идеологии и политической организации декабристов: 1816—1825 гг. М., 1975.

Ле Форестье 1970 — *Le Forestier R.* La franc-maçonnerie templière et Occultiste. Paris, 1970.

Ле Форестье 1974 — *Le Forestier R.* Les illumines de Baviere et la franc-maçonnerie allemande. Geneve, 1974.

Лебедев 1912 — *Лебедев А.А.* К закрытию масонских лож в России // PC. 1912. № 3.

Лей 1975 — *Ley F.* Alexandre I et sa Sainte-Alliance (1811—1825). Paris, 1975.

Лей 1994 — *Ley F.* Madame de Krüdener. 1764—1824. Romantisme et Sainte-Alliance. Paris, 1994.

Лещиловская 1998 — Век Екатерины II: Россия и Балканы / Отв. ред. И.И. Лещиловская. М., 1998.

Линкольн 1989 — *Lincoln W.B.* Nicholas I Emperor and Autocrat of All the Russians. De Kalb, 1989.

Линь 1989 — *Ligne, prince de.* Mémoires, lettres et pensées / Ed. dirigée par A. Payne. Paris, 1989.

Лойек 1970 — *Lojek J.* Catherine II's Armed Intervention in Poland: Origins of the Political Decisions at the Russian Court in 1791 and 1792 // Canadian Slavic Studies. 1970. Vol. IV. Pt. 3.

Лойек 1986 — *Łojek J.* Geneza i obalenie konstytutcji 3 Maja. Polityka zagraniczna Rzeczypospolitei 1787—1792. Lublin, 1986.

Ломоносов 1986 — *Ломоносов М.В.* Избранные произведения / Сост. и примеч. А.А. Морозова; подгот. текста М.П. Лепехина и А.А. Морозова. Л., 1986.

Лонгинов 1860 — *Лонгинов М.* Один из магиков XVIII века // Русский вестник. 1860. № 8. Кн. II.

Лопатин 1992 — *Лопатин В.С.* Потемкин и Суворов. М., 1992.

Лопухин 1810 — [*Lopouhin I.V.*] Quelques traits de l'église intérieure, de l'unique chemin, qui mène à la vérité, et diverses routes qui conduisent à l'erreur et à la perdition. М., 1810.

Лопухин 1870 — Письма И.В. Лопухина к М.М. Сперанскому // PA. 1870.

Лопухин 1990 — Россия XVIII столетия в изданиях Вольной русской типографии А.И. Герцена и Н.П. Огарева. Записки сенатора И.В. Лопухина. [Лондон, 1859]. Репринтное воспроизведение. М., 1990.

Лопухин 1997 — Масонские труды И.В. Лопухина. СПб., 1997.

Лорд 1915 — *Lord R.H.* The Second Partition of Poland: A Study in Diplomatic History. Cambridge; London, 1915.

Лорд 1924/1925 — *Lord R.H.* The Third Partition // SEER. 1924/1925. Vol. III.

Лоррейн 1979 — *Lorrain J.* The Concept of Ideology. London, 1979.

Лотман 1960 — *Лотман Ю.М.* Историко-литературные заметки. [III.] Жуковский-масон // Ученые записки Тартуского гос. ун-та. Вып. 98. Труды по русской и славянской филологии. [Т.] III. Тарту, 1960.

Лотман 1969 — *Лотман Ю.М.* Руссо и русская культура XVIII — начала XIX века // Руссо 1969.

Лотман 1992 — *Лотман Ю.М.* Руссо и русская культура XVIII — начала XIX века // *Лотман Ю.М.* Избранные статьи. Т. II. Таллинн, 1992.

Лотман 1997 — *Лотман Ю.М.* «О древней и новой России в ее политическом и гражданском отношении» Карамзина — памятник русской публицистики начала XIX века // *Лотман Ю.М.* Карамзин. СПб., 1997.

Лотман и Успенский 1993 — *Лотман Ю.М., Успенский Б.А.* Отзвуки концепции «Москва — третий Рим» в идеологии Петра Первого. (К проблеме средневековой традиции в культуре барокко) // *Лотман Ю.М.* Избранные статьи. Т. III. Таллинн, 1993.

Лотман и Успенский 1996 — *Лотман Ю.М., Успенский Б.А.* Споры о языке в начале XIX в. как факт русской культуры («Происшествие в царстве теней, или Судьбина российского языка» — неизвестное сочинение Семена Боброва) // *Успенский Б.А.* Избранные труды. Т. II: Язык и культура / Изд. 2-е, исправ. и доп. М., 1996.

Лотман и Успенский 1997 — *Лотман Ю.М., Успенский Б.А.* «Письма русского путешественника» Н.М. Карамзина и их место в развитии русской культуры // *Лотман Ю.М.* Карамзин. СПб., 1997.

Лубяновский 1872 — Воспоминания Федора Петровича Лубяновского (1777—1834). СПб., 1872.

Луден 1811 — *Luden H.* Handbuch der Staatsweisheit oder die Politik. Jena, 1811.

Лукач 1971 — *Lucacs G.* History and Class Consciousness. London, 1971.

Львов 1810 — *Львов П.* Пожарский и Минин, спасители отечества. СПб., 1810.

Львов 1994 — *Львов Н.А.* Избранные сочинения / Предисл. Д.С. Лихачева; вступ. статья, сост., подгот. текста и коммент. К.Ю. Лаппо-Данилевского. Кельн; Веймар; Вена; СПб., 1994.

Лэнгсэм 1936 — *Langsam C.W.* Napoleonic Wars and the Rise of German Nationalism in Austria. N.Y., 1936.

Людольф 1892 — *Гр. де Л[юдольф].* Письма о Крыме // Русское обозрение. 1892. № 3.

Лямина 1999 — *Лямина Е.* Новая Европа: мнение «деятельного очевидца». А.С. Стурдза в политическом процессе 1810-х годов // Россия / Russia. Вып. 3 [11]: Культурные практики в идеологической перспективе: Россия, XVIII — начало XIX века. М, 1999.

Мадарьяга 1959/1960 — *Madariaga I. de.* The Secret Austro-Russian Treaty of 1781 // SEER. 1959/1960. Vol. 18. № 90.

Мадарьяга 1981 — *Madariaga I. de.* Russia in the age of Catherine the Great. London, 1981.

Мадарьяга 1983 — *Madariaga I. de.* Catherine and the Philosophes // Russia and the West in the Eighteenth Century. Newtonwille (Mass.), 1983.

Майков 1770 — *Майков В.* Ода е.и.в. Екатерине Второй <...> на преславную победу над турецким флотом, в заливе Лаборно при городе Сисме. СПб., [1770].

Майков 1774 — *Майков В.* Ода е.и.в. великой государыне Екатерине Алексеевне <...> на заключение вечного мира между Российской империей и Оттоманской Портою июля дня, 1774 года. СПб., [1774].

Майков 1966 — *Майков В.И.* Избранные произведения / Вступ. статья, подгот. текста и примеч. А.В. Западова. М.; Л., 1966.

Майофис 1996 — *Майофис М.* Музыкальный и идеологический контекст драмы Екатерины «Начальное управление Олега» // Русская филология. Вып. 7. Тарту, 1996.

Майофис 1998 — *Майофис М.Л.* Русский филэллинизм: литературные кружки Г.Р. Державина и А.Н. Оленина. М., 1998 [дипломная работа, кафедра истории русской литературы РГГУ].

Макинтош 1992 — *McIntosh C.* The Rose Cross and the Age of Reason. Leiden; N.Y.; Köln, 1992.

Манкиев 1770 — [*Манкиев А.И.*] Ядро российской истории, сочиненное ближним стольником и бывшим в Швеции резидентом, князь Андреем Яковлевичем Хилковым, в пользу российского юношества <...>. М., 1770.

Манхейм 1994 — *Манхейм К.* Диагноз нашего времени. М., 1994.

Маркова 1958 — *Маркова О.П.* О происхождении так называемого греческого проекта (80-е годы XVIII в.) // История СССР. 1958. № 4.

Маркс и Энгельс III, XXXIX — *Маркс К., Энгельс Ф.* Сочинения / 2-е изд. Т. 3. М., 1955. Т. 39. М., 1966.

Мартин 1997 — *Martin A.M.* Romantics, Reformers, Reactionaries: Russian Conservative Thought and Politics in the Reign of Alexander I. De Kalb, 1997.

Мартынов 1979 — *Martynov I.F.* Notes on V.P. Petrov and his Stay in England // SGECRN. 1979. № 7.

Мартынов 1988 — *Мартынов И.Ф.* Ранние масонские стихи и песни в собрании библиотеки Академии наук СССР. (К истории литературно-общественной полемики 1760-х гг.) // Russia and the World of Eighteeth Century. Columbus, 1988.

Медведева 1960 — *Медведева И.* Владислав Озеров // *Озеров В.А.* Трагедии. Стихотворения / Вступ. статья, подгот. текста и примеч. И.Н. Медведевой. Л., 1960.

Медведкова 1993 — *Medvedkova O.A.* Соломонов храм — дом премудрости: к истории неосуществленного проекта храма Христа Спасителя архитектора А.Л. Витберга // Revue des Études slaves. 1993. Т. 65. Fasc. 3.

Мейнеке 1970 — *Meineke F.* Cosmopolitanism and the Nation State. Prinston, 1970.

Мельгунов 1923 — *Мельгунов С.* Дела и люди александровского времени. [Т.] I. Берлин, 1923.

Мерфи 1982 — *Murphy O.T.* Charles Gravier, compte de Vergennes: French Diplomacy in the Age of Revolution: 1719—1787. Albany, 1982.

Местр 1871 — Письма из Петербурга в Италию графа Жозефа де Местра // РА. 1871. № 6.

Местр 1995 — *Местр Ж. де.* Петербургские письма 1803—1817 / Сост., пер., предисл. и коммент. Д.В. Соловьева. СПб., 1995.

Местр VIII, XI, XII — *Maistre J. de.* Œuvres complètes. Vol. VIII, XI, XII. Genève, 1979.

Меттерних 1880 — *Metternich Cl. V. prince de.* Mémoires, documents et écrits divers. Paris, 1880.

Мильчина и Осповат 1995 — *Мильчина В.А., Осповат А.Л.* Петербургский кабинет против маркиза де Кюстина: нереализованный проект С.С. Уварова // НЛО. 1995. № 13.

Мироненко 1990 — *Мироненко С.В.* Страницы тайной истории самодержавия: Политическая история России первой половины XIX столетия. М., 1990.

Монтескье 1955 — *Монтескье Ш.* Избр. произведения / Общ. ред и вступ. статья М.П. Баскина. М., 1955.

Мордвинов 1901 — [*Мордвинов Н.С.*] Мнение относительно Крыма // Архив графов Мордвиновых. Т. III. СПб., 1901.

Морне 1967 — *Mornet D.* Les origines intellectueles de la Révolution française. Paris, 1967.

Морозов 1999 — *Морозов В.И.* Государственно-правовые взгляды М.М. Сперанского. СПб., 1999.

Мурнье 1979 — *Mournier J.* La fortune des écrits de J.-J. Rousseau dans les pays de la langue allemande de 1782 à 1783. Lille, 1979.

Мюленбек 1887 — *Mühlenbeck E.* Étude sur les origines de la Sainte Alliance. Paris; Strasbourg, 1887.

Надлер I—V — *Надлер В.К.* Император Александр I и идея Священного союза. Т. I—V. Рига, 1886—1892.

Намьер 1962 — *Namier L.* Crossroads of Power. Essays on Eighteenth-Century England. N.Y., 1962.

Невахович 1809 — *Невахович Л.* Сульеты, или Спартанцы осьмнадцатого столетия. Историческое представление в пяти действиях. СПб., 1810.

Неводчиков 1868 — *Неофит [Неводчиков Н.В.*] Знакомство и переписка А. Стурдзы с высокопреосвященным Филаретом, митрополитом Московским. Одесса, 1868.

Немзер 1987 — *Немзер А.С.* «Сии чудесные виденья...» // *Зорин А.Л., Зубков Н.Н., Немзер А.С.* «Свой подвиг свершив...» М., 1987.

Неф 1928 — *Näf W.* Zur Geschichte der Heiligen Allianz. Bern, 1928.

Никитенко I — *Никитенко А.В.* Дневник. Т. 1: 1826—1857 / Подгот. текста и примеч. И.Я. Айзенштока. Л., 1955.

Николай Михайлович 1903 — *Николай Михайлович, вел. кн.* Граф Павел Александрович Строганов (1774—1817). Историческое исследование эпохи императора Александра I. Т. I. СПб., 1903.

Николай Михайлович 1910 — *Николай Михайлович, вел. кн.* Переписка императора Александра I с сестрой, великой княгиней Екатериной Павловной. СПб., 1910.

Николай Михайлович 1999 — *Николай Михайлович, вел. кн.* Император Александр I. М., 1999.

Николай Михайлович I—II — *Николай Михайлович, вел. кн.* Император Александр I. Опыт исторического исследования. Т. I—II. СПб., 1912.

Новый летописец 1792 — Русская летопись по Никонову списку, изданная под смотрением Императорской академии наук. Ч. VIII: С 1583 до 1630 года. СПб., 1792.

Оболенский 1858 — Два письма к императрице Екатерине Великой / Сообщ. М.А. Оболенский // Библиографические записки. 1858. № 17.

Огиньский I — *Oginski M.* Mémoires sur la Pologne et les Polonais. Vol. I. Paris, 1826.

Оглоблин 1901 — *Оглоблин Н.Н.* К характеристике русского общества в 1812 году // Чтения в историческом обществе Нестора летописца. 1901. Кн. XV. Вып. 2/3.

Ода 1784 — Ода великой государыне Екатерине II самодержице всероссийской на приобретение Крыма 1784 года. СПб., 1784.

Озуфф 1988 — *Ozouff M.* Fraternité // *Furet F., Ozouff M.* Dictionnaire critique de la Révolution Française. Paris, 1988.

Окунь 1947 — *Окунь С.Б.* История СССР: Курс лекций. Т. I: 1796—1825. Л., 1947.

Оленин 1813 — *Оленин А.* Письмо архимандриту Филарету // Сын отечества. 1813. Ч. VII. № XXXII.

Ольри 1917 — Из донесений баварского поверенного в делах Ольри в первые годы царствования (1802—1806) императора Александра I / Сообщ. вел. кн. Николай Михайлович // ИВ. 1917. № 2.

Орлов 1870 — Первая мысль о морейской экпедиции графа А.Г. Орлова // Заря. 1870. № 6. Прилож.

Осповат 1994 — *Осповат А.Л.* К прениям 1830-х гг. о русской *столице* // Лотмановский сборник. [Вып.] 1. М., 1994.

Пайпс 1959 — *Pipes R.* Karamzin's Memoir on Ancient and Modern Russia. Cambridge (Mass.), 1959.

Пайпс 1997 — *Pipes D.* Conspiracy: How the paranoid style flourishes and where it comes from. N.Y., 1997.

Пайпс 2000 — *Пайпс Д.* Заговор: объяснение успехов и происхождения «параноидального стиля» // НЛО. 2000. № 41.

Палладоклис 1771 — *Палладоклис А.* Ода А.Г. Орлову. СПб., 1771.

Палладоклис 1771а — *Палладоклис А.* Стихи на платье греческое, в кое Ее Императорское Величество изволили одеваться в маскараде. СПб., 1771.

Палладоклис 1773 — *Палладоклис А.* Истинного государствования подвиг. СПб., 1773.

Палладоклис 1775 — *Палладоклис А.* Каллиопа о преславных победах е.и.в. <...> Екатерины Алексеевны оружием победоносным над оттоманами <...>. СПб., 1775.

Паллас 1883 — Записка академика П.С. Палласа, князю Потемкину о исследовании берегов Каспийского моря / Сообщ. Н. Мурзакевич //

Записки императорского Одесского общества истории и древностей. Т. XIII. Одесса, 1883.

Панченко 1983 — *Панченко А.М.* «Потемкинские деревни» как культурный миф // XVIII век. Сб. 14: Русская литература конца XVIII — начала XIX века в общественно-культурном контексте. Л., 1983.

Паперный 1996 — *Паперный В.* Культура Два. М., 1996.

Пелино 1844 — Абрикосовое дерево, посаженное императрицею Екатериною II / Сообщ. Пелино // Записки императорского Одесского общества истории и древностей. Т. I. Одесса, 1844.

Пертц III — *Pertz G.H.* Das Leben des Ministers Freiherrs von Stein. Bd. III. Berlin, 1851.

Петров 1775 — [*Петров В.П.*] Ода е.и.в. Екатерине Второй... на заключение с Оттоманскою Портою мира. [М.,] 1775.

Петров 1782 — Сочинения В. Петрова. Ч. I. СПб., 1782.

Петров 1793 — *Петров В.* Ода Екатерине Второй <...> на присоединение польских областей к России, 1793 года. [СПб., 1793].

Петров 1841 — Два письма Петрова // Москвитянин. 1841. Ч. I. № 1.

Петров 1864 — Сборник материалов для истории Императорской санктпетербургской академии художеств за сто лет ее существования / Под ред. П.Н. Петрова. Т. I. СПб., 1864.

Петров I—II — Сочинения В. Петрова. Т. I—II. СПб., 1811.

Петров А. 1869 — *Петров А.* Война России с Турцией и польскими конфедератами. 1769—1774 г. Сост. преимущественно из неизвестных по сие время рукописных материалов. Т. I. СПб., 1869.

Петров А. I—II — *Петров А.Н.* Вторая Турецкая война в царствование императрицы Екатерины II. 1787—1791 г. Т. I—II. СПб., 1880.

Петухов 1903 — *Петухов Е.В.* Памяти Н.В. Гоголя и В.А. Жуковского. Юрьев, 1903.

Пиккио 1992 — *Пиккио Р.* «Предисловие о пользе книг церковных» М.В. Ломоносова как манифест русского конфессионального патриотизма // Сборник статей к 70-летию проф. Ю.М.Лотмана. Тарту, 1992.

Платонов 1913 — *Платонов С.Ф.* Древнерусские сказания и повести о Смутном времени XVII века как исторический источник / 2-е изд. СПб., 1913 [= *Платонов С.Ф.* Сочинения. Т. II].

Погодин 1871 — *Погодин М.* Сперанский // РА. 1871. № 7/8.

Погосян 1997 — *Погосян Е.А.* Традиционная одическая фразеология в творчестве Державина // Лотмановский сборник. [Вып.] 2. М., 1997.

Пономарев 1867/1868 — *Пономарев С.* Высокопреосвященный Филарет, митрополит московский и коломенский. (Материалы для очерка его жизни и ученой деятельности) // Труды киевской духовной академии. 1867. № 12; 1868. № 4.

Пономарева 1992 — *Пономарева Г.* Посвятил своему святому // Сборник статей к 70-летию проф. Ю.М. Лотмана. Тарту, 1992.

Поплавская 1983 — *Поплавская И.А.* Эволюция жанра послания в творчестве В.А. Жуковского // Художественное творчество и литературный процесс. Вып. V. Томск, 1983.

Попов 1875 — *Попов А.Н.* Москва в 1812 году // РА. 1875. № 8, 10.

Посникова 1867 — Из семейного архива. II. Письмо М.И. Посниковой к А.И. Архаровой в С. Петербург / Сообщ. А.А. Васильчиков // РА. 1867.

Потемкин 1772 — *Потемкин П.* Россы в архипелаге. СПб., 1772.

Потемкин 1852 — О приватной жизни князя Потемкина, о некоторых чертах его характера и анекдотах. (Из современной рукописи) // Москвитянин. 1852. № 2—3.

Потемкин 1865 — Собственноручные бумаги князя Потемкина-Таврического / Сообщ. А.И. Ставровский, Н.С. Киселев // РА. 1865.

Потемкин 1875 — Письма князю Г.А. Потемкину-Таврическому // Записки императорского Одесского общества истории и древностей. Т. IX. Одесса, 1875.

Потемкин 1879 — Из бумаг князя Г.А. Потемкина-Таврического / Сообщ. А.А. Васильчиков // РА. 1879. № 9.

Потемкин 1991 — О приватной жизни князя Потемкина. Потемкинский праздник. М., 1991.

Предтеченский 1950 — *Предтеченский А.В.* Отражение войн 1812—1814 гг. в сознании современников // Исторические записки. [Т.] 31. [М.,] 1950.

Предтеченский 1957 — *Предтеченский А.В.* Очерки общественно-политической истории России в первой четверти XIX века. М.; Л., 1957.

Пресняков 1923 — *Пресняков А.Е.* Идеология Священного союза // Анналы. 1923. № 3.

Проскурин 1987 — *Проскурин О.А.* «Победитель всех Гекторов халдейских»: К.Н. Батюшков в литературной борьбе начала XIX века // Вопросы литературы. 1987. № 6.

Проскурин 1996 — *Проскурин О.* Новый Арзамас — Новый Иерусалим. Литературная игра в культурно-историческом контексте // НЛО. 1996. № 19.

Проусис 1994 — *Prousis T.C.* Russian Society and the Greek Revolution. De Kalb, 1994.

Пугачев 1964 — *Пугачев В.В.* К вопросу о политических взглядах С.С. Уварова в 1810-е годы // Ученые записки Горьковского гос. ун-та им. Н.И. Лобачевского. Сер. историко-филологическая. Вып. 72. Горький, 1964.

Пугачев 1967 — *Пугачев В.В.* Эволюция общественно-политических взглядов Пушкина. (Учебное пособие). Горький, 1967.

Пумпянский 1983 — *Пумпянский Л.В.* Ломоносов и немецкая школа разума // XVIII век. Сб. 14: Русская литература конца XVIII — начала XIX века в общественно-культурном контексте. Л., 1983.

Путилов 1966 — Исторические песни XVIII века / Изд. подгот. О.Б. Алексеева и др.; под ред. Б.Н. Путилова. М.; Л., 1966.

Пухов 1999 — *Пухов В.В.* Лазаревич // Словарь русских писателей XVIII века. Вып. 2 (К—П). СПб., 1999.

Пыпин 1900 — *Пыпин А.Н.* Общественное движение в России при Александре I / 3-е изд., доп. СПб., 1900

Пыпин 1997 — *Пыпин А.Н.* Масонство в России. XVIII и первая четверть XIX в. М., 1997.

Пыпин 2000 — *Пыпин А.Н.* Религиозные движения при Александре I. Исследования и статьи по эпохе Александра I / Предисл. А.Н. Цамутали. СПб., 2000.

Пыпин I — *Пыпин А.Н.* История русской этнографии. Т. I: Общий обзор изучения народности и этнография великорусская. СПб., 1890.

Пятигорский 1997 — *Piatigorsky A.* Who's Afraid of Freemasons? The Phenomenon of Freemasonry. London, 1997.

Рагсдейл 1988 — *Ragsdale H.* Evaluating the Tradition of Russian Aggression: Catherine II and the Greek Project // SEER. 1988. Vol. 66. № 1.

Раев 1957 — *Raeff M.* Michael Speransky. Statesman of imperial Russia. 1772—1839. The Hague, 1957.

Раев 1972 -- *Raeff M.* In the Imperial Manner // Catherine the Great. A profile / Ed. by M. Raeff. N.Y., 1972.

Расмусен 1978 — *Rasmussen K.* Catherine II and the Image of Peter I // Slavic Review. 1978. Vol. 37. March.

Ребеккини 1998 — *Ребеккини Д.* Русские исторические романы 30-х годов XIX в. (Библиографический указатель) // НЛО. 1998. № 34.

Рике 1973 — *Riquet M.* Augustin de Barruel: Un Jésuit face aux Jacobins francs-maçons. Paris, 1973.·

Рикер 1977 — *Ricoeur P.* The Rule of Metaphor: Multi-Disciplinary Studies of the Creation of Meaning in Language. Toronto, 1977.

Рикер 1984 — *Ricoeur P.* Lectures on Ideology and Utopia. N.Y., 1984.

Ричардс 1990 — *Ричардс А.* Философия риторики // Теория метафоры / Вступ. статья и сост. Н.Д. Арутюновой; общ. ред. Н.Д. Арутюновой и М.А. Журинской. М., 1990.

Робайсон 1797 — *Robison J.* Proofs of a Conspiracy against all the Religions and Governments of Europe, carried on in the secret meetings of Free Masons, Illuminati and Reading Societies. London, 1797.

Робайсон 1806 — [*Робайсон Д.*] Доказательства заговора против всех религий и правительств // Московские ученые ведомости. 1806. № 18, 22—24, 26, 27.

Робертс 1972 — *Roberts J.M.* The Mythology of the Secret Societies. London, 1972.

Рогов 1997 — *Рогов К.* Декабристы и «немцы» // НЛО. 1997. № 26.

Рождественский 1902 — *Рождественский С.В.* Исторический обзор деятельности Министерства народного просвещения. 1802—1902. СПб., 1902.

Ростопчин 1875 — Записка о мартинистах, представленная в 1811 году графом Ростопчиным великой княгине Екатерине Павловне / Сообщ. А.Н. Афанасьев // РА. 1875. № 9.

Ростопчин 1876 — Письмо графа Ф.В. Ростопчина к великой княгине Екатерине Павловне / Сообщ. А.Ф. Ростопчин // РА. 1876. Кн. I.

Ростопчин 1892 — Письма графа Ф.В. Ростопчина к императору Александру Павловичу / Сообщ. А.Ф. Ростопчин // РА. 1892. № 8.

Ростопчин 1905 — Письмо графа Ростопчина к императору Александру I с доносом на Сперанского // РС. 1905. № 5.

Ростопчин 1992 — *Ростопчин Ф.В.* Ох, французы! / Сост., вступ. статья, примеч. Г.Д. Овчинникова. М., 1992.

Рубан 1784 — *Рубан В.* Стихи на всевожделенное и всерадостнейшее рождение... великой княжны Елены Павловны, ко щастию всей России последовавшее во граде святого Петра декабря 13 дня 1784 года. СПб., 1784.

Руссель I—III — Politique de tous les Cabinets de l'Europe, pendent les règnes de Louis XV et Louis XVI. Manuscripts trouvés dans le cabinet de Louis XVI / Publié par P.J.A. Roussel. Vol. I—III. Paris, 1793

Руссо 1969 — *Руссо Ж.-Ж.* Трактаты / Изд. подгот. В.С. Алексеев-Попов, Ю.М. Лотман, Н.А. Полторацкий, А.Д. Хаютин. М., 1969.

Руссо 1971 I — *Rousseau J.-J.* The Political Writings / Ed. by C.E. Vanghan. Vol. I. N.Y., 1971.

Руссо III — *Rousseau J.-J.* Œuvres complètes / Ed. publié sous la direction de B. Gagnebin et M. Raymond. T. III. Paris, 1964.

Рязановский 1960 — *Riazanovsky N.V.* Russia and Asia. Two Nineteenth Century Views // California Slavic Studies. 1960. Vol. I.

Рязановский 1967 — *Riasanovsky N.V.* Nicholas I and the Official Nationality in Russia. 1825—1855. Berkeley, 1967.

Самойлов 1867 — *Самойлов А.Н.* Жизнь и деяния генерал-фельдмаршала князя Григория Александровича Потемкина Таврического // РА. 1867.

Санглен 1883 — Записки Якова Ивановича де Санглена. 1776—1831 гг. / Сообщ. М.И. Богданович // РС. 1883. № 1—3.

Свербеев 1870 — *Свербеев Д.* Заметка о смерти Верещагина // РА. 1870.

Свербеев 1871 — Первая и последняя моя встреча с А.С. Шишковым. (Из записок Д.Н. Свербеева) // РА. 1871. № 1.

Севергин 1807 — [*Севергин В.М.*] Похвальное слово князю Пожарскому и Кузьме Минину. СПб., 1807.

Сегюр 1907 — Пять лет в России при Екатерине Великой. Записки графа Л.Ф. Сегюра // РА. 1907. № 10.

Семевский 1875 — *Семевский М.* Кн. Григорий Александрович Потемкин-Таврический // РС. 1875. № 4.

Семевский 1911/1912 — *Семевский В.* Падение Сперанского // Отечественная война и русское общество / Ред. А.К. Дживелегова, С.П. Мельгунова, В.И. Пичета. Т. II. СПб., 1911/1912.

Семека 1902 — *Семека А.* Русские розенкрейцеры и сочинения императрицы Екатерины II против масонства // ЖМНП. 1902. № 2.

Сен-Пьер 1986 — *Saint-Pierre abbé de.* Projet pour rendre la paix perpétuelle en Europe. Paris, 1986.

Серков 2000 — *Серков А.И.* История русского масонства XIX века. СПб., 2000.

Сидорова 1952 — *Сидорова Л.П.* Рукописные замечания современника на первом издании трагедии В.А. Озерова «Димитрий Донской» // Записки Отдела рукописей Государственной библиотеки имени В.И. Ленина. Вып. 18. М., 1952.

Сироткин 1966 — *Сироткин В.Г.* Дуэль двух дипломатий. Россия и Франция в 1801—1812 гг. М., 1966.

Сироткин 1975 — *Сироткин В.Г.* А.Н. Шебунин — историк общественной мысли и внешней политики России первой четверти XIX в. // История и историки: Историографический ежегодник. 1973. М., 1975.

Сироткин 1981 — *Сироткин В.Г.* Великая Французская буржуазная революция, Наполеон и самодержавная Россия // История СССР. 1981. № 5.

Сироткин 1981а — *Сироткин В.Г.* Наполеоновская война перьев против России // Новая и новейшая история. 1981. № 3.

Смилянская 1995 — *Смилянская И.М.* Восточное Средиземноморье в восприятии россиян и в российской политике (вторая половина XVIII в.) // Восток. 1995. № 5.

Смилянская 1996 — *Смилянская И.М.* Русско-арабские связи в контексте политики Екатерины II в Средиземноморье // Арабский мир в конце XX века: Материалы I-ой конференции арабистов Института востоковедения РАН. М., 1996.

Смит 1999 — *Smith D.* Working the Rough Stone: Freemasonry and Society in Eighteenth-Century Russia. De Kalb, 1999.

Соколовская 1915 — *Соколовская Т.О.* Возрождение масонства при Александре I // Масонство в его прошлом и настоящем / Под ред. С.П. Мельгунова и Н.П. Сидорова. Т. II. М., 1915.

Соловьев 1863 — *Соловьев С.* История падения Польши. М., 1863.

Соловьев XIV — *Соловьев С.М.* Сочинения: В 18 кн. Кн. XIV: История России с древнейших времен. Тома 27—28. М., 1994.

Сперанский 1862 — Дружеские письма графа М.М. Сперанского П.Г. Масальскому, писанные с 1798 по 1819 год, с историческими пояснениями, составленными К. Масальским, и некоторые сочинения первой молодости графа М.М. Сперанского: «Досуги», «Краткий очерк священной истории». СПб., 1862.

Сперанский 1870 — Письма Сперанского к А.А. Столыпину / Публ. Д. Столыпина // РА. 1870.

Сперанский 1870а — Письмо М.М. Сперанского к И.В. Лопухину / Сообщ. А.Ф. Бычков // РА. 1870.

Сперанский 1870б — Письма Сперанского к Ф.И. Цейеру // РА. 1870.

Станевич I—II — *Станевич Е.* Рассуждение о русском языке. Ч. I—II. СПб., 1808.

Старобинский 1962 — *Starobinski J.* La pensée politique de Jean-Jacques Rousseau // J.-J. Rousseau. Neuchâtel, 1962.

Старобинский 1971 — *Starobinski J.* La tranparence et l'obstacle. Paris, 1971.

Стеллецкий 1901 — *Стеллецкий Н.* Князь А.Н. Голицын и его духовно-государственная деятельность. Киев, 1901.

Стивенсон 1988 — *Stevenson D.* The Origins of Freemasonry: Scotland's Century. 1590—1790. Cambridge, 1988.

Строев 1998 — *Строев А.* «Те, кто поправляет фортуну». Авантюристы Просвещения. М., 1998.

Строев 2001 — *Строев А.Ф.* Летающий философ (Жан-Жак Руссо глазами Фридриха-Мельхиора Гримма) // НЛО. 2001. № 48.

Стурдза 1815 — *Stourdza A.* Considération sur l'acte d'alliance fratérnelle et chrétienne du 14/26 Septembre 1815 // ОР РНБ. Ф. 849. № 90 [копия А.Н. Шебунина; оригинал см.: РО ИРЛИ. Ф. 288. Оп. 1. № 47].

Стурдза 1864 — *Стурдза А.С.* Воспоминания и жизни и деяниях графа И.А. Каподистрии, правителя Греции. М., 1864.

Сулейман 1936 — *Souleyman E.V.* The Vision of World Peace in Seventeenth and Eighteenth Century France. N.Y., 1936.

Сумароков II — Полное собрание всех сочинений, в стихах и прозе, покойного действительного статского советника, ордена св. Анны кавалера и Лейпцигского ученого собрания члена, Александра Петровича Сумарокова / Собраны и изданы в удовольствие любителей российской учености Н. Новиковым. Ч. II. М., 1781.

Сухомлинов 1868 — *Сухомлинов М.И.* Из бумаг в бозе почившего митрополита Филарета // ЖМНП. 1868. № 1.

Сухомлинов II — *Сухомлинов М.И.* Исследования и статьи по русской литературе и просвещению. Т. II. СПб., 1889.

Сыроечковский 1954 — *Сыроечковский Б.Е.* Балканская проблема в политических планах декабристов // Очерки из истории движения декабристов: Сб. статей / Под ред. Н.М. Дружинина, Б.Е. Сыроечковского. М., 1954.

Сюлли X — Записки Максимилиана Бетюна герцога Сюлли, первого министра Генриха IV <...>. Т. X. М., 1776.

Тартаковский 1973 — *Тартаковский А.Г.* Показания русских очевидцев о пребывании французов в Москве в 1812 г. (К методике источниковедческого анализа) // Источниковедение отечественной истории. Вып. 1. М., 1973.

Тартаковский 1980 — *Тартаковский А.Г.* 1812 год и русская мемуаристика: Опыт источниковедческого изучения. М., 1980.

Тартаковский 1996 — *Тартаковский А.Г.* Неразгаданный Барклай. Легенды и быль 1812 года. М., 1996.

Тартаковский 1997 — *Тартаковский А.Г.* Русская мемуаристика и историческое сознание XIX века. М., 1997.

Тепп 1950 — *Teppe J.* Chamfort. Sa vie, son œuvre, sa pensée. Paris, 1950.

Тимофеев 1983 — *Тимофеев Л.В.* В кругу друзей и муз. Дом А.Н. Оленина. Л., 1983.

Тимощук 1893 — *В.В.Т.* [*Тимощук В.В.*] Императрица Екатерина II в Крыму. 1787 г. // РС. 1893. № 11.

Тодд 1996 — *Тодд III У.М.* Литература и общество в эпоху Пушкина. СПб., 1996.

Токвиль 1986 — *Tocqueville A. de.* De la démocratie en Amerique. Souvenirs. L'Ancien régime et la révolution / Introductions et notes de J.-C. Lamberti et de F. Mélonio. Paris, 1986.

Толстой 1872 — *Толстой Ю.* О духовном союзе Е.Ф. Татариновой // Девятнадцатый век. Исторический сборник, издаваемый П. Бартеневым. Кн. I. М., 1872.

Томашевский 1948 — *Томашевский Б.* К.Н. Батюшков // *Батюшков К.* Стихотворения / Вступ. статья, ред. и примеч. Б. Томашевского. [Л.,] 1948.

Томпсон 1984 — *Thompson J. B.* Studies in the Theory of Ideology. London, 1984

Томсинов 1991 — *Томсинов В.А.* Светило русской бюрократии. М., 1991.

Триомф 1968 — *Triomphe R.* Joseph de Maistre. Étude sur la vie et la doctrine d'un materialiste mystique. Geneve, 1968.

Троицкий 1994 — *Троицкий Н.А.* Александр I и Наполеон. М., 1994.

Тургенев 1887 — Записки Александра Михайловича Тургенева // РС. 1887. № 1.

Тынянов 1968 — *Тынянов Ю.Н.* Пушкин и его современники / Под ред. В.В. Виноградова. М., 1968.

Тютчев II — *Тютчев Ф.И.* Соч.: В 2 т. / Общ. ред. К.В. Пигарева, сост. и подгот. текста Л.Н. Кузиной. Т. II. М., 1980.

Уайт 1968 — *Wight M.* The Balance of Power // Diplomatic Investigations: Essays in the Theory of International Politics / Ed. by H. Butterfield and M. Wight. Cambridge (Mass.), 1968.

Уваров 1814 — [*Ouvaroff S.S.*] L'empereur Alexandre et Buonaparte. SPb., 1814.

Уваров 1818 — [*Уваров С.С.*] Речь президента Императорской Академии наук, попечителя Петербургского учебного округа в торжественном собрании Главного педагогического института 22 марта 1818 г. СПб., 1818.

Уваров 1834 — [*Уваров С.С.*] [От редакции] // ЖМНП. 1834. Ч. I. № 1.

Уваров 1834а — [*Уваров С.С.*] Циркулярное предложение г. управляющего министерством народного просвещения начальствам учебных округов о вступлении в управление министерством // ЖМНП. 1834. Ч. I. № 1.

Уваров 1848 — *Ouvaroff S.* Esquisses politiques et littéraire / Avec un essai biographique et critique par L. Leduc. Paris, 1848.

Уваров 1864 — Десятилетие Министерства народного просвещения. 1833—1843. (Записка, представленная государю императору Николаю Павловичу министром народного просвещения гр. Уваровым в 1843 г.). СПб., 1864.

Уваров 1871 — Письма к В.А.Жуковскому. II. Сергей Семенович Уваров // РА. 1871.

Уваров 1871а — Письмо (графа) Сергея Семеновича Уварова к барону Штейну // РА. 1871. № 2.

Уваров 1875 — [*Уваров С.С.*] Отчет по обозрении московского университета // Сборник постановлений по Министерству народного просвещения. Т. II: Царствование императора Николая I. 1825—1855. Отд. I: 1825—1839 / Изд. 2-е. СПб., 1875.

Уваров 1896 — Собственноручное письмо С.С. Уварова — М.М. Сперанскому / Сообщ. А.Ф. Бычков // РС. 1896. № 10.

Уваров 1995 — Доклады министра народного просвещения С.С. Уварова императору Николаю I / Публ. М.М. Шевченко // Река времен (Книга истории и культуры). Кн. I. М., 1995.

Уваров 1997 — *Уваров С.С.* <Письмо Николаю I> / Публ. А.Л. Зорина // НЛО. 1997. № 26.

Уляницкий 1883 — *Уляницкий В.А.* Дарданеллы, Босфор и Черное море в XVIII веке. М., 1883.

Успенский 1999 — *Успенский Б.А.* Русская интеллигенция как специфический феномен русской культуры // Россия / Russia. Вып. 2 [10]: Русская интеллигенция и западный интеллектуализм: история и типология. М., 1999.

Фадеев 1958 — *Фадеев А.В.* Россия и восточный кризис 20-х годов XIX века. М., 1958.

Фадеев 1964 — *Фадеев А.В.* Греческое национально-освободительное движение и русское общество первых десятилетий XIX века // Новая и новейшая история. 1964. № 3.

Фатеев б.д. — *Фатеев А.Н.* Потемкин-Таврический. Прага, б.д.

Фатеев 1940 — *Fateev A.* La disgrâce d'un Homme d'État // Записки русского научно-исследовательского объединения в Праге. Т. X. Прага, 1940.

Февр 1969 — *Faivre A.* Eckartshausen et la théosophie chrétienne. Paris, 1969.

Февр 1991 — *Февр Л.* Цивилизация: Эволюция слова и группы идей // *Февр Л.* Бои за историю / Отв. ред. А.Я. Гуревич. М., 1991.

Филарет 1812 — *Филарет (Дроздов)*. Слово по освящении храма во имя святой живоначальной Троицы, в доме князя Александра Николаевича Голицына, 1 октября. СПб., 1812.

Филарет 1814 — *Филарет (Дроздов)*. Слово на воспоминание произшествий 1812 года, говоренное в 1814 году, о гласе вопиющего в пустыне, говоренное в церкви святой живоначальной Троицы, что в доме г. синод. обер-прокурора князя А.Н. Голицына, генваря 18 дня. СПб, 1814.

Филарет 1814а — *Филарет (Дроздов)*. Слово на день сошествия Святого Духа, говоренное в церкви живоначальной Троицы, что в доме г. синод. обер-прокурора князя А.Н. Голицына, мая 18 дня. Из слов: исполнитеся духом. СПб., 1814.

Филарет 1822 — *Филарет (Дроздов)*. Рассуждение о нравственных причинах неимоверных успехов наших в войне с Французами 1812 года // Собрание образцовых русских сочинений и переводов в прозе / Изд. Обществом любителей Отечественной Словесности. 2-е изд., испр., умнож. <...>. Ч. II. СПб., 1822.

Филарет 1873 — Сочинения Филарета митрополита московского и коломенского. Слова и речи. Т. I. М., 1873.

Филарет 1882 —Письма к родным митрополита Московского Филарета (в мире Василия Михайловича Дроздова) к родным от 1800-го до 1866 года. М., 1882.

Филарет 1883 — Филарет, митрополит московский, и архимандрит Иннокентий в письмах к графу С.П. Потемкину за 1812—1848 гг. / Предисл. и примеч. Н.И. Барсова // РС. 1883. № 4.

Филарет 1994 —Филарета митрополита Московского и Коломенского творения / Сост. и вступ. статья М. Козлова. М., 1994.

Фишер 1970 — *Fisher A.W.* The Russian Annexation of Crimea. Cambridge, 1970.

Флинн 1970 — *Flynn J.* The Role of Jesuits in the Politics of Russian Education // Catholic Historical Review. 1970. Vol. 56.

Флоровский 1937 — *Флоровский Г.* Пути русского богословия. Paris, 1937.

Фоменко 1999 — *Фоменко И.Ю.* Кирьяк // Словарь русских писателей XVIII века. Вып. 2 (К—П). СПб., 1999.

Фрейдин и Боннел 1995 — *Freidin G., Bonnel V.* Televorot: The Role of Television Coverage in Russia's August 1991 Coup // Soviet Hieroglyphics: Visual Culture in Late Twentieth-Century Russia / Ed. by N. Condee. Bloomington; London, 1995.

Харрис I — *Harris J.* Diaries and Correspondence. Vol. I. N.Y., 1970.

Хвостов 1938 — *Хвостов Д.И.* Записки о словесности / Публ. А.В. Западова // Литературный архив. Т. 1. М.; Л., 1938.

Херасков 1769 — *Херасков М.* Ода Российскому храброму воинству, при объявлении войны противу Оттоманской Порты. М., [1769].

Херасков 1770 — *Херасков М.* Ода... Екатерине Алексеевне... на торжественную победу при городе Чесме над турецким флотом. М., 1770.

Херасков 1773 — *Херасков М.М.* Ода на торжественное бракосочетание <...> великого князя Павла Петровича и <...> великой княгини Натальи Алексеевны 1773 года, сентября 29 дня. СПб., [1773].

Херасков 1774 — Ода... Екатерине Алексеевне, <...> которою приносит при заключении с Оттоманскою Портой торжественного мира всеподданейшее поздравление Михайла Херасков. СПб., [1774].

Херасков 1785 — *Х[ерасков] М.* Владимир возрожденный, эпическая поэма. М., 1785.

Херасков 1787 — [*Херасков М.М.*] Щастливая Москва или 25 летний юбилей. Пролог представленный 1787 года, июня 28 дня, в день всерадостного на престол вступления Екатерины II. [М.,] 1787.

Херасков 1961 — *Херасков М.М.* Избранные произведения / Вступ. статья, подгот. текста и примеч. А.В. Западова. Л., 1961.

Хеш 1964 — *Hösch E.* Das sogenannte «griechische Project» Katharinas II: Ideologie und Wirklichkeit der russischen Orientpolitik in der zweiten Hälfte des 18. Jahrhunderts // Jahrbücher für Geshichte Osteuropas. 1964. Bd. XII.

Ходасевич 1988 — *Ходасевич В.* Державин / Вступ. статья, сост. и коммент. А.Л. Зорина. М., 1988.

Храповицкий 1874 — Дневник А.В. Храповицкого. 1782—1793 / Статья и указ. Н. Барсукова. СПб., 1874.

Цимбаев 1986 — *Цимбаев Н.И.* Славянофильство. Из истории русской общественно-политической мысли XIX века. М., 1986.

Цимбаев 1989 — *Цимбаев Н.И.* «Под бременем познанья и сомненья...» (Идейные искания 1830-х годов) // Русское общество 30-х годов XIX века. Люди и идеи. Мемуары современников / Под. ред. И.А. Федосова. М., 1989.

Чарторижский I—II — Мемуары князя Адама Чарторижского и его переписка с императором Александром I / Ред. и вступ. статья А. Кизеветтера. Т. I. М., 1912. Т. II. М., 1913.

Чибиряев 1989 — *Чибиряев С.А.* Великий русский реформатор. М., 1989.

Чистович 1894 — *Чистович И.А.* Руководящие деятели духовного просвещения в России в первой половине XIX текущего столетия. СПб., 1894.

Чистович 1899 — *Чистович И.А.* История перевода Библии на русский язык / 2-е изд. СПб., 1899.

Шамфор 1789 — [*Шамфор Н.С.Р. де*] Возвращенное благодеяние, комедия в одном действии. М., 1789.

Шатобриан 1840 — *Chateaubrian F. de.* Congrès du Vérone. Paris, 1840.

Шаховской 1964 — *Шаховской А.А.* Дебора // Стихотворная трагедия конца XVIII — начала XIX в. / Вступ. статья, подгот. текста и примеч. В.А. Бочкарева. М.; Л., 1964.

Шафхойтль 1979 — *Schafhäutl K.E. von.* Abt Georg Joseph Vogler. Hildesheim; New York, 1979.

Шваб 1950 — *Schwab R.* La Renaissance Orientale. Paris, 1950.

Шебунин 1925 — *Шебунин А.Н.* Европейская контрреволюция первой четверти XIX века / С предисл. Я. Захера. Л., 1925.

Шебунин, рукопись — *Шебунин А.Н.* Вокруг Священного союза // ОР РНБ. Ф. 849. № 110—111.

Шевалье 1939 — *Chevalier A.* Claude-Carloman de Rulhière premier historien de la Pologne. Sa vie et son œuvre historique d'après des documents inédits. Paris, 1939.

Шевченко 1991 — *Шевченко М.М.* Правительство, цензура и печать в России в 1848 г. // Вестник МГУ. Сер. 8. История. 1991. № 2.

Шевченко 1997 — *Шевченко М.М.* Сергей Семенович Уваров // Российские консерваторы. М., 1997.

Шенле 2001 — *Schonle A.* Garden of the Empire: Catherine's Appropriation of the Crimea // Slavic Review. 2001. Vol. 60. № 1.

Шеппер-Виммер 1985 — *Shaepper-Wimmer S.* Augustin Barruel, s.j. Frankfurt am Main; Bern; N.Y., 1985.

Шильдер 1893 — Переписка императора Александра Павловича с графом Ф.В. Ростопчиным. 1812—1814 гг. / Сообщ. Н.К. Шильдер // РС. 1893. № 1.

Шильдер 1898/1899 — *Шильдер Н.К.* Два доноса в 1831 году // РС. 1898. № 12. 1899. № 1—3.

Шильдер 1903 II — *Шильдер Н.К.* Император Николай Первый. Его жизнь и царствование. Т. II. СПб., 1903.

Шильдер I—IV — *Шильдер Н.К.* Император Александр Первый. Его жизнь и царствование. Т. I—IV. СПб., 1897—1898.

Ширинский-Шихматов 1807 — *Шихматов С.* Пожарский, Минин, Гермоген, или Спасенная Россия. Лирическая поэма в трех песнях. СПб., 1807.

Ширинский-Шихматов 1971 — *Ширинский-Шихматов С.А.* Пожарский, Минин, Гермоген, или Спасенная Россия // Поэты 1790—1810-х годов / Вступ. статья и сост. Ю.М. Лотмана; подгот. текста М.Г. Альтшуллера. Л., 1971.

Шишков 1831 — Краткие записки адмирала А. Шишкова, веденные им во время пребывания его при блаженной памяти государе императоре Александре Первом в бывшую с французами в 1812 и последующих годах войну. СПб., 1831.

Шишков 1870 — Записки, мнения и переписка адмирала А.С. Шишкова / Изд. Н. Киселева и Ю. Самарина. Т. I. Берлин, 1870.

Шишков II, IV — Собрание сочинений и переводов адмирала Шишкова, Российской императорской академии президента и разных ученых обществ члена. Ч. II. СПб., 1824. Ч. IV. СПб., 1825.

Шлегель 1808 — *Schlegel F.* Über die Sprache und Weisheit der Indier. Köln, 1808.

Шлегель II — *Schlegel F.* Philosophische Vorlesungen aus den Jahre 1804 — bis 1806. Bd. II. Bonn, 1846.

Шляпкин 1885 — *Шляпкин И.А.* Василий Петрович Петров «карманный стихотворец» Екатерины II. (По новым данным) // ИВ. 1885. № 11.

Шмид 1888 — *Schmid G.* Goethe und Uwarow und ihr Briefwechsel // Russische Revue. 1888. Bd. 17. № 2.

Шпет 1989 — *Шпет Г.Г.* Сочинения / Под. ред. А.В. Антоновой. М., 1989.

Штарк 1803 — *Starck J.A.* Der Triumph der Philosophie im XVIII Jahrhundert. Frankfurt, 1803.

Штейн 1905 — *В.Ш.* [*Штейн В.И.*] Барон фон Штейн. При русской главной квартире. (1812—1815) // ИВ. 1905. № 9.

Штейн III — *Stein H.-F.-K.* Briefe und amtliche Schriften. Bd. III. Stuttgart, 1961.

Шуазель-Гуфье 1999 — *Шуазель-Гуфье С.* Исторические мемуары об императоре Александре и его дворе // Державный сфинкс / Сост. А. Либерман, В. Наумов, С. Шокарев. М., 1999.

Шушард 1992 — *Schuchard M.K.* Blake's «Mr. Femality»: Freemasonry, Espionage, and the Double-Sexed // Studies in Eighteenth-Century Culture. 1992. Vol. 22.

Щукин II, VIII — Бумаги, относящиеся до Отечественной войны 1812 года, собранные и изданные П.И. Щукиным. Ч. II. М., 1892. Ч. VIII. М., 1904.

Эдвардс 1977 — *Edwards D.V.* Count Joseph de Maistre and Russian Educational Policy // Slavic Review. 1977. Vol. 36.

Эдлинг 1999 — *Эдлинг Р.С.* Записки // Державный сфинкс / Сост. А. Либерман, В. Наумов, С. Шокарев. М., 1999.

Эккартсгаузен 1804 — *Эккартсгаузен К.* Облако над святилищем, или Нечто такое, о чем гордая философия и грезить не смеет. СПб., 1804.

Эккартсгаузен I—II — *Eckartshausen K.* Aufschlüsse zur Magie. Bd. I—II. Münich, 1791.

Эмпейтаз 1828 — *E.H.L.* [*Empaytaz H.-L.*] Notice sur Alexandre, Empereur de Russie. Genève, 1828.

Эмпейтаз 1840 — *E.H.L.* [*Empaytaz H.-L.*] Notice sur Alexandre, Empereur de Russie. Paris, 1840.

Энгельгардт 1997 — *Энгельгардт Л.Н.* Записки / Подгот. текста, сост. и примеч. И.И. Федюкина. М., 1997.

Эпстайн 1966 — *Epstein K.* The Origins of German Conservatism. Princeton, 1966.

Эткинд 1996 — *Эткинд А.* «Умирающий Сфинкс»: Круг Голицына-Лабзина и петербургский период русской мистической традиции // Studia Slavica Finlandesia. T. XIII. Helsinki, 1996.

Эткинд 1997 — *Эткинд А.* Примечания // *Радлова А.* Богородицын корабль. Крылатый гость. Повесть о Татариновой / Публ., предисл. и примеч. А. Эткинда. М., 1997 [на обороте титула «1996»].

Юнг-Штиллинг 1815 — [*Юнг-Штиллинг Г.И.*] Победная песнь христианина. СПб., 1815.

Юнг-Штиллинг II — [*Юнг-Штиллинг Г.И.*] Жизнь Генриха Штиллинга. Истинная повесть. Ч. II. СПб., 1816.

Янушкевич 1985 — *Янушкевич А.С.* Этапы и проблемы творческой эволюции В.А. Жуковского. Томск, 1985.

Янушкевич 1992 — *Янушкевич А.С.* Жуковский // Русские писатели. 1800—1917: Биографический словарь. Т. 2: Г—К. М., 1992.

Указатель имен

Содержание

Андрей Зорин

КОРМЯ ДВУГЛАВОГО ОРЛА...

Литература и государственная идеология в России
в последней трети XVIII — первой трети XIX века

Редактор *А. Курилкин*
Художник *Д. Черногаев*
Корректор *Л. Морозова*
Верстка *В. Дзядко*

Налоговая льгота — общероссийский
классификатор продукции ОК-005-93, том 2;
953000 — книги, брошюры

ООО «Новое литературное обозрение»
Адрес редакции:
129626, Москва, И-626, а/я 55
Тел.: (095) 976-47-88
факс: 977-08-28
e-mail: real@nlo.magazine.ru
Интернет: http://www.nlo.magazine.ru

Формат 60x90/16
Бумага офсетная № 1
Печ. л. 26. Заказ № 1080
Отпечатано с готовых диапозитивов
в ОАО "Чебоксарская типография № 1".
428019, г. Чебоксары, пр. И. Яковлева, 15.